ANNE DE AVONLEA

Lucy Maud Montgomery

www.editorapedaletra.com.br
(11) 3733-0404 / 3687-7198

Projeto gráfico: **Quatria Comunicação**

Equipe editorial
Felipe Fiuza - Capa
Felipe Fiuza - Diagramação
Karina Regina dos Santos Pereira - Tradução
Shirley Sodré - Revisão

Tradução integral da obra *Anne de Avonlea*,
de Lucy Maud Montgomery
Título original: *Anne of Avonlea*

Dados Internacionais de Catalogação na Publicação (CIP)
Angélica Ilacqua CRB-8/7057

Montgomery, Lucy Maud
Anne de Avonlea / Lucy Maud Montgomery ; tradução de Karina. -- Brasil : Pé da Letra, 2020.
230 p. : il.

ISBN 978-65-5888-004-2
Título original: Anne of Avonlea

1. Literatura infantojuvenil **infantil** I. Título II. Karina

20-3490 CDD 028.5

Índices para catálogo sistemático:

1. Literatura infantojuvenil

ANNE DE AVONLEA

Lucy Maud Montgomery

PE da letra

CAPÍTULO I
Um vizinho furioso

Uma menina alta e magra, de 16 anos "e meio", com olhos acinzentados e cabelos que os amigos chamavam de castanho-avermelhado, havia se sentado na soleira ampla de arenito vermelho de uma casa de fazenda da Ilha de Prince Edward em uma bela tarde de agosto, firmemente decidida a interpretar várias linhas de Virgílio.

Mas uma tarde de agosto, com névoas azuis devorando os campos de colheita, pequenos ventos sussurrando de modo travesso nos choupos e um esplendor dançante de papoulas vermelhas flamejando contra o arvoredo escuro dos jovens abetos em um canto do pomar de cerejas era mais adequada para sonhos do que para línguas mortas. O Virgílio logo escorregou despercebido no chão, e Anne, com seu queixo apoiado nas mãos entrelaçadas e seus olhos na esplêndida multidão de nuvens fofas que se amontoavam sobre a casa do Sr. J.A. Harrison como uma grande montanha branca, estava distante em um delicioso mundo, onde um certo professor fazia um trabalho maravilhoso, moldando o destino de futuros governantes e inspirando jovens mentes e corações com grandes e sublimes ambições.

Com certeza, se considerássemos a dura realidade — o que, verdade seja dita, Anne raramente fazia até que fosse necessário —, não parecia provável que houvesse material muito promissor para celebridades na escola de Avonlea, mas nunca conseguiríamos dizer o que poderia acontecer se uma professora usasse sua influência para o bem. Anne tinha alguns ideais cor-de-rosa do que uma professora poderia alcançar se fosse pelo caminho certo. E ela estava em meio a uma cena encantadora, dali a quarenta anos, com um famoso personagem. Por que razão exatamente ele era famoso foi deixado em uma obscuridade conveniente, mas Anne pensou em como seria bom que ele se tornasse presidente de uma universidade ou um premiê canadense — curvando-se sobre sua mão enrugada e garantindo que havia sido ela a primeira a incitar sua ambição e que todo o seu sucesso era devido às lições que ela havia transmitido tanto tempo atrás na escola de Avonlea. Essa agradável visão foi destruída por uma interrupção muito desagradável.

Uma pequena e modesta vaca da raça jersey veio correndo pela estrada e, cinco segundos depois, o Sr. Harrison chegou — se é que "chegou" não fosse um termo muito leve para descrever que tipo de interrupção havia sido essa no quintal.

Ele pulou sobre a cerca, sem esperar para abrir o portão, e raivosamente confrontou a surpresa Anne, que havia ficado de pé e estava parada olhando para ele, perplexa. O Sr. Harrison era seu novo vizinho do lado direito e ela nunca o havia encontrado antes, embora o tivesse visto uma ou duas vezes.

No início de abril, antes de Anne voltar da Queen's para casa, o Sr. Robert Bell, cuja fazenda se unia à dos Cuthbert na direção oeste, havia vendido tudo e se mudado para Charlottetown. Sua fazenda havia sido comprada por um certo Sr. J.A. Harrison, cujo nome, e o fato de ser um homem de New Brunswick, era tudo o que se sabia sobre ele. Mas antes que fizesse um mês de sua chegada a Avonlea, ele havia conquistado a reputação de ser uma pessoa esquisita — "um excêntrico", a Sra. Rachel Lynde dizia. A Sra. Rachel era mulher que dizia o que pensava, como alguns de vocês que já a conheceram devem se lembrar. O Sr. Harrison era certamente diferente das outras pessoas. E essa é a característica essencial de um excêntrico, como todos sabem.

Em primeiro lugar, ele mantinha a casa para si mesmo e havia declarado publicamente que não queria tolices de mulheres em seu terreno. A parte feminina de Avonlea teve sua vingança por meio das histórias medonhas que foram relatadas a respeito da limpeza e da comida de sua casa. Ele havia contratado o pequeno John Henry Carter de White Sands, que começou as histórias. Primeiro, não havia horário estabelecido para as refeições na propriedade Harrison. O Sr. Harrison "fazia um lanche" quando sentia fome, e se John Henry estivesse por perto naquele momento, ele chegava para compartilhá-lo, mas se não estivesse, ele tinha que esperar até o próximo ataque de fome do Sr. Harrison. John Henry afirmou tristemente que teria morrido de fome se não fosse para casa aos domingos e ficasse bem cheio, e que a mãe sempre lhe dava uma cesta de "rango" para levar com ele nas segundas-feiras pela manhã.

Quanto a lavar a louça, o Sr. Harrison nunca tinha intenção de fazê-lo, mesmo que fosse um domingo chuvoso. Então, ele saía para trabalhar e lavava tudo de uma vez no barril de água da chuva e deixava a louça escorrer para secar.

Novamente, o Sr. Harrison foi “pão-duro”. Quando foi convidado a contribuir com o salário do reverendo Sr. Allan, ele disse que antes esperaria para ver quantos dólares as pregações dele valiam, pois não queria comprar gato por lebre. E, quando a Sra. Lynde pediu uma contribuição para as missões — e incidentalmente para ver o interior da casa —, ele disse a ela que havia mais pagãos entre as velhas fofoqueiras de Avonlea do que em qualquer outro lugar, e que ele alegremente contribuiria para uma missão de cristianização para elas. A Sra. Rachel foi-se embora e disse que era uma bênção o fato de a pobre Sra. Robert Bell estar segura em seu túmulo, pois teria partido seu coração ver o estado da casa da qual ela tanto se orgulhava.

“Ora, ela esfregava o chão da cozinha a cada dois dias”, disse a Sra. Lynde a Marilla Cuthbert, indignada, “e se você pudesse vê-lo agora! Eu tive que segurar minhas saias para atravessá-lo”.

Finalmente, o Sr. Harrison tinha um papagaio chamado Ginger. Ninguém em Avonlea havia tido um papagaio antes. Consequentemente, aquele procedimento foi considerado pouco respeitável. E que papagaio! Se acreditássemos em John Henry, nunca houve um pássaro tão profano. Ele praguejava terrivelmente. A Sra. Carter teria tirado John Henry de lá imediatamente se tivesse certeza de que poderia arranjar outro lugar para ele. Além disso, Ginger havia mordido um pedaço da parte de trás do pescoço de John Henry um dia em que ele havia se abaixado muito perto da gaiola. A Sra. Carter mostrava a todos a marca quando o azarado John Henry ia para casa aos domingos.

Todas essas coisas passaram pela mente de Anne enquanto o Sr. Harrison se levantava, parecendo estar sem palavras de tanta fúria diante dela. Nem em seu mais amigável estado de espírito, o Sr. Harrison não poderia ser considerado um homem bonito. Ele era pequeno, gordo e careca. E agora, com seu rosto redondo roxo de raiva e seus proeminentes olhos azuis quase saltando das órbitas, Anne pensou que ele era mesmo a pessoa mais feia que ela já tinha visto.

De repente, o Sr. Harrison encontrou sua voz.

"Não vou tolerar isso", ele balbuciou, "nem mais um dia, escutou, mocinha? Misericórdia, essa é a terceira vez, mocinha... a terceira vez! A paciência deixou de ser uma virtude, mocinha. Eu avisei sua tia para não deixar isso acontecer novamente... e ela deixou... ela fez isso... e o que ela quis dizer com isso é o que quero saber. É por isso que estou aqui, mocinha."

"Poderia explicar qual o problema?", pediu Anne, em sua maneira mais digna. Ela havia praticado boas maneiras consideravelmente nos últimos tempos quando a escola começou. Mas elas não tiveram efeito aparente no furioso J.A. Harrison.

"Problema, é? Misericórdia, problema sim, devo dizer. O problema é, mocinha, que eu encontrei aquela vaca jersey de sua tia na minha aveia outra vez, nem meia hora atrás. A terceira vez, preste atenção. Eu a encontrei na última terça-feira e de novo ontem. Eu vim aqui e disse a sua tia para não deixar que aconteça de novo. E ela deixou! Onde está sua tia, mocinha? Eu quero vê-la por um minuto e dizer-lhe umas boas... umas poucas e boas de J.A. Harrison, mocinha."

"Se o senhor está falando da Sra. Marilla Cuthbert, ela não é minha tia, e ela foi para East Grafton visitar um parente distante que está muito doente", disse Anne, com o devido aumento da dignidade em cada palavra. "Eu sinto muito que a minha vaca tenha invadido a sua plantação de aveia... ela é minha, e não da Sra. Cuthbert... Matthew a deu para mim há três anos quando ela era um pequeno bezerro. Ele a comprou do Sr. Bell."

"Sente muito, mocinha! Sentir muito não vai ajudar em nada. É melhor você ver o estrago que aquele animal fez na minha aveia... pisoteou tudo, do centro até as bordas, mocinha."

"Eu sinto muito", repetiu Anne, firmemente, "mas talvez se o senhor mantivesse suas cercas em melhor estado, Dolly não teria invadido. É a sua parte da cerca que separa seu campo de aveia do nosso pasto, e eu notei um dia desses que não estava em muito bom estado".

"Minha cerca está ótima", explodiu o Sr. Harrison, mais furioso do que nunca ao levar a guerra para o território inimigo. "As grades da prisão não conseguiriam segurar um demônio de vaca como aquela. E eu posso lhe dizer, sua ruivinha de nada, que se essa vaca é sua, como diz, é melhor você mantê-la longe dos grãos dos outros em vez de ficar sentada lendo romances de capa amarela", disse com um olhar mordaz para o inocente Virgílio dourado aos pés de Anne. Naquele momento, algo estava vermelho além do cabelo de Anne, que sempre havia sido um de seus pontos fracos.

"Eu prefiro ter cabelo vermelho a não ter cabelo nenhum além de uma franjinha em volta das orelhas", ela disparou.

O tiro atingiu o alvo, pois o Sr. Harrison era muito sensível a respeito de sua cabeça careca. Sua raiva o sufocou novamente e ele conseguiu apenas olhar mudo para Anne, que recuperou seu temperamento e seguiu com sua vantagem.

"Eu posso lhe fazer um favor, Sr. Harrison, porque tenho imaginação. Posso facilmente imaginar como deve ser difícil encontrar uma vaca em sua plantação de aveia, e não guardarei ressentimentos contra o senhor pelas coisas que disse. Eu prometo que Dolly nunca mais vai invadir sua plantação de aveia. Eu lhe dou minha palavra de honra NESSE ponto."

"Bem, acho bom mesmo", resmungou o Sr. Harrison em um tom um tanto submisso, mas ele saiu pisando duro e Anne o ouviu rosnando para si mesmo até que estivesse fora de alcance.

Gravemente perturbada em sua mente, Anne marchou através do jardim e trancou a vaca na sala de ordenha.

"Ela não pode sair daí de jeito nenhum, a menos que derrube a cerca", ela refletiu. "Ela parece bem quieta agora. Acho que deve ter ficado enjoada de tanta aveia. Eu gostaria de tê-la vendido ao Sr. Shearer quando ele a queria, na semana passada, mas achei que daria na mesma esperar para vendê-la até que houvesse o leilão do gado e deixar todos irem juntos. Eu acredito que seja verdade o fato de o Sr. Harrison ser um excêntrico. Certamente não há nada de alma amiga NELE."

Anne sempre tinha os atentos para almas amigas.

Marilla Cuthbert estava chegando ao quintal enquanto Anne retornava para casa, e esta correu para preparar o chá. Elas discutiram o caso sentadas à mesa de chá.

"Ficarei feliz quando o leilão acabar", disse Marilla. "É muita responsabilidade ter tanto gado por aqui e ninguém além daquele irresponsável do Martin para cuidar dele. Ele nunca mais voltou e prometeu que estaria de volta na noite passada se eu lhe desse um dia de folga para ir ao velório da tia. Eu certamente não sei quantas tias ele tem. Essa foi a quarta que morreu desde que o contratamos, no ano passado. Ficarei mais do que grata quando a colheita estiver pronta e o Sr. Barry assumir a fazenda. Nós teremos que manter Dolly presa na sala de ordenha até Martin chegar, pois ela precisa ser colocada de volta no pasto e as cercas ali devem ser consertadas. Eu afirmo, é um mundo de problemas, como diz Rachel. Aqui está a pobre Mary Keith morrendo, e o que vai ser de suas duas crianças é que não sei. Ela tem um irmão na Colúmbia Britânica e escreveu para ele sobre isso, mas ainda não teve notícias.

"Como são as crianças? Qual a idade delas?"

"Seis e poucos... são gêmeos."

"Ah, sempre tive um interesse especial em gêmeos, já que a Sra. Hammond teve tantos", disse Anne, ansiosamente. "Eles são bonitos?"

"Deus do céu, não daria para dizer... eles estavam muito sujos. Davy estava fazendo tortas de lama e Dora saiu para chamá-lo. Davy empurrou a cabeça dela na maior torta e, então, porque ela chorou, ele mesmo entrou na lama e chafurdou ali para mostrar a ela que não havia motivo para chorar. Mary disse que Dora era uma criança muito boa, mas que Davy era cheio de travessuras. Ele nunca recebeu nenhuma educação, pode-se dizer. O pai morreu quando ele era bebê e Mary esteve doente desde então."

"Sempre sinto pena das crianças que não receberam educação", disse Anne, sóbria. "A senhora sabe que EU não tinha nenhuma até a senhora me estender a mão. Espero que o tio cuide deles. Qual a sua relação com a Sra. Keith?"

"Comigo? Nenhuma. Era o marido dela... Ele era nosso primo em terceiro grau. Ali está a Sra. Lynde vindo pelo quintal. Imaginei que ela viesse para saber da Mary."

"Não conte a ela sobre o Sr. Harrison e a vaca", implorou Anne.

Marilla prometeu, mas a promessa foi desnecessária, pois a Sra. Lynde mal havia se sentado quando disse:

"Hoje vi o Sr. Harrison expulsando a sua vaca jersey para longe da aveia quando estava voltando de Carmody para casa. Achei que ele parecia muito bravo. Ele fez muito escândalo?"

Anne e Marilla trocaram sorrisos divertidos furtivamente. Poucas coisas em Avonlea escapavam da Sra. Lynde. Naquela mesma manhã Anne havia dito:

"Se a senhora fosse para o seu próprio quarto à meia-noite, trancasse a porta, fechasse as cortinas e ESPIRRASSE, a Sra. Lynde perguntaria se estava melhor da gripe no dia seguinte!"

"Creio que sim", admitiu Marilla. "Eu estava fora. Ele falou poucas e boas para a Anne."

"Acho que ele é um homem muito desagradável", disse Anne, virando a cabeça ruiva de um jeito ressentido.

"Você nunca esteve tão certa", disse a Sra. Rachel, solenemente. "Eu sabia que haveria problema quando Robert Bell vendeu sua casa a um homem de New Brunswick, isso sim. Não sei o que está acontecendo com Avonlea, com tantas pessoas estranhas chegando. Logo não estaremos seguros para dormir na própria cama."

"Ora, que outros estranhos estão chegando?", perguntou Marilla.

"Você não soube? Bem, tem uma família de Donnels, para começar. Eles alugaram a antiga casa de Peter Sloane. Peter contratou o homem para cuidar do moinho dele. Eles são do leste e ninguém sabe nada sobre eles. E também aquela família sem rumo de Timothy Cotton vai se mudar para White Sands e ela será um fardo para a comunidade. O homem está com tuberculose... quando não está roubando... e sua esposa é uma criatura desmazelada que não se dá ao trabalho de fazer nada. Ela lava a louça SENTADA. O Sr. George Pye ficou com o sobrinho órfão do marido dela, Anthony Pye. Ele vai para a escola com você, Anne, então deve esperar problemas, isso sim. E você também vai ter outro pupilo estranho. Paul Irving está vindo dos Estados Unidos para viver com a avó. Você se lembra do pai dele, Marilla... Stephen Irving, aquele que rejeitou Lavendar Lewis em Grafton?"

"Eu não acho que ele a rejeitou... Houve uma discussão... Imagino que houvesse culpa dos dois lados."

"Bem, de qualquer forma, ele não se casou com ela, e dizem que ela tem se comportado de modo muito estranho desde então, vivendo sozinha naquela pequena casa de pedras que chama de Cabana do Eco. Stephen foi para os Estados Unidos, entrou para os negócios com o tio dele e se casou com uma ianque. Ele nunca mais voltou para casa, apesar de sua mãe tê-lo visitado uma ou duas vezes. A esposa dele morreu há dois anos e ele está mandando o menino para a casa da mãe por um tempo. Ele tem 10 anos e não sei se vai ser um pupilo muito desejável. Nunca se sabe com esses ianques."

A Sra. Lynde encarava todas as pessoas que tinham o azar de nascer ou ser criadas em outro lugar que não a de Prince Edward com um ar decidido de "o que é que pode vir de bom daí?". Elas PODERIAM ser boas pessoas, é claro, mas era mais seguro duvidar. Ela tinha um preconceito especial contra ianques. Seu marido havia sido enganado e perdera dez dólares para um patrão para quem ele havia trabalhado em Boston, e nada neste mundo poderia convencer a Sra. Rachel de que todos os Estados Unidos não eram responsáveis por isso.

"A escola de Avonlea não vai ficar pior por causa de um pouco de sangue novo", disse Marilla, seca, "e se esse menino for parecido com o pai, ele vai ficar bem. Steve Irving era o menino mais gentil já criado por esses lados, embora algumas pessoas o chamassem de orgulhoso. Eu imagino que a Sra. Irving esteja muito feliz por ficar com a criança. Ela ficou muito solitária desde que o marido morreu".

"Ah, o menino vai ficar bem, sim, mas ele vai ser diferente das crianças de Avonlea", disse a Sra. Rachel, como se isso decidisse o assunto. As opiniões da Sra. Rachel a respeito de qualquer pessoa, lugar ou coisa sempre tinham garantia para durar. "O que é isso que eu ouvi sobre você começar uma Sociedade de Melhoria do Vilarejo, Anne?"

"Eu estava apenas conversando com algumas das meninas e meninos no último Clube de Debate", disse Anne, corando. "Eles acharam que seria muito bom... e o Sr. e a Sra. Allan também. Muitos vilarejos já têm uma."

"Bem, você vai ficar em maus lençóis se fizer isso. Melhor deixar para lá, Anne, isso sim. As pessoas não gostam de ser melhoradas."

"Ah, nós não vamos tentar melhorar as PESSOAS. É a própria Avonlea. Há muitas coisas que podem ser feitas para deixá-la mais bonita. Por exemplo, podemos convencer o Sr. Levi Boulter a demolir aquela casa velha horrorosa da parte de cima da fazenda dele. Isso não seria uma melhoria?"

"Certamente seria", admitiu a Sra. Rachel. "Aquela velha ruína tem sido uma visão desagradável há anos. Mas se vocês Melhoradores conseguirem convencer Levi Boulter a fazer qualquer coisa para a comunidade que ele não seja pago para fazer, tomara que eu esteja lá para ver e ouvir o processo, isso sim. Eu não quero desencorajá-la, Anne, pois deve ter alguma coisa nessa sua ideia, embora eu imagine que você a tenha visto em alguma porcaria de revista ianque. Mas você vai estar com as mãos cheias com a sua escola e eu a aconselho como amiga a não se preocupar com melhorias. Apesar de saber que você vai seguir com isso se estiver decidida. Você sempre dá um jeito de fazer as coisas."

Algo sobre o contorno firme dos lábios de Anne indicou que a Sra. Rachel não estava errada nessa previsão. O coração de Anne estava voltado para a formação da Sociedade de Melhoria. Gilbert Blythe, que ensinava em White Sands, mas sempre estava em casa da noite de sexta-feira até a segunda-feira pela manhã, havia se entusiasmado com a ideia. E a maior parte dos outros estava disposta a fazer qualquer coisa que significasse reuniões ocasionais e, consequentemente, alguma diversão. Quanto a dizer o que seriam as "melhorias", ninguém tinha uma ideia muito clara, exceto Anne e Gilbert. Eles haviam conversado sobre elas e planejado tudo até que uma Avonlea ideal existisse em suas mentes, ainda que não existisse em mais nenhum lugar.

A Sra. Rachel ainda tinha mais notícias.

"Eles deram a escola de Carmody para Priscilla Grant. Você não foi para a Queen's com uma garota com esse nome, Anne?"

"Sim, fui mesmo. Priscila ensinando em Carmody! Que adorável!", exclamou Anne, seus olhos cinzentos se acenderam até parecerem estrelas noturnas, fazendo a Sra. Lynde imaginar se algum dia ela ficaria satisfeita em decidir se Anne Shirley era mesmo uma menina bonita ou não.

CAPÍTULO II

Vendendo com pressa e arrependendo-se devagar

Anne foi até Carmody em uma expedição de compras na tarde seguinte e levou Diana Barry com ela. Diana era, é claro, um membro comprometido da Sociedade de Melhoria, e as duas meninas falaram sobre isso por todo o caminho até Carmody e na volta.

"A primeira coisa que devemos fazer quando começarmos é pintar aquele auditório", disse Diana, enquanto passavam pelo auditório de Avonlea, um prédio desgastado localizado em um vale arborizado com espruces em todos os lados. "É um lugar com uma aparência vergonhosa e devemos cuidar dele antes mesmo de tentar fazer o Sr. Levi Boulter demolir a casa dele. Papai diz que nunca vamos ter sucesso com ISSO. Levi Boulter é muito ruim para despender o tempo que seria necessário."

"Talvez ele deixe que os meninos ponham a casa abaixo se prometerem transportar e cortar as tábuas para ele usar como lenha", disse Anne, esperançosa. "Nós devemos fazer nosso melhor e ficar contentes em começar devagar. Não podemos esperar melhorar tudo de uma vez. Teremos que conscientizar a opinião pública primeiro, é claro."

Diana não estava tão certa a respeito do que significava conscientizar a opinião pública. Mas parecia agradável e ela se sentia orgulhosa de pertencer a uma sociedade com tal ambição em mente.

"Noite passada, eu pensei em algo que poderíamos fazer, Anne. Você sabe aquele pedaço de terra onde as estradas de Carmody, Newbridge e White Sands se encontram? Está todo cheio de espruces crescidos. Não seria ótimo limpar tudo e deixar apenas uma ou duas bétulas crescendo ali?"

"Esplêndido", concordou Anne, feliz. "E colocar um banco rústico embaixo das bétulas. Quando a primavera chegar, teremos um canteiro de flores ali no meio e vamos plantar gerânios."

"Sim, só que vamos ter que pensar em uma forma de a Sra. Hiram Sloane manter a vaca dela longe da estrada, ou ela vai comer nossos gerânios", riu Diana. "Estou começando a entender o que você quis dizer com conscientizar a opinião pública, Anne. Ali está a velha casa Boulter agora. Você já viu uma espelunca dessas? E ainda bem em cima da estrada. Uma casa velha sem janelas sempre me faz pensar em algo morto com os olhos arrancados."

"Acho que uma casa velha e deserta é uma visão tão triste", disse Anne, sonhadora. "Sempre me parece que está pensando sobre seu passado e lamentando suas alegrias de outros tempos. Marilla disse que uma família grande foi criada naquela velha casa muito tempo atrás e que era mesmo um lugar muito bonito, com um jardim adorável e rosas subindo por tudo. Era cheia de crianças pequenas e havia música; e agora está vazia, e nunca nada passeia por ali, a não ser o vento. Quão solitário e triste deve ser! Talvez todos eles voltem em noites de luar... Os fantasmas das crianças pequenas de muito tempo atrás e as rosas e as músicas... E por um instante a velha casa possa sonhar que é jovem e alegre novamente."

Diana balançou a cabeça.

"Eu nunca imagino coisas assim sobre os lugares agora, Anne. Não se lembra de como mamãe e Marilla ficaram contrariadas quando imaginamos fantasmas na Floresta Assombrada? Até hoje não consigo passar por aqueles arbustos confortavelmente depois de escurecer. E, se eu começar a imaginar essas coisas sobre a velha casa Boulter, ficarei com medo de passar por ela também. Além disso, aquelas crianças não estão mortas. Elas estão todas crescidas e se saindo bem... um dos meninos é açougueiro. E flores e músicas não poderiam ter fantasmas de qualquer forma."

Anne sufocou um pequeno suspiro. Ela amava Diana de todo o coração e elas sempre tinham sido boas companheiras. Mas Anne já tinha aprendido havia muito tempo que, quando entrava no mundo da imaginação, devia ir sozinha. O caminho até lá era encantado, por onde nem mesmo a sua mais querida amiga deveria segui-la.

Uma tempestade chegou enquanto as meninas estavam em Carmody. Porém, não durou muito, e o caminho de volta para casa, através de estradas onde as gotas de chuva brilhavam nos ramos e pequenos vales frondosos em que as samambaias encharcadas distribuíam um aroma marcante, era encantador. No entanto, assim que elas viraram na estrada dos Cuthbert, Anne viu algo que destruiu a beleza da paisagem para ela.

Diante delas estendia-se o amplo campo de aveia do Sr. Harrison, verde-acinzentado, exuberante e molhado. E lá, parada bem no meio dele, até os flancos dentro da abundante plantação, e piscando calmamente para elas através das hastes entrelaçadas, estava a vaca jersey!

Anne largou as rédeas e ficou de pé, apertando os lábios, o que não indicava nada de bom para o quadrúpede predatório. Ela não disse nem uma palavra, mas pulou agilmente sobre as rodas e correu pela cerca antes que Diana entendesse o que tinha acontecido.

"Anne, volte", gritou Diana, assim que encontrou sua voz. "Você vai destruir seu vestido nesses grãos molhados... vai destruí-lo! Ela não me ouve! Bem, ela nunca vai conseguir tirar aquela vaca sozinha. Eu devo ajudá-la, é claro."

Anne estava avançando pelos grãos como uma louca. Diana saltou rapidamente para baixo, amarrou o cavalo de forma segura a um poste, jogou a saia de seu belo vestido xadrez sobre os ombros, subiu na cerca e começou a busca pela sua amiga frenética. Ela conseguia correr mais rápido que Anne, que estava prejudicada pela saia encharcada agarrada ao corpo, e logo a alcançou. Atrás delas, deixaram um rastro que partiria o coração do Sr. Harrison quando ele o visse.

"Anne, pela misericórdia de Deus, pare", disse a pobre Diana, ofegante. "Eu estou sem fôlego e você está molhada até o ossos."

"Eu preciso... tirar... aquela vaca... antes que... o Sr. Harrison... a veja", arfou Anne. "Eu não... me importo... em me... afogar... contanto... que consiga... fazer isso."

A vaca Jersey, porém, parecia não ver nenhuma boa razão para ser expulsa de seu exuberante local de exploração. Assim que as duas meninas, sem fôlego, se aproximaram dela, ela se virou e fugiu para o canto oposto do campo.

"Faça ela parar", gritou Anne. "Corra, Diana, corra."

Diana correu. Anne tentou, e a terrível vaca jersey correu pelo campo como se estivesse possuída. Em seu íntimo, Diana pensou que ela estava mesmo. Passaram-se dez minutos até que elas conseguissem pará-la e guiá-la através do vão da cerca até a estrada dos Cuthbert.

Não há como negar que Anne não estava com um temperamento nada angélico naquele momento em particular. E não se acalmou nem um pouco ao contemplar uma charrete parada bem na beira da estrada, onde estavam sentados o Sr. Shearer, de Carmody, e seu filho, ambos com sorrisos largos no rosto.

"Acho que teria sido melhor me vender aquela vaca quando quis comprá-la semana passada, Anne", riu o Sr. Shearer.

"Posso vendê-la agora, se o senhor quiser", disse a dona, vermelha e desgrenhada. "Pode ficar com ela agora mesmo."

"Fechado. Dou vinte por ela, como tinha oferecido antes, e Jim aqui pode levá-la direto para Carmody. Ela vai para a cidade com o resto do carregamento esta noite. O Sr. Reed, de Brighton, quer uma vaca jersey."

Cinco minutos depois, Jim Shearer e a vaca Jersey estavam marchando estrada acima, e a impulsiva Anne seguia pela estrada de Green Gables com seus vinte dólares.

"O que Marilla vai dizer?", perguntou Diana.

"Ah, ela não vai ligar. Dolly era a minha vaca e não é provável que ela recebesse mais de vinte dólares no leilão. Mas, ah, Deus, se o Sr. Harrison vir aqueles grãos, ele vai saber que ela esteve lá de novo, e depois de dar a ele minha palavra de honra de que eu nunca deixaria isso acontecer! Bem, isso me ensinou uma lição: não dar minha palavra de honra sobre vacas. Uma vaca capaz de pular ou arrombar a nossa sala de ordenha não poderia ser confiável em lugar nenhum."

Marilla havia ido até a casa da Sra. Lynde, e, quando ela retornou, sabia tudo sobre a venda e a transferência de Dolly, pois a Sra. Lynde tinha visto a maior parte da transação de sua janela e adivinhado o resto.

"Eu imagino que seja bom que ela tenha ido, embora você faça MESMO as coisas de maneira terrivelmente precipitada, Anne. Eu não consigo entender ainda como ela saiu da sala de ordenha. Ela deve ter quebrado algumas das tábuas."

"Eu não pensei em olhar", disse Anne, "mas eu vou olhar agora. Martin ainda não voltou. Talvez mais alguma de suas tias tenha morrido. Acho que é algo parecido com o Sr. Peter Sloane e os octogenários. Uma noite dessas, a Sra. Sloane estava lendo o jornal e disse ao Sr. Sloane: 'Estou vendo aqui que outro octogenário morreu. O que é um octogenário, Peter?'. E o Sr. Sloane disse que não sabia, mas que deveriam ser criaturas muito adoentadas, pois nunca se sabia delas a menos que estivessem morrendo. É assim com as tias do Martin."

"Martin é como todo o resto daqueles franceses", disse Marilla, com repulsa. "Você não pode depender deles nem um dia." Marilla estava olhando as compras de Anne em Carmody quando ouviu um guincho agudo no celeiro. Um minuto depois, Anne entrou correndo na cozinha, torcendo as mãos.

"Anne Shirley, qual o problema agora?"

"Ah, Marilla, o que é que eu vou fazer? Isso é terrível. E é tudo minha culpa. Ah, será que ALGUM DIA eu vou aprender a parar e refletir um pouco antes de fazer coisas imprudentes? A Sra. Lynde sempre me disse que eu faria algo terrível um dia, e agora eu fiz!"

"Anne, você é a menina mais irritante! O QUE você fez?"

"Vendi a vaca jersey do Sr. Harrison... a que ele comprou do Sr. Bell... para o Sr. Shearer! A Dolly está na sala de ordenha neste instante."

"Anne Shirley, você está sonhando?"

"Gostaria de estar. Não há nada de sonho nisso, embora pareça um pesadelo. E a vaca do Sr. Harrison está em Charlottetown a essa altura. Ah, Marilla, eu sabia que arranjaria confusão e aqui estou eu na pior de toda a minha vida. O que posso fazer?"

"Fazer? Não há nada a fazer, criança, a não ser falar com o Sr. Harrison sobre isso. Nós podemos oferecer a ele a nossa jersey em troca se ele não quiser ficar com o dinheiro. Ela é tão boa quanto a dele."

"Tenho certeza de que ele ficará terrivelmente contrariado e zangado com isso", disse Anne.

"Ouso dizer que sim. Ele parece ser um homem do tipo irritadiço. Posso explicar a ele se você quiser."

"Não, de jeito nenhum, eu não sou tão má assim", exclamou Anne. "É tudo culpa minha e certamente não vou deixar que você receba o castigo. Eu mesma vou e vou agora mesmo. Quanto mais cedo terminar, melhor, pois vai ser terrivelmente humilhante."

A pobre Anne pegou o chapéu e os vinte dólares e estava saindo quando acabou olhando através da porta aberta da despensa. Na mesa, repousava um bolo de nozes que ela havia assado naquela manhã... uma mistura particularmente apetitosa coberta de glacê rosa e enfeitada com nozes. Anne tinha intenção de levá-lo na sexta-feira à noite, quando a juventude de Avonlea se encontraria em Green Gables para organizar a Sociedade de Melhoria. Mas quem eram eles comparados ao legitimamente ofendido Sr. Harrison? Anne pensou que aquele bolo deveria suavizar o coração de qualquer homem, especialmente um que tinha que preparar a própria comida, e ela prontamente o colocou em uma caixa. Ela o levaria para o Sr. Harrison como uma oferta de paz.

"Isto é, se ele me der uma chance de falar alguma coisa", pensou, tristemente, enquanto subia na cerca e começava seu caminho pelos campos dourados sob a luz da tarde de agosto. "Agora sei como se sentem as pessoas que estão prestes a ser executadas."

CAPÍTULO III
A casa do Sr. Harrison

A casa do Sr. Harrison era uma estrutura antiquada, baixa e caiada, encostada em um espesso bosque de espruces.

O próprio Sr. Harrison estava sentado em sua varanda, sombreada por videiras, em mangas de camisa, aproveitando seu cachimbo noturno. Quando ele percebeu quem estava vindo pelo caminho, ficou subitamente de pé, fugiu para dentro da casa e fechou a porta. Esse foi apenas o resultado desconfortável de sua surpresa, misturado com um bocado de vergonha por causa de sua explosão de raiva no dia anterior. Mas quase varreu todo o restante de coragem do coração de Anne.

"Se ele está tão furioso agora, imagino como vai estar quando ouvir o que eu fiz", ela refletiu, infeliz, enquanto batia à porta.

Mas o Sr. Harrison a abriu, sorrindo timidamente, e a convidou a entrar com um tom de voz bem suave e amigável, ainda que um tanto nervoso. Ele havia deixado seu cachimbo de lado e vestido seu casaco. Ele ofereceu a Anne uma cadeira muito empoeirada de um jeito bastante educado, e a recepção dela teria sido suficientemente agradável se não fosse pelo papagaio fofoqueiro que estava espiando pelas barras da gaiola com olhos dourados e maldosos. Assim que Anne se sentou, Ginger exclamou:

"Misericórdia, o que a ruivinha de nada veio fazer aqui?"

Seria muito difícil dizer qual rosto estava mais vermelho, o do Sr. Harrison ou o da Anne.

"Não ligue para esse papagaio", disse o Sr. Harrison, lançando um olhar furioso para Ginger. "Ele... ele está sempre falando bobagem. Eu o peguei do meu irmão, que era marinheiro. Marinheiros nem sempre usam o melhor vocabulário, e papagaios são pássaros imitadores."

"Eu imagino", disse a pobre Anne, com a lembrança de sua missão reprimindo seu ressentimento. Ela não podia se dar ao luxo de esnobar o Sr. Harrison nas atuais circunstâncias, isso era certo. Quando se acaba de vender a vaca jersey de um homem sem pensar, sem seu conhecimento ou consentimento, não se deve ligar se o seu papagaio repete coisas pouco lisonjeiras. Entretanto, a "ruivinha de nada" não estava tão mansa quanto poderia estar.

"Eu vim para confessar algo ao senhor", ela disse, resolutamente. "É... é sobre... aquela vaca jersey."

"Misericórdia", exclamou o Sr. Harrison, nervoso, "ela entrou na minha aveia de novo? Bem, não importa... não importa se ela tiver entrado. Não faz diferença... nenhuma mesmo. Eu... eu fui muito precipitado ontem, isso é fato. Não importa se ela tiver entrado."

"Ah, se fosse só isso", suspirou Anne. "Mas é dez vezes pior. Eu não..."

"Misericórdia, você quer dizer que ela entrou no meu trigo?"

"Não... não... não no trigo. Mas..."

"Então foi nos meus repolhos! Ela invadiu os repolhos que eu estava plantando para a exposição, hein?"

"Não SÃO os repolhos, Sr. Harrison. Eu vou lhe contar tudo... foi por isso que eu vim... mas, por favor, não me interrompa. Isso me deixa tão nervosa. Apenas me deixe contar a minha história e não diga nada até eu terminar... e aí sem dúvida o senhor falará bastante", concluiu Anne, mas apenas em pensamento.

"Não vou falar mais nem uma palavra", disse o Sr. Harrison, e ele não disse. Mas Ginger não havia assinado nenhum contrato de silêncio e continuou lançando "ruivinha de nada" periodicamente até Anne se sentir bastante feroz.

"Eu tranquei minha vaca jersey na nossa sala de ordenha ontem. Hoje de manhã fui para Carmody e, quando voltei, vi uma vaca jersey na sua plantação de aveia. Diana e eu a tocamos para fora e o senhor não pode imaginar o trabalho que tivemos. Eu estava tão terrivelmente molhada, cansada e perturbada — e o Sr. Shearer apareceu naquele mesmo instante e se ofereceu para comprar a vaca. Eu a vendi para ele ali mesmo por vinte dólares. Foi errado de minha parte. Eu deveria ter esperado e consultado a Marilla, é claro. Mas eu tenho uma tendência terrível a fazer coisas sem pensar, todos que me conhecem lhe dirão isso. O Sr. Shearer levou a vaca no mesmo instante para enviá-la no trem da tarde."

"Ruivinha de nada", disse Ginger, em um profundo tom de contentamento.

Naquele ponto, o Sr. Harrison se levantou e, com uma expressão que teria aterrorizado qualquer pássaro que não fosse um papagaio, carregou a gaiola para uma sala ao lado e fechou a porta. Ginger guinchou, praguejou e se comportou de modo a manter sua reputação, mas, ao se ver sozinho, recaiu em um silêncio mal-humorado.

"Desculpe-me. Pode continuar", disse o Sr. Harrison, sentando-se novamente. "Meu irmão, o marinheiro, nunca ensinou boas maneiras para aquele papagaio."

"Eu fui para casa e depois do chá fui até a sala de ordenha, Sr. Harrison..." Anne inclinou-se para a frente, entrelaçando as mãos com seu velho gesto infantil, enquanto seus grandes olhos cinzentos olhavam implorando para o rosto envergonhado do Sr. Harrison. "Eu encontrei a minha vaca ainda trancada na sala. Foi a SUA vaca que eu vendi para o Sr. Shearer."

"Misericórdia", exclamou o Sr. Harrison, em um assombro vazio com essa conclusão inesperada. "Que coisa MAIS extraordinária!"

"Ah, não é nem um pouco extraordinário que eu arranje confusão para mim e para os outros", disse Anne, lamentando. "Eu sou conhecida por isso. O senhor deveria imaginar que eu estou crescida demais para isso... Farei 17 anos em Março... mas parece que não estou. Sr. Harrison, é esperar muito que o senhor me perdoe? Temo que seja tarde demais para recuperar a sua vaca, mas aqui está o dinheiro por ela. Ou o senhor pode ficar com a minha se preferir. Ela é uma vaca muito boa. E mal posso expressar quanto lamento por tudo isso."

"Tsc, tsc", disse o Sr. Harrison rapidamente, "não diga mais nada sobre isso, mocinha. Não vai dar em nada... em nada mesmo. Acidentes acontecem. Eu mesmo sou muito precipitado às vezes, mocinha... Muito precipitado mesmo. Mas não consigo evitar falar o que realmente penso e as pessoas têm que me aceitar como sou. Agora, se aquela vaca estivesse nos meus repolhos... mas, não importa, ela não estava, então, está tudo bem. Acho que prefiro ficar com a sua vaca em troca, já que quer se livrar dela."

"Ah, obrigada, Sr. Harrison. Fico tão feliz por não tê-lo deixado contrariado. Tive medo de que ficasse."

"E imagino que você estava morrendo de medo de vir aqui e me contar, depois do tumulto que eu fiz ontem, hein? Mas não se importe comigo, eu sou um velho terrivelmente desbocado, isso é tudo... com uma péssima aptidão para dizer a verdade, não importa que seja um pouco crua."

"A Sra. Lynde também", disse Anne, antes que pudesse evitar.

"Quem? A Sra. Lynde? Não me diga que sou como aquela velha fofoqueira", disse o Sr. Harrison, irritado. "Não sou... nem um pouco. O que tem nesta caixa?"

"Um bolo", disse Anne, com veemência. Aliviada com a amabilidade do Sr. Harrison, seu estado de espírito voou para cima como uma pena. "Eu trouxe para o senhor... imaginei que talvez não comesse bolo com frequência."

"Não como, isso é fato, e também gosto bastante de bolo. Sou muito grato a você. Parece bom vendo por cima. Espero que esteja bom por dentro também."

"Está", disse Anne, com uma confiança alegre. "Já fiz muitos bolos que NÃO estavam, como a Sra. Allan poderia lhe dizer, mas este está bom. Eu fiz para a Sociedade de Melhoria, mas posso fazer outro para eles."

"Bem, é o seguinte, mocinha, você deve me ajudar a comer. Colocarei a chaleira no fogo e tomaremos um chá. O que acha disso?"

"O senhor vai me deixar fazer o chá?", disse Anne, duvidosamente.

O Sr. Harrison riu.

"Vejo que você não tem muita confiança na minha habilidade em fazer chá. Você está errada... Eu faço o melhor chá que você já bebeu. Mas vá em frente. Felizmente, choveu no domingo passado, então há bastante louça limpa."

"Anne subiu rapidamente e começou a trabalhar. Ela lavou a chaleira diversas vezes antes de preparar o chá. Então, varreu o forno e colocou a mesa, trazendo a louça da despensa. O estado da despesa deixou Anne horrorizada, mas ela sabiamente não disse nada. O Sr. Harrison disse a ela onde encontrar o pão, a manteiga e uma lata de pêssegos. Anne enfeitou a mesa com um buquê do jardim e fechou os olhos para as manchas na toalha. Logo o chá ficou pronto e Anne viu-se sentando-se de frente para o Sr. Harrison em sua própria mesa, servindo-lhe chá e conversando livremente com ele sobre sua escola, seus amigos e planos. Ela mal podia acreditar na evidência de seus sentidos.

O Sr. Harrison havia trazido Ginger de volta, alegando que o pobre pássaro ficaria solitário; e Anne, sentindo que poderia perdoar a tudo e a todos, ofereceu-lhe uma noz. Mas os sentimentos de Ginger haviam sido terrivelmente feridos e ele rejeitou todas as ofertas de amizade. Ele se sentou mal-humorado em seu poleiro e eriçou as penas até parecer apenas uma bola de verde e dourado.

"Por que o chama de Ginger?", perguntou Anne, que gostava de nomes apropriados e pensava que Ginger não estava de acordo com uma plumagem tão deslumbrante.

"Meu irmão marinheiro que lhe deu esse nome. Talvez tenha alguma referência com o seu temperamento. Eu tenho muita consideração por esse pássaro, no entanto... você ficaria surpresa se soubesse quanto. Ele tem seus defeitos, é claro. Aquele pássaro me custou muito de um jeito ou de outro. Algumas pessoas protestam contra o seu hábito de praguejar, mas ele não se deixa vencer. Eu tentei... outras pessoas tentaram. Algumas pessoas têm preconceito contra papagaios. Bobagem, não é? Eu gosto deles. Ginger me faz muita companhia. Nada me convenceria a me desfazer dele... nada no mundo, mocinha.

O Sr. Harrison atirou a última frase em Anne de forma explosiva, como se suspeitasse que ela tivesse algum desejo latente de persuadi-lo a se desfazer de Ginger. Anne, entretanto, estava começando a gostar do estranho, espalhafatoso e inquieto, e, antes que a refeição terminasse, eles se tornaram bons amigos. O Sr. Harrison soube da Sociedade de Melhoria e estava disposto a aprová-la.

"Está certo. Vá em frente. Há muito espaço para melhoria nesse lugar... e nas pessoas também."

"Ah, não sei", disparou Anne. Para si mesma e para seus amigos especiais, ela poderia admitir que havia algumas pequenas imperfeições, facilmente removíveis, em Avonlea e em seus habitantes. Mas ouvir alguém de fora, prático como o Sr. Harrison, dizer isso, era uma coisa completamente diferente. "Acho que Avonlea é um lugar adorável, e as pessoas também são muito boas."

"Acho que você tem um pouco de gênio", comentou o Sr. Harrison, analisando as bochechas coradas e os olhos indignados que o encaravam. "Vem junto com esse seu cabelo, eu acho. Avonlea é um lugar bastante decente ou eu não teria me instalado aqui. Mas imagino que mesmo você pode admitir que há ALGUNS defeitos."

"Gosto daqui mais ainda por isso", disse a leal Anne. "Eu não gosto de lugares ou pessoas que não têm nenhum defeito. Acho que uma pessoa verdadeiramente perfeita seria muito desinteressante. A Sra. Milton White diz que ela nunca conheceu uma pessoa perfeita, mas que já ouviu a respeito de uma... a primeira esposa do marido. O senhor não acha que deve ser muito desconfortável ser casada com um homem cuja primeira esposa era perfeita?"

"Seria mais desconfortável ser casado com a esposa perfeita", declarou o Sr. Harrison, com um entusiasmo repentino e inexplicável.

Quando o chá terminou, Anne insistiu em lavar a louça, embora o Sr. Harrison dissesse a ela que ainda havia louça suficiente na casa para usar durante semanas. Ela teria amado varrer o chão também, mas não havia nenhuma vassoura à vista e ela não quis perguntar onde estava por medo de não haver mesmo nenhuma.

"Você pode vir aqui e conversar comigo de vez em quando", sugeriu o

Sr. Harrison quando ela estava partindo. "Não é longe e devemos ser bons vizinhos. Eu estou bem interessado nessa sua sociedade. Parece que vai ser divertido. Quem você vai enfrentar primeiro?"

"Nós não vamos nos intrometer na vida das PESSOAS... queremos melhorar apenas os LUGARES", disse Anne em um tom digno. Ela suspeitava que o Sr. Harrison estivesse caçoando do projeto.

Quando ela saiu, o Sr. Harrison a observou pela janela... Uma figura feminina ágil passeando despreocupadamente pelos campos sob o brilho do pôr do sol.

"Eu sou um velho rabugento, solitário e complicado", ele disse em voz alta, "mas há algo naquela menina que me faz sentir jovem de novo... É uma sensação tão agradável que eu gostaria de repeti-la de vez em quando".

"Ruivinha de nada", crocitou Ginger, debochado.

O Sr. Harrison sacudiu o punho para o papagaio.

"Seu pássaro teimoso", ele resmungou, "eu quase desejava ter torcido seu pescoço quando o meu irmão marinheiro trouxe você para casa. Você nunca vai parar de me arranjar problemas?"

Anne correu para casa alegremente e contou suas aventuras para Marilla, que havia ficado bastante preocupada com a sua longa ausência e estava quase começando a procurar por ela.

"É um belo mundo no fim das contas, não é, Marilla?", concluiu Anne, feliz. "A Sra. Lynde estava reclamando um dia desses que esse mundo não era grande coisa. Ela disse que sempre que esperamos algo agradável, temos a certeza de ficar mais ou menos desapontados... talvez seja verdade. Mas há um lado bom também. As coisas ruins também nem sempre correspondem às nossas expectativas... Elas quase sempre acabam sendo bem melhores do que pensamos. Eu estava esperando uma experiência terrivelmente desagradável quando fui até a casa do Sr. Harrison hoje. E, em vez disso, ele foi muito gentil, e eu praticamente me diverti. Acho que vamos ser bons amigos se abrirmos exceções um para o outro, e tudo acaba da melhor maneira possível. Ainda assim, Marilla, eu absolutamente nunca mais vou vender uma vaca antes de ter certeza de quem é o dono dela. E eu NÃO gosto de papagaios!"

CAPÍTULO IV
Opiniões diferentes

Em uma tarde, ao pôr do sol, Jane Andrews, Gilbert Blythe e Anne Shirley estavam fazendo hora em uma cerca sob a sombra dos ramos de espruces, que balançavam suavemente, onde uma trilha no bosque, conhecida por Caminho das Bétulas, unia-se à estrada principal. Jane tinha vindo passar a tarde com Anne, que a acompanhou até uma parte do caminho de volta. Na cerca, elas se encontraram com Gilbert, e os três falavam agora sobre o fatídico dia seguinte, primeiro de setembro, quando as aulas seriam retomadas. Jane iria para Newbridge e Gilbert para White Sands.

"Vocês dois têm uma vantagem sobre mim", suspirou Anne. "Vocês vão ensinar crianças que não conhecem vocês, já eu tenho que ensinar meus próprios antigos colegas, e a Sra. Lynde diz que teme que eles não me respeitem como respeitariam um estranho, a menos que eu seja brava desde o início. E eu não acredito que uma professora deva ser brava. Ah, parece tanta responsabilidade!"

"Acho que vamos nos sair bem", disse Jane confortavelmente. Jane não era perturbada por nenhum desejo de ser uma boa influência. Ela queria ganhar o salário de forma honesta, agradar aos administradores e ter seu nome no quadro de honra do inspetor da escola. Jane não tinha nenhuma outra ambição. "O principal é manter a ordem, e um professor tem que ser um pouco bravo para fazer isso. Se meus pupilos não fizerem o que eu mandar, vou puni-los."

"Como?"

"Dando uma surra neles, é claro."

"Oh, Jane, você não faria isso", disse Anne, chocada. "Jane, você não PODERIA!"

"Eu poderia fazer, sim, e faria, se eles merecessem", respondeu Jane decididamente.

"Eu NUNCA conseguiria bater em uma criança", disse Anne, igualmente decidida. "E não acredito nisso DE JEITO NENHUM. A Srta. Stacy nunca bateu em nenhum de nós e ela tinha tudo em perfeita ordem. Já o Sr. Phillips estava sempre dando surras e ele não conseguia ordem nenhuma. Se eu não conseguir me entender com eles sem bater, não vou mais ensinar. Há formas melhores de ter controle. Vou tentar ganhar o carinho deles e eles vão QUERER fazer o que digo."

"Mas e se isso não acontecer?", perguntou a prática Jane.

"Eu não bateria neles do mesmo jeito. Tenho certeza de que isso não faria bem nenhum. Ah, não bata nos seus pupilos, querida Jane, não importa o que eles façam."

"O que você pensa sobre isso, Gilbert?", quis saber Jane. "Não acha que algumas crianças realmente precisam de uma surra de vez em quando?"

"Não acha que é uma coisa cruel e bárbara bater em uma criança?... QUALQUER criança?", exclamou Anne, com o rosto corado pelo fervor.

"Bem", disse Gilbert lentamente, dividido entre suas convicções reais e seu desejo de corresponder aos ideias de Anne, "há algo a ser dito sobre ambos os lados. Eu não acredito em bater MUITO nas crianças. Penso, como você disse, Anne, que existem formas melhores de manter o controle em geral e que a punição corporal deve ser o último recurso. Mas, por outro lado, como Jane disse, acredito que, eventualmente, aparece uma criança que não pode ser influenciada de nenhuma outra forma e que, resumindo, precisa de uma surra, o que a deixaria melhor depois dela. Punição corporal como último recurso vai ser a minha regra."

Gilbert, tentando agradar aos dois lados, teve sucesso, como frequente e eminentemente acontece, em não agradar a nenhum. Jane jogou a cabeça para trás.

"Eu vou bater nos meus pupilos quando forem levados. É o jeito mais rápido e fácil de convencê-los."

Anne olhou desapontada para Gilbert.

"Eu nunca vou bater em uma criança", ela repetiu firmemente. "Tenho certeza de que não é certo nem necessário."

"E se um menino lhe der uma resposta malcriada depois de você mandá-lo fazer algo?", perguntou Jane.

"Eu ficaria com ele depois da aula e lhe falaria com bondade e firmeza", disse Anne. "Há algo de bom em todas as pessoas, se conseguirmos encontrar. É o dever de um professor encontrar essa coisa boa e desenvolvê-la. É o que o nosso professor de Gerenciamento Escolar na Queen's nos dizia, sabe. Você imagina que encontrará algo de bom em uma criança ao surrá-la? É muito mais importante influenciar as crianças para o bem do que ensinar-lhes os três R, dizia o Professor Rennie."

"Mas o inspetor os examina com base nos três R, veja bem, e ele não vai fazer um bom relatório sobre você se não atingir seus padrões", protestou Jane.

"Eu prefiro que os meus pupilos me amem e se lembrem de mim anos mais tarde como uma verdadeira ajuda a entrar para o quadro de honra", afirmou Anne, decidida.

"Você não puniria as crianças de forma alguma se elas se comportassem mal?", perguntou Gilbert.

"Ah, sim, suponho que será necessário, embora eu vá odiar fazer isso. Mas podemos deixá-los na sala durante o intervalo, mantê-los em pé ou pedir que escrevam frases."

"Imagino que você não vai punir as meninas fazendo-as se sentar com os meninos, certo?", disse Jane, maliciosamente.

Gilbert e Anne olharam um para o outro e sorriram de um jeito bobo. Havia muito tempo, Anne tinha sido forçada a sentar-se com Gilbert como punição, e tristeza e amargura tinham sido as consequências daquilo.

"Bem, o tempo dirá qual o melhor caminho", disse Jane filosoficamente enquanto se despediam.

Anne voltou para Green Gables pelo Caminho das Bétulas, cheio de sombras, farfalhando e com o aroma das samambaias, através do Vale Violeta, passando pelo Salgueiral, onde a luz e a escuridão beijavam-se sob os abetos, e descendo pela Estrada dos Amantes. Lugares que ela e Diana haviam nomeado muito tempo atrás. Ela andou devagar, aproveitando a doçura do bosque, do campo e do crepúsculo estrelado de verão, pensando sobriamente sobre os novos deveres que assumiria no dia seguinte. Quando alcançou o quintal de Green Gables, a voz alta e decidida da Sra. Lynde flutuou através da janela aberta da cozinha.

"A Sra. Lynde veio me dar bons conselhos para amanhã", pensou Anne, com uma careta, "mas acho que não vou entrar. Os conselhos dela são como pimenta, eu acho... Excelentes em pequenas quantidades, mas queimam em grandes doses. Eu vou até o Sr. Harrison para conversar, em vez disso."

Aquela não era a primeira vez que Anne ia conversar com o Sr. Harrison desde o caso notável da vaca jersey. Ela tinha passado muitas tardes lá, e o Sr. Harrison e ela eram bons amigos, embora algumas vezes Anne achasse a franqueza da qual ele se orgulhava um tanto irritante. Ginger continuava a encará-la com suspeita, e nunca falhava ao cumprimentá-la sarcasticamente com seu "ruivinha de nada". O Sr. Harrison havia tentado, em vão, tirar-lhe o hábito ao pular animadamente sempre que via Anne chegando e exclamar: "Misericórdia, aqui está aquela linda menininha de novo", ou algo igualmente lisonjeiro. Ginger, no entanto, percebeu o esquema e o desprezou. Anne nunca saberia os muitos elogios que recebia do Sr. Harrison pelas suas costas. Ele certamente não fazia nenhum na frente dela.

"Bem, imagino que você estava no bosque juntando um estoque de varas para amanhã, não?", foi seu cumprimento enquanto Anne subia os degraus da varanda.

"De jeito nenhum", disse Anne, indignada. Ela era um excelente alvo para provocações porque sempre levava as coisas muito a sério. "Eu nunca terei uma vara na minha escola, Sr. Harrison. Claro, precisarei de um bastão, mas vou usá-lo APENAS para apontar."

"Então você pretende açoitá-los em vez disso? Bem, não sei, mas você deve estar certa. Um vara dói mais na hora, mas o cinto dói por mais tempo, isso é fato."

"Eu não vou usar nada do tipo. Não vou açoitar meus pupilos."

"Misericórdia!", exclamou o Sr. Harrison, realmente surpreso, "como você vai conseguir manter a ordem, então?"

"Eu governarei através da afeição, Sr. Harrison."

"Não vai dar", disse o Sr. Harrison, "não vai dar mesmo, Anne. 'Poupe a vara e estrague a criança.' Quando eu ia para a escola, o mestre me surrava regularmente todos os dias porque dizia que se eu não estava aprontando, estava tramando."

"Os métodos mudaram desde os seus tempos de escola, Sr. Harrison."

"Mas a natureza humana não. Guarde minhas palavras, você nunca vai controlar aquela criançada, a menos que mantenha uma vara sempre pronta para elas. O negócio é impossível."

"Bem, vou tentar do meu jeito primeiro", disse Anne, que tinha uma grande força de vontade e estava pronta para se agarrar com tenacidade às suas teorias.

"Você é bastante teimosa, eu acredito", foi o jeito de o Sr. Harrison abordar o assunto. "Bem, bem, vamos ver. Algum dia, quando você se enfezar — e as pessoas com cabelo vermelho como o seu são bastante propensas a se enfezar —, você vai se esquecer de todos os seus belos ideais e dar uma surra em alguns deles. Você é muito jovem para ensinar de qualquer forma... muito jovem e infantil."

De modo geral, Anne foi para a cama naquela noite em um estado de espírito bastante pessimista. Ela dormiu mal e estava tão pálida e trágica no café da manhã que Marilla ficou preocupada e insistiu em fazê-la tomar uma xícara escaldante de chá de gengibre. Anne bebeu pacientemente, embora não pudesse imaginar que bem o gengibre poderia fazer. Se fosse alguma mistura mágica, potente para adquirir idade e experiência, Anne teria engolido um quarto dela num piscar de olhos.

"Marilla, e se eu fracassar?"

"Você dificilmente vai fracassar completamente em um dia e há muitos outros dias por vir", disse Marilla. "O seu problema, Anne, é que você espera ensinar tudo àquelas crianças e consertar todos os seus defeitos de uma vez, e, se não conseguir, vai pensar que fracassou."

CAPÍTULO V
Uma verdadeira professora

Quando Anne chegou à escola naquela manhã — pela primeira vez em sua vida ela havia atravessado o Caminho das Bétulas surda e muda para suas belezas —, tudo estava calmo e silencioso. A professora anterior havia acostumado as crianças a estar em seus lugares quando ela chegasse, e quando Anne entrou na sala, encontrou fileiras arrumadas cheias de "rostos com o brilho da manhã" e olhos radiantes e inquisitivos. Ela pendurou o chapéu e encarou os pupilos, esperando não parecer tão assustada e tola quanto se sentia e que eles não percebessem como ela estava tremendo.

Ela tinha ficado sentada até quase meia-noite na noite anterior preparando um discurso que pretendia fazer para os seus pupilos na volta às aulas. Ela tinha revisado e melhorado o discurso meticulosamente, e então o havia aprendido de cor. Era muito bom e continha ótimas ideias, especialmente sobre ajuda mútua e verdadeira busca pelo conhecimento. O único problema é que ela não conseguia se lembrar de nenhuma palavra dele.

Depois do que lhe pareceu um ano — cerca de dez segundos na realidade —, ela disse fracamente: "Peguem seus livros, por favor", e afundou sem fôlego na cadeira, disfarçada pelo burburinho e pelo barulho de carteiras que se seguiram. Enquanto as crianças liam seus versos, Anne colocava seu juízo abalado em ordem e olhava a fileira de pequenos peregrinos da Terra dos Adultos.

A maioria deles, é claro, ela conhecia bem. Seus próprios colegas de classe haviam sido aprovados no ano anterior, mas o restante havia ido para a escola com ela, exceto a primeira classe e os dez recém-chegados a Avonlea. Anne secretamente se sentia mais interessada nesses dez do que naqueles cujas possibilidades já estavam bem delineadas para ela. Com certeza, eles poderiam ser tão comuns quanto os demais. Mas, por outro lado, PODERIA haver gênios entre eles. Era uma ideia emocionante.

Sentado sozinho em um canto estava Anthony Pye. Ele tinha um rosto escuro e amuado, e estava encarando Anne com uma expressão hostil nos olhos. Anne instantaneamente decidiu que ganharia o carinho dele e deixaria os Pye completamente desconcertados.

No canto oposto, outro menino estranho estava sentado com Arty Sloane — um rapazinho alegre, com nariz arrebitado, rosto sardento e grandes olhos azuis cobertos por cílios claros —, provavelmente o menino DonNELL. E, se pudéssemos julgar pela aparência, a irmã dele estava sentada do outro lado do corredor com Mary Bell. Anne imaginou que tipo de mãe a criança tinha para enviar a filha para a escola vestida como estava. Ela usava um vestido desbotado de seda cor-de-rosa, enfeitado com bastante renda de algodão, sapatilhas brancas manchadas e meias de seda. Seu cabelo, cor de areia, estava torturado em inúmeros e estranhos cachos, arrematados por um laço cor-de-rosa extravagante maior que sua cabeça. Julgando por sua expressão, ela estava muito satisfeita consigo mesma.

A pequenina de pele clara, com as suaves ondas de um cabelo castanho-dourado belo e sedoso caindo pelos ombros, pensou Anne, deveria ser Anneta Bell, cujos pais haviam morado anteriormente no distrito da escola de Newbridge, mas por levarem sua casa para cinquenta jardas ao norte do antigo local, estavam agora em Avonlea. As três menininhas pálidas aglomeradas em um assento certamente eram as Cotton. E não havia dúvida de que a pequena beleza de longos cachos castanhos e olhos cor de avelã que estava lançando olhares espevitados para Jack Gills por cima do livro era Prillie Rogerson, cujo pai havia recentemente se casado com a segunda esposa e trazido Prillie da casa da avó, em Grafton. A menina alta e esquisita no fundo, que parecia ter pés e mãos grandes demais, Anne não conseguiu identificar, mas depois descobriu que seu nome era Barbara Shaw e que ela tinha vindo morar com uma tia de Avonlea. Ela também descobriu que, se algum dia Barbara conseguisse andar pelo corredor sem tropeçar nos próprios pés ou nos pés dos outros, os alunos de Avonlea escreveriam esse inesperado fato na parede de entrada para comemorar.

Quando os olhos de Anne encontraram os do menino na carteira em frente à sua, uma pequena e estranha emoção passou por ela, como se tivesse encontrado seu gênio. Ela sabia que aquele deveria ser Paul Irving e que a Sra. Rachel Lynde estava certa quando profetizou que ele seria diferente das crianças de Avonlea. Mais do que isso, Anne percebeu que ele era diferente das crianças de qualquer lugar, e que havia uma alma sutilmente semelhante à sua por trás dos escuros olhos azuis que a observavam tão intensamente.

Ela sabia que Paul tinha 10 anos, mas ele não parecia ter mais que 8. Ele tinha o rostinho mais lindo que ela já havia visto em uma criança, com traços de bela delicadeza e refinamento, emoldurado por uma coroa de cachos castanhos. A sua boca era uma graça, cheia, mesmo sem fazer biquinho, com os lábios cor de carmim tocando-se suavemente e curvando-se em pequenos cantos bem-acabados, que por pouco não formavam covinhas. Ele tinha uma expressão sóbria, grave, meditativa, como se o seu espírito fosse muito mais velho que o corpo; mas, quando Anne sorriu suavemente para ele, essa expressão se transformou em um repentino sorriso de resposta, que parecia iluminar todo o seu ser, como se uma chama tivesse sido acesa dentro dele, irradiando luz da cabeça aos pés. Melhor ainda, era algo involuntário, sem nascer de nenhum esforço ou motivo externo, simplesmente o surgimento de uma personalidade oculta, rara, bela e doce. Com uma troca de sorrisos, Anne e Paul logo se tornaram amigos para sempre antes que uma palavra sequer fosse trocada entre eles.

O dia passou como um sonho. Anne nunca conseguiria recordá-lo com clareza mais tarde. Quase parecia que não havia sido ela quem tinha lecionado, mas outra pessoa. Ela ouviu as turmas, fez cálculos e distribuiu cópias mecanicamente. As crianças se comportaram muito bem; apenas dois casos de indisciplina ocorreram. Morley Andrews foi pego conduzindo um par de grilos treinados no corredor. Anne deixou Morley na plataforma por uma hora e — o que Morley sentiu mais profundamente — confiscou seus grilos. Ela os colocou em uma caixa e os soltou no Vale Violeta ao voltar da escola. Morley, porém, acreditou, naquele momento e para sempre, que ela os levou para casa para seu próprio divertimento.

O outro culpado foi Anthony Pye, que derramou as últimas gotas de sua garrafa de água na nuca de Aurelia Clay. Anne manteve Anthony na sala durante o intervalo e conversou com ele sobre o que se esperava de um cavalheiro, advertindo-o de que eles nunca derramavam água na nuca das damas. Ela queria que todos os seus meninos fossem cavalheiros, disse a ele. Seu pequeno sermão foi muito gentil e tocante. Mas, infelizmente, Anthony permaneceu absolutamente intocado. Ele a ouviu em silêncio, com a mesma expressão amuada, e assoviou desdenhosamente enquanto saía. Anne suspirou; e então animou-se ao lembrar que ganhar o carinho de um Pye, como construir Roma, não era algo a ser feito em um dia. Na verdade, era duvidoso supor que algum dos Pye tivesse algum carinho para ceder; mas Anne esperava coisas melhores de Anthony, que parecia ser um bom menino se ele fosse visto através de seu mau humor.

Quando a aula acabou e as crianças se foram, Anne deixou-se cair, exausta, em sua cadeira. Sua cabeça doía e ela se sentia lamentavelmente desencorajada. Não havia razão para desencorajamento, uma vez que nada terrível havia acontecido. No entanto, Anne estava muito cansada e inclinada a acreditar que nunca aprenderia a gostar de ensinar. E quão terrível seria ter que fazer algo de que não gostasse todos os dias por... bem, digamos, quarenta anos. Anne não sabia se deveria chorar ali mesmo ou esperar até que estivesse segura em seu pequeno quarto branco em casa. Antes que pudesse decidir, ouviu um clique de saltos e um sussurro de seda no chão do alpendre, e Anne viu-se confrontada por uma dama cuja aparência a fez se lembrar de uma crítica recente do Sr. Harrison sobre uma mulher espalhafatosa que ele havia visto em uma loja de Charlottetown. "Ela parecia uma mistura de desfile de moda com pesadelo."

A recém-chegada estava maravilhosamente enfeitada com uma seda azul-clara de verão, com mangas bufantes, babados e plissados por todos os lados. Sua cabeça estava arrematada por um enorme chapéu de musselina branca, adornado com três longas e cheias penas de avestruz. Um véu de musselina cor-de-rosa, generosamente salpicado com grandes pontos pretos, saía plissado da aba do chapéu até seus ombros e esvoaçava em duas flâmulas aéreas atrás dela. Ela vestia todas as joias que cabiam em uma mulher pequena, e um forte aroma de perfume a acompanhava.

"Eu sou a Sra. DonNELL... Sra. DonNELL", anunciou aquela visão, "e vim aqui para falar sobre algo que Clarice Almira me disse quando foi até minha casa para almoçar hoje. Isso me deixou EXTREMAMENTE irritada."

"Sinto muito", disse Anne, hesitante, tentando, em vão, se lembrar de algum incidente da manhã relacionado às crianças Donnell.

"Clarice Almira me disse que você pronunciou nosso nome DONnell. Veja, Srta. Shirley, a pronúncia correta do nosso nome é DonNELL... com acento na última sílaba. Espero que se lembre disso no futuro."

"Tentarei me lembrar", arfou Anne, sufocando um desejo louco de rir. "Eu sei por experiência própria que é muito desagradável ter o nome ESCRITO de forma errada e imagino que seja ainda pior tê-lo pronunciado incorretamente."

"Certamente é. E Clarice Almira também me informou que você chamou meu filho de Jacob."

"Ele me disse que seu nome era Jacob", protestou Anne.

"Eu deveria ter esperado isso", disse a Sra. H.B. Donnell, em um tom que indicava que a gratidão das crianças não devia ser buscada naquela época degenerada. "Aquele menino tem gostos tão plebeus, Srta. Shirley. Quando ele nasceu, eu queria chamá-lo de St. Clair... Soa TÃO aristocrático, não? Mas o pai insistiu que ele se chamasse Jacob em homenagem ao tio. Eu cedi, porque o Tio Jacob era um velho rico solteirão. E o que você acha, Srta. Shirley? Quando nosso menino inocente tinha apenas 5 anos, o velho Tio Jacob seguiu em frente e se casou, e agora tem três meninos. Já viu tamanha ingratidão? No momento em que o convite para o casamento — pois ele teve a impertinência de nos enviar um convite, Srta. Shirley — chegou em casa, eu disse 'Chega de Jacobs para mim, obrigada'. Daquele dia em diante, eu chamei meu filho de St. Clair e de St. Clair eu exijo que ele seja chamado. O pai continua a chamá-lo obstinadamente de Jacob, e o próprio menino tem uma preferência inexplicável por esse nome vulgar. Mas ele é St. Clair e St. Clair permanecerá. Por favor, lembre-se disso, Srta. Shirley, está bem? OBRIGADA. Eu disse a Clarice Almira que estava certa de que tudo não passava de um mal-entendido e que uma palavra resolveria tudo. DonNELL, com acento na última sílaba, e St. Clair, de modo algum Jacob. Vai se lembrar? OBRIGADA."

Quando a Sra. H.B. DonNELL saiu, Anne trancou a porta da escola e foi para casa. Ao pé da colina, ela encontrou Paul Irving no Caminho das Bétulas. Ele lhe entregou um buquê de delicadas orquídeas silvestres que as crianças de Avonlea chamavam de "lírios de arroz".

"Por favor, professora, eu as encontrei no campo do Sr. Wright", disse ele, timidamente, "e voltei para dá-las à senhorita porque pensei que seria o tipo de dama que gostaria delas, e porque...", ele levantou seus lindos e grandes olhos, "eu gosto da senhorita, professora".

"Meu querido", disse Anne, pegando as flores aromáticas. Como se as palavras de Paul fossem um passe de mágica, o desencorajamento e a exaustão saíram de seu espírito e a esperança ressurgiu no seu coração como uma fonte dançante. Ela atravessou o Caminho das Bétulas com passos leves, acompanhada pela doçura de suas orquídeas como uma bênção.

"Como você se saiu?", quis saber Marilla.

"Pergunte-me daqui a um mês e poderei lhe dizer. Não posso agora... Eu mesma não sei... Estou envolvida demais. Meus pensamentos parecem ter sido todos remexidos até ficarem densos e lamacentos. A única coisa que eu tenho certeza de ter conseguido hoje foi ensinar Cliffie Wright que A é A. Ele nunca soube antes. Não é incrível iniciar uma alma em algo que pode resultar em Shakespeare ou em Paraíso Perdido?"

A Sra. Lynde veio mais tarde com mais encorajamento. A boa e velha senhora havia emboscado as crianças da escola em seu portão e exigido saber delas se gostavam da nova professora.

"E todos eles disseram que você foi esplêndida, Anne, exceto Anthony Pye. Devo admitir que ele não disse. Ele disse que você 'não tinha nada de bom, como todas as professoras mulheres'. Aí está um gostinho dos Pye para você. Mas não se importe."

"Não vou me importar", disse Anne, tranquilamente, "e ainda vou fazer Anthony Pye gostar de mim. Paciência e bondade certamente vão ganhá-lo."

"Bem, nunca se sabe com um Pye", disse a Sra. Rachel, cautelosa. "Eles seguem ao contrário, como os sonhos, quase sempre. Quanto à mulher DonNELL, ela não vai ganhar nenhum DonNELL de mim, posso lhe garantir. O nome é DONnell e sempre foi. A mulher é louca, isso sim. Ela tem um cachorro da raça pug que chama de Queenie e que faz as refeições à mesa junto da família, comendo em um prato de porcelana. Eu teria medo de um julgamento se fosse ela. Thomas diz que o próprio Donnell é um homem sensato e trabalhador, mas não teve muito bom senso para escolher uma esposa, isso sim."

CAPÍTULO VI

Todos os tipos e variações de homens... e mulheres

Era um dia de setembro nas colinas da de Prince Edward. Uma brisa fresca do mar soprava sobre as dunas de areia. Uma longa estrada vermelha serpenteava através de campos e bosques, dobrava-se em um canto repleto de espruces, contornava uma plantação de jovens bordos acima de grandes e emplumadas folhas de samambaias, mergulhava em um vale onde um riacho surgia entre as árvores e depois deitava-se sob a luz do sol entre faixas de varas-de-ouro e ásteres azuis. O ar repleto com o "cricri" de uma miríade de grilos, aqueles pequenos e contentes pensionistas das colinas no verão. Um pônei castanho e rechonchudo vinha pela estrada, com duas meninas atrás dele, com os lábios cheios da felicidade simples e sem preço da alegria e da vida.

"Ah, este dia é um retrato do paraíso, não é, Diana?", suspirou Anne de pura felicidade. "Tem mágica no ar. Olhe a cor púrpura sobre a plantação, Diana. E, oh, sinta o cheiro dos abetos cortados! Está vindo daquele pequeno vale ensolarado onde o Sr. Eben Wright estava cortando postes para a cerca. Que bênção é estar viva em um dia como este, o cheiro dos abetos cortados é o próprio paraíso. Isso é dois terços de Woodsworth e um terço de Anne Shirley. Não parece possível que haja abetos cortados no paraíso, parece? E, ainda assim, parece-me que o paraíso não seria exatamente perfeito se não pudéssemos sentir o cheiro dos abetos cortados ao passear por seus bosques. Talvez tenhamos o odor sem os cortes. Sim, acho que vai ser assim. Aquele aroma delicioso deve ser das almas dos abetos... E, é claro, há apenas almas no paraíso."

"Árvores não têm alma", disse a prática Diana, "mas o cheiro dos abetos cortados é certamente adorável. Vou fazer uma almofada e enchê-la de agulhas de abetos. Você devia fazer uma também, Anne."

"Acho que deveria mesmo... e usá-la para as minhas sonecas. Então, com certeza eu sonharia que era uma dríade ou uma ninfa da floresta. Mas neste minuto, estou contente em ser Anne Shirley, professora de Avonlea, passeando pela estrada neste dia tão doce e amigável."

"É um dia adorável, mas temos uma tarefa nada adorável à nossa espera", suspirou Diana. "Por que é que você foi dar a ideia de angariarmos fundos para esta estrada, Anne? Quase todos os excêntricos de Avonlea moram aqui, e provavelmente vamos ser tratadas como se estivéssemos mendigando para nós mesmas. É a pior estrada de todas."

"É por isso que eu a escolhi. Claro que Gilbert e Fred teriam ficado com essa estrada se tivéssemos pedido a eles. Mas, veja, Diana, eu me sinto responsável pela SMVA, já que a sugestão foi minha, e me parece que devo fazer as coisas mais desagradáveis. Sinto muito por você, mas você não precisa dizer nada em lugares esquisitos. Eu vou falar tudo... A Sra. Lynde diria que eu estou bem capacitada. A Sra. Lynde não sabe se aprova ou não a nossa empreitada. Ela tende a aprovar quando lembra que o Sr. e a Sra. Allan são a favor, mas o fato de as sociedades de melhoria de vilas terem surgido nos Estados Unidos é um ponto contra. Então, ela está hesitando entre duas opiniões e apenas o sucesso irá nos legitimar aos olhos da Sra. Lynde. Priscilla vai escrever uma pauta para a nossa próxima reunião de melhoria, e eu imagino que será boa, pois a tia dela é uma escritora inteligente, sem dúvida isso é de família. Nunca vou esquecer da emoção que senti quando descobri que a Sra. Charlotte E. Morgan era tia de Priscilla. Parecia tão maravilhoso eu ser amiga da menina cuja tia escreveu Dias em Edgewood e O Jardim do Botão de Rosa."

"Onde a Srta. Morgan mora?"

"Em Toronto. Priscilla diz que ela vai vir até a ilha para uma visita no próximo verão e, se for possível, Priscila vai dar um jeito de nós a conhecermos. Parece quase bom demais para ser verdade, mas é algo agradável de imaginar antes de dormir."

A Sociedade de Melhoria da Vila de Avonlea foi um fato organizado. Gilbert Blythe era o presidente; Fred Wright, vice-presidente; Anne Shirley, secretária; e Diana Barry, tesoureira. Os "Melhoradores", como eles foram prontamente batizados, deviam se encontrar uma vez a cada duas semanas na casa dos membros. Admitia-se que eles não poderiam esperar realizar muitas melhorias tão perto do fim da estação, mas eles pretendiam planejar a próxima campanha de verão, coletar e discutir ideias, escrever e ler documentos e, como disse Anne, conscientizar a opinião pública de modo geral.

Houve algumas reprovações, é claro, e — o que os Melhoradores sentiram mais profundamente — uma grande dose de ridículo. Soube-se que o Sr. Elisha Wright havia dito que um nome mais apropriado para a organização seria Clube do Namoro. O Sr. Hiram Sloane declarou que havia escutado os Melhoradores tramando cavar todas as beiras de estrada e cobri-las de gerânios. O Sr. Levi Boulter alertou seus vizinhos de que os Melhoradores insistiriam que todos derrubassem sua casa e a reconstruíssem de acordo com os planos aprovados pela sociedade. O Sr. James Spencer mandou um recado dizendo que desejava que eles gentilmente capinassem a colina da igreja. Eben Wright disse a Anne que desejava que os Melhoradores pudessem convencer o velho Josiah Sloane a manter seu bigode aparado. O Sr. Lawrence Bell disse que passaria cal em seus celeiros se eles insistissem, mas que NÃO penduraria cortinas de renda nas janelas do estábulo. O Sr. Major Spencer perguntou a Clifton Sloane, um Melhorador que levava leite para a fábrica de queijo de Carmody, se era verdade que todos precisariam ter suas salas de ordenha pintadas a mão no próximo verão e manter uma toalha bordada nela.

Apesar disso — e talvez pelo fato de a natureza humana ser como é —, a Sociedade corajosamente foi trabalhar na única melhoria que podia ter esperança de concretizar. Na segunda reunião, no salão dos Barry, Oliver Sloane sugeriu que eles começassem a recolher contribuições para renovar e pintar o auditório. Julia Bell o apoiou, com um sentimento desconfortável de que não estava exatamente se portando como uma dama. Gilbert pôs a proposta em votação, que venceu por unanimidade, e Anne seriamente a registrou em suas minutas. O passo seguinte era indicar um comitê, e Gertie Pye, determinada a não deixar Julia Bell levar toda a fama, ousadamente sugeriu que a Srta. Jane Andrews fosse presidente do referido comitê. Com a proposta devidamente apoiada e registrada, Jane devolveu o elogio ao indicar Gertie para o comitê, junto com Gilbert, Anne, Diana e Fred Wright. O comitê escolheu suas rotas em conclave privado. Anne e Diana foram apontadas para a estrada de Newbridge, Gilbert e Fred para a estrada de White Sands, e Jane e Gertie para a estrada de Carmody.

"Porque", explicou Gilbert para Anne, enquanto eles voltavam para casa através da Floresta Assombrada, "os Pye vivem ao longo daquela estrada e não vão nos dar um centavo, a menos que um deles vá angariar os fundos."

Anne e Diana começariam no próximo sábado. Elas foram até o fim da estrada, no sentido de casa, angariando fundos, chamando primeiro as "moças Andrews".

"Se Catherine estiver sozinha, podemos conseguir alguma coisa", disse Diana, "mas se Eliza estiver lá, não vamos conseguir nada."

Eliza estava lá, bem presente, e parecia ainda mais sinistra que o normal. Miss Eliza era uma dessas pessoas que davam a impressão de que a vida era mesmo um vale de lágrimas e um sorriso — pior ainda, uma risada — era um desperdício de energia nervosa verdadeiramente repreensível. As moças Andrews tinham sido "moças" por cinquenta estranhos anos e parecia provável continuarem moças até o fim de sua peregrinação na terra. Catherine, já foi dito, ainda não tinha perdido completamente as esperanças, mas Eliza, que havia nascido pessimista, nunca teve nenhuma. Elas moravam em uma pequena casa marrom construída em um canto ensolarado saindo da floresta de bétulas de Mark Andrews. Eliza reclamava de que ali era terrivelmente quente no verão, mas Catherine dizia que era adorável e aconchegante no inverno.

Eliza estava costurando retalhos, não porque precisasse, mas apenas como um protesto contra o crochê fútil que Catherine estava fazendo. Eliza ouviu com a testa franzida e Catherine com um sorriso, enquanto as meninas explicavam sua tarefa. Com certeza, sempre que Catherine olhava para Eliza, ela descartava o sorriso em uma confusão culpada; mas ele voltava no momento seguinte.

"Se eu tivesse dinheiro para gastar", disse Eliza sombriamente, "talvez queimasse tudo e me divertisse vendo as chamas, mas não daria nem um centavo para o auditório. Não é vantagem nenhuma para o povo... apenas um lugar para os jovens se encontrarem e ficarem quando deveriam estar em casa dormindo."

"Oh, Eliza, os jovens precisam de um pouco de diversão", protestou Catherine.

"Eu não vejo necessidade. Nós não ficávamos perambulando em auditórios quando éramos jovens, Catherine Andrews. Este mundo está ficando pior a cada dia."

"Acho que está ficando melhor", disse Catherine firmemente.

"VOCÊ acha!", a voz da Srta. Eliza expressava o máximo de desprezo. "Não é uma questão do que você ACHA, Catherine Andrews. Fatos são fatos."

"Bem, sempre gostei de olhar para o lado bom, Eliza."

"Não existe lado bom nenhum."

"Ah, existe sim", disse Anne, que não conseguia suportar tanta heresia em silêncio. "Ora, há muitos lados bons, Srta. Andrews. O mundo é muito bonito."

"Você não vai ter uma opinião tão boa sobre o mundo quando tiver vivido tanto quanto eu", retrucou a Srta. Eliza, azeda, "e você também não vai ter tanto entusiasmo para melhorá-lo. Como está sua mãe, Diana? Deus do céu, como ela decaiu ultimamente. Ela parece completamente acabada. E quanto tempo falta para Marilla ficar completamente cega, Anne?"

"O médico acha que os olhos dela não vão piorar se ela for bastante cuidadosa", fraquejou Anne.

Eliza balançou a cabeça.

"Os médicos sempre falam desse jeito para manter as pessoas animadas. Eu não teria muita esperança se fosse ela. É melhor estar preparada para o pior."

"Mas não devemos estar preparados para o melhor também?", defendeu-se Anne. "É tão provável acontecer o melhor quanto o pior."

"Não pela minha experiência, e tenho 57 anos contra os seus 16", retrucou Eliza. "Está indo, é? Bem, espero que essa sua nova sociedade seja capaz de impedir Avonlea de decair ainda mais, mas não tenho muita esperança nisso."

Anne e Diana ficaram gratas por ir embora, e partiram tão rápido quanto o gordo pônei conseguia ir. Conforme elas faziam a curva abaixo do bosque de bétulas, uma figura rechonchuda vinha correndo pelo pasto do Sr. Andrews, acenando para elas entusiasmadamente. Era Catherine Andrews, que estava tão sem fôlego que mal conseguia falar, mas lançou algumas moedas de vinte e cinco centavos nas mãos de Anne.

"Esta é a minha contribuição para a pintura do auditório", ela arfou. "Eu gostaria de dar um dólar, mas não ouso pegar mais que uns trocados porque Eliza descobriria. Estou muito interessada na sua sociedade e acredito que vai fazer muito bem. Sou otimista. Eu TENHO que ser, morando com a Eliza. Devo me apressar, antes que ela sinta minha falta. Ela acha que estou dando comida para as galinhas. Espero que você tenha mais sorte angariando fundos, e não fique abatida com o que Eliza disse. O mundo ESTÁ ficando melhor... Com certeza está."

A próxima casa era a de Daniel Blair.

"Agora, tudo depende de a mulher dele estar em casa ou não", disse Diana, enquanto elas sacudiam por uma estrada esburacada. "Se ela estiver lá, não vamos receber um centavo. Todos dizem que Dan Blair não ousa cortar o cabelo sem pedir permissão a ela; e é certo que ela é mesquinha, para dizer o mínimo. Ela diz que precisa ser justa antes de ser generosa. Mas a Sra. Lynde diz que o 'antes' dela é tão cedo que a generosidade nunca a alcança."

Anne relatou sua experiência na casa dos Blair para Marilla naquela tarde.

"Nós amarramos o cavalo e então batemos na porta da cozinha. Ninguém veio, mas a porta estava aberta e podíamos ouvir alguém na despensa, falando bastante. Nós não conseguíamos entender as palavras, mas Diana disse que sabia, pelo som, que eles estavam praguejando. Eu não consigo pensar isso do Sr. Blair, pois ele é sempre tão quieto e calmo, mas ele no mínimo passou por uma provação, pois, Marilla, quando aquele pobre homem saiu pela porta, vermelho como uma beterraba, com suor escorrendo pelo rosto, ele estava usando um grande avental xadrez da esposa. 'Eu não consigo tirar essa porcaria', ele disse, 'porque as faixas estão amarradas em um nó muito forte e não consigo desfazê-lo, então vocês vão ter que me dar licença, senhoritas'. Nós lhe imploramos para não se importar com isso, entramos e nos sentamos. O Sr. Blair também se sentou, girou o avental em volta das costas e o enrolou para cima. Ele realmente se sentia tão envergonhado e preocupado que tive pena dele, e Diana disse que temia termos aparecido em um momento inconveniente. 'Ah, de jeito nenhum', disse o Sr. Blair, tentando sorrir. A senhora sabe que ele é sempre muito educado. 'Estou um pouco ocupado... me preparando para fazer um bolo. Minha esposa recebeu um telegrama avisando que a irmã dela de Montreal está chegando hoje à noite. Ela foi até a estação encontrá-la e me deixou ordens para fazer um bolo para o jantar. Ela escreveu a receita e me disse o que fazer, mas já esqueci metade das instruções. E diz saborize a gosto. O que isso significa? Como vou saber? E se o meu gosto não for o gosto dos outros? Uma colher de baunilha seria suficiente para um bolo pequeno?'."

"Eu me senti pior ainda pelo pobre homem. Ele não parecia estar em seu devido ambiente de jeito nenhum. Eu tinha ouvido sobre maridos dominados, e agora acredito que vi um. Eu estava quase dizendo, 'Sr. Blair, se nos der uma contribuição para o auditório, farei o bolo para o senhor.' Mas, de repente, pensei que não seria amigável fazer uma barganha tão sagaz com um semelhante em apuros. Então, eu me ofereci para preparar o bolo para ele sem nenhuma condição. Ele logo aceitou a minha oferta. Ele disse que estava acostumado a fazer o próprio pão antes de se casar, mas temia que bolos estavam além de sua capacidade, ainda que ele odiasse desapontar a esposa. Ele me arranjou outro avental, Diana bateu os ovos e eu misturei o bolo. O Sr. Blair correu para nos arranjar os materiais. Ele havia se esquecido do avental e, quando corria, o avental esvoaçava atrás dele. Diana disse que achava que ia morrer quando viu aquilo. Ele disse que poderia assar o bolo direito — que estava acostumado àquilo —, e então pediu nossa lista e nos deu quatro dólares. Portanto, pode ver que fomos recompensadas. Mesmo que ele não tivesse nos dado um centavo, eu continuaria pensando que havíamos feito uma caridade ao ajudá-lo."

A casa de Theodore White foi a próxima parada. Nem Anne nem Diana já tinham estado lá antes, e conheciam apenas superficialmente a Sra. Theodore, que não era dada a hospitalidade. Elas deviam ir para a porta da frente ou para a de trás? Enquanto sussurravam em conferência, a Sra. Theodore apareceu na porta da frente com os braços cheios de jornais. Ela colocou deliberadamente um por um no piso e nos degraus do alpendre; depois, por todo o caminho até os pés das visitantes, intrigadas.

"Vocês poderiam, por gentileza, limpar os pés cuidadosamente na grama e depois pisar em cima dos jornais?", ela disse, ansiosamente. "Eu acabei de varrer a casa e não posso deixar que entre mais poeira. O caminho ficou muito lamacento desde a chuva de ontem."

"Nem ouse rir", avisou Anne em um sussurro, enquanto marchavam sobre os jornais. "E eu lhe imploro, Diana, não olhe para mim, não importa o que ela diga, ou não serei capaz de manter uma expressão sóbria."

Os jornais se estenderam pela entrada até um salão asseado e impecável. Anne e Diana sentaram-se cuidadosamente nas cadeiras mais próximas e explicaram sua tarefa. A Sra. White as ouviu educadamente, interrompendo-as apenas duas vezes, uma vez para perseguir uma mosca aventureira e a outra para pegar um pequeno punhado de grama que havia caído do vestido de Anne para o tapete. Anne sentiu-se tremendamente culpada, mas a Sra. White contribuiu com dois dólares e entregou o dinheiro em mãos... "para impedir que nós voltássemos lá para buscá-lo", disse Diana quando elas saíram. A Sra. White já tinha recolhido os jornais antes de elas desamarrarem os cavalos, e, enquanto deixavam o quintal, viram-na ocupada brandindo uma vassoura na entrada.

"Eu sempre ouvi que a Sra. Theodore White era a pessoa mais organizada do mundo e, depois disso, eu acredito", disse Diana, cedendo ao riso reprimido assim que se tornou seguro.

"Eu fico feliz por ela não ter filhos", disse Anne solenemente. "Seria indescritivelmente pavoroso se ela os tivesse."

Nos Spencer, a Sra. Isabella Spencer as deixou deprimidas ao dizer algo malvado sobre todos em Avonlea. O Sr. Thomas Boulter se recusou a dar qualquer coisa porque o auditório, quando foi construído, vinte anos antes, não havia sido construído no local que ele havia recomendado. A Sra. Esther Bell, que era a imagem da saúde, levou meia hora para detalhar todas as suas dores e sofrimentos, e tristemente cedeu cinquenta centavos porque não estaria lá novamente no próximo ano para fazê-lo... Ela estaria em seu túmulo.

Sua pior recepção, entretanto, foi na casa de Simon Fletcher. Quando elas chegaram ao quintal, viram dois rostos espiando-as através da janela do alpendre. Apesar de elas baterem e esperarem pacientemente, ninguém veio até a porta. As duas meninas, definitivamente irritadas e indignadas, saíram da casa. Até Anne admitiu que estava começando a se sentir desencorajada. Mas a maré mudou depois daquilo. Diversas propriedades dos Sloane se seguiram, onde elas receberam contribuições generosas, e de lá até o fim elas se saíram bem, com apenas um ou outro descaso ocasional. O último local a ser visitado era a casa de Robert Dickson, perto da ponte da lagoa. Elas ficaram para o chá ali, embora estivessem quase em casa, para não arriscar ofender a Sra. Dickson, que tinha a reputação de ser uma mulher muito "sensível".

Enquanto elas estavam lá, a velha Sra. James White apareceu.

"Eu acabei de vir da casa de Lorenzo", ela anunciou. "Ele é o homem mais orgulhoso de Avonlea neste momento. O que você acha? Ele agora tem um menininho... Depois de sete meninas, esse é um evento e tanto, posso lhe dizer." Anne apurou os ouvidos e quando as duas saíram, disse: "Vou direto até a casa de Lorenzo White."

"Mas ele mora na estrada de White Sands e fica a uma boa distância do nosso caminho", protestou Diana. "Gilbert e Fred vão falar com ele."

"Eles não irão até lá antes do próximo sábado, e aí será tarde demais", disse Anne firmemente. "A novidade vai ter passado. Lorenzo White é terrivelmente mau, mas vai contribuir com QUALQUER COISA agora. Não devemos deixar uma oportunidade de ouro dessas passar, Diana." O resultado justificou a previsão de Anne. O Sr. White as encontrou no quintal, brilhando como o sol num dia de Páscoa. Quando Anne pediu uma contribuição, ele concordou entusiasmadamente.

"Certamente, certamente. Coloque para mim um dólar a mais que a maior contribuição que você recebeu."

"Seriam cinco dólares... O Sr. Daniel Blair nos deu quatro", disse Anne, com um pouco de medo, mas Lorenzo nem piscou.

"Então são cinco... E aqui está o dinheiro. Agora, quero que você entre em casa. Tem algo que vale a pena ver... Algo que poucas pessoas já viram. Apenas venha e me dê SUA opinião."

"O que nós vamos dizer se o bebê não for bonito?", sussurrou Diana, ansiosa, enquanto seguiam o empolgado Lorenzo para dentro da casa.

"Oh, com certeza vamos ter algo de bom para dizer", respondeu Anne com facilidade. "Sempre há algo de bom em um bebê."

O bebê, porém, ERA bonito, e o Sr. White sentiu que tinha recebido um retorno pelos seus cinco dólares com o verdadeiro encanto das meninas pelo pequeno e rechonchudo recém-chegado. Aquela tinha sido a primeira e última vez que Lorenzo White contribuía com qualquer coisa.

Anne, cansada como estava, fez mais um esforço para a felicidade geral naquela noite, correndo pelos campos para entrevistar o Sr. Harrison, que fumava, como sempre, seu cachimbo na varanda, com Ginger a seu lado. Estritamente falando, ele estava localizado na estrada de Carmody; mas Jane e Gerdie, que não o conheciam além dos relatos duvidosos, haviam nervosamente implorado a Anne para falar com ele.

O Sr. Harrison, entretanto, recusou-se terminantemente a contribuir com um centavo sequer, e toda a astúcia de Anne foi em vão.

"Eu pensei que você aprovasse a nossa sociedade, Sr. Harrison", lamentou ela.

"Eu aprovo, eu aprovo... mas a minha aprovação não vai tão fundo quanto o meu bolso, Anne."

"Mais algumas experiências como as que tive hoje me fariam tão pessimista quanto a Srta. Eliza Andrews", disse Anne a seu reflexo no espelho do frontão leste.

CAPÍTULO VII
O apontamento do dever

Anne encostou-se em sua cadeira em uma tarde amena de outubro e suspirou. Ela estava sentada a uma mesa coberta por apostilas e exercícios, mas as páginas rigorosamente escritas diante dela não tinham conexão aparente com seus estudos nem trabalhos da escola.

"Qual é o problema?", perguntou Gilbert, que tinha chegado à porta aberta da cozinha no exato momento em que ela suspirou.

Anne ficou vermelha e lançou seus papéis para longe de vista, embaixo de algumas redações da escola.

"Nada muito terrível. Eu estava apenas tentando escrever alguns dos meus pensamentos, como o professor Hamilton me aconselhou, mas não consegui fazer com que eles me agradassem. Eles parecem tão tolos e sem-graça assim que são escritos em papel branco com tinta preta. Fantasias são como sombras... Você não pode prendê-las, são coisas tão rebeldes e dançantes. Talvez eu aprenda o segredo algum dia, se continuar tentando. Eu não tenho muito tempo livre, sabe. Quando termino de corrigir os exercícios e redações da escola, nem sempre sinto vontade de escrever alguma coisa minha."

"Você está se saindo esplendidamente na escola, Anne. Todas as crianças gostam de você, " disse Gilbert, sentando-se em um degrau de pedra.

"Não, nem todas. Anthony Pye não gosta, nem vai gostar. O que é pior, ele não me respeita... não mesmo. Ele simplesmente me olha com desprezo e não me importo de confessar a você que isso me deixa terrivelmente preocupada. Não é que ele seja tão ruim... ele é apenas levado, mas não é pior que alguns dos outros. Ele quase nunca me desobedece, mas o faz com um ar zombeteiro de tolerância, como se não valesse a pena discutir comigo... E isso causa um efeito ruim nos outros. Tentei todas as formas de ganhá-lo, porém estou começando a achar que nunca vou conseguir. Eu quero, pois ele é uma graça de rapazinho, mesmo SENDO um Pye, e eu poderia gostar dele se ele deixasse."

"Provavelmente é apenas efeito do que ele escuta em casa."

"Não completamente. Anthony é um rapazinho independente e tem as próprias opiniões sobre as coisas. Ele já teve professores homens e ele diz que professoras mulheres não são boas. Bem, vamos ver o que a paciência e a bondade podem fazer. Eu gosto de superar dificuldades, e ensinar é realmente um trabalho muito interessante. Paul Irving compensa tudo o que os outros não têm. Aquela criança é simplesmente adorável, Gilbert, e além de tudo é um gênio. Estou convencida de que o mundo vai ouvir falar dele um dia", concluiu Anne em um tom convicto.

"Eu também gosto de ensinar", disse Gilbert. "Para começar, é um bom treino. Ora, Anne, aprendi mais nas semanas em que estive ensinando os jovens de White Sands do que aprendi em todos os anos em que eu mesmo fui à escola. Todos nós parecemos estar nos saindo muito bem. Eu soube que as pessoas de Newbridge gostam de Jane, e acho que White Sands está suficientemente satisfeita com seu humilde servo... Todos, exceto o Sr. Andrew Spencer. Eu encontrei a Sra. Peter Blewett em meu caminho para casa, e ela me disse que achava que era seu dever informar-me que o Sr. Spencer não aprovava meus métodos."

"Já percebeu", perguntou Anne, "que sempre devemos nos preparar para algo desagradável quando as pessoas dizem que é o dever delas nos informar algo? Por que é que elas nunca acham que é um dever informar coisas agradáveis que ouviram sobre nós? A Sra. H.B. Don-

NELL foi até a escola novamente ontem e me disse que achava que era seu dever me informar que a Sra. Harmon Andrews não aprovava que eu lesse contos de fadas para as crianças, e que o Sr. Rogerson achava que Prillie não estava se desenvolvendo de forma rápida o suficiente em aritmética. Se Prillie passasse menos tempo olhando para os meninos por cima do livro, ela poderia se sair melhor. Tenho quase certeza de que Jack Gillis faz as contas para ela, embora eu nunca tenha conseguido pegá-lo no flagra."

"Você já teve sucesso em conciliar o esperançoso filho da Sra. DonNELL com seu nome santo?"

"Sim", riu Anne, "mas foi uma tarefa realmente difícil. No começo, quando o chamava de 'St. Clair', ele não tomava o menor conhecimento até que eu tivesse falado duas ou três vezes; e então, quando os outros meninos o cutucavam, ele olhava para cima com um ar ofendido, como se eu o tivesse chamado de John ou Charlie e ele não pudesse imaginar que eu estava me referindo a ele. Um dia, eu o mantive na escola e falei gentilmente com ele. Eu lhe disse que sua mãe desejava que eu o chamasse de St. Clair e que não poderia ir contra a vontade dela. Ele entendeu quando expliquei, é um rapazinho bem compreensivo, e me disse que EU podia chamá-lo de St. Clair, mas que ele 'arrebentaria a cara' de qualquer um dos meninos que fizesse isso. Claro, eu tive que repreendê-lo novamente por usar uma linguagem tão assustadora. Desde esse dia, EU o chamo de St. Clair, os meninos o chamam de Jake e tudo corre tranquilamente. Ele me disse que quer ser carpinteiro, mas a Sra. DonNELL quer que eu o transforme em professor universitário."

A menção da universidade deu uma nova direção aos pensamentos de Gilbert, e eles falaram por um tempo sobre seus planos e desejos... séria, ansiosa e esperançosamente, como a juventude ama falar, enquanto o futuro ainda é um caminho inexplorado cheio de maravilhosas possibilidades.

Gilbert tinha finalmente decidido que seria médico.

"É uma profissão esplêndida", ele disse, entusiasmado. "Um homem precisa lutar contra algo por toda a vida. Alguém não definiu o homem uma vez como um animal lutador?. E eu quero lutar contra a doença, a dor e a ignorância, que caminham sempre juntas. Quero fazer minha parte através do trabalho honesto e verdadeiro neste mundo, Anne, adicionar um pouco à soma do conhecimento humano que todos os bons homens estiveram acumulando desde sempre. Os homens que viveram antes de mim fizeram tanto por mim e quero mostrar minha gratidão fazendo algo por aqueles que vierem depois de mim. Parece-me que é o único jeito de um homem ficar quite com suas obrigações com a humanidade."

"Eu gostaria de adicionar alguma beleza à vida", disse Anne, sonhadora. "Não quero exatamente fazer com que as pessoas SAIBAM mais, embora eu saiba que essa É uma ambição mais nobre. Eu adoraria que tivessem momentos mais agradáveis por minha causa, algum pequeno pensamento de alegria ou felicidade que nunca teria existido se eu não tivesse nascido."

"Acho que você está alcançando essa ambição todos os dias", disse Gilbert, admirado.

E ele estava certo. Anne era uma filha da luz por direito de nascimento. Depois de ela ter passado por uma vida com um sorriso ou uma palavra arremessada como um raio de sol, o dono daquela vida a via, ao menos por um instante, de uma forma esperançosa, adorável e de boa fama.

Finalmente, Gilbert se levantou, arrependido.

"Bem, devo correr até os MacPherson, Moody Spurgeon voltou da Queen's hoje para passar o domingo e ficou de me trazer um livro que o professor Boyd vai me emprestar."

"E eu devo preparar o chá de Marilla. Ela foi ver a Sra. Keith hoje à tarde e logo estará de volta."

Anne já tinha feito o chá quando Marilla chegou em casa. O fogo estava crepitando alegremente, um vaso de samambaias descoloridas pelo gelo e folhas de bordo vermelhas como rubis enfeitava a mesa, e aromas perceptíveis de presunto e torrada impregnavam o ar. Marilla sentou em sua cadeira com um profundo suspiro.

"Seus olhos estão incomodando a senhora? Sua cabeça está doendo?", questionou Anne ansiosamente.

"Não, só estou cansada... e preocupada. É sobre Mary e aquelas crianças... Mary está pior... Ela não vai durar muito. E quanto aos gêmeos, não sei o que será deles."

"Já tiveram notícias do tio deles?"

"Sim, Mary recebeu uma carta dele. Ele está trabalhando em um acampamento madeireiro e 'se virando', seja lá o que isso signifique. De qualquer forma, ele disse que não poderia ficar com as crianças de modo algum até a primavera. Ele espera estar casado até lá e então terá uma casa para onde levá-los. Mary contou que deve pedir a algum dos vizinhos para ficar com eles durante o inverno. Ela disse que não pode suportar a ideia de pedir a qualquer um deles. Mary nunca se deu bem com as pessoas de East Grafton, e isso é fato. E o resumo da obra, Anne, tenho certeza, é que Mary quer que eu fique com aquelas crianças... Ela não disse isso, mas deu a entender."

"Oh!", Anne entrelaçou as mãos, toda arrepiada de empolgação. "Claro que a senhora vai ficar, Marilla, não vai?"

"Ainda não me decidi", disse ela, bastante azeda. "Eu não me jogo nas coisas de cabeça, Anne. Primo em terceiro grau é um parentesco bem fraco para reivindicações. E será uma responsabilidade assustadora ter duas crianças de 6 anos para cuidar... Gêmeos, ainda por cima."

Marilla imaginava que gêmeos fossem duas vezes piores que outras crianças.

"Gêmeos são muito interessantes... Ao menos um par deles", disse Anne. "Só quando existem dois ou três pares é que fica monótono. E acho que seria muito bom para a senhora ter algo com que se divertir enquanto eu estiver na escola."

"Não acho que vai haver muita diversão nisso, e sim mais preocupação e incômodo do que qualquer outra coisa, creio eu. Não seria tão arriscado se eles tivessem a idade que você tinha quando fiquei com você. Eu não me importaria tanto com Dora... Ela parece boa e calma. Mas aquele Davy é terrível."

Anne gostava de crianças e seu coração ansiava pelos gêmeos Keith. A lembrança de sua própria infância negligenciada ainda era muito vívida para ela. Ela sabia que o único ponto vulnerável de Marilla era sua devoção firme ao que acreditava ser seu dever, e Anne habilidosamente dirigiu seus argumentos nessa linha.

"Se Davy for levado, é uma razão maior ainda para que receba uma boa educação, não é, Marilla? Se não ficarmos com eles, não sabemos quem ficará, nem que tipo de influências podem cercá-los. Imagine que os vizinhos da Sra. Keith, os Sprott, fiquem com eles. A Sra. Lynde diz que Henry Sprott é o homem mais profano que já existiu e não se pode acreditar em uma palavra que os filhos deles dizem. Não seria terrível que os gêmeos aprendessem algo desse tipo? Ou imagine que eles acabem com os Wiggins. A Sra. Lynde diz que o Sr. Wiggins vende tudo o que pode ser vendido na casa e sustenta a família a pão e água. A senhora não gostaria que seus parentes passassem fome, mesmo que eles sejam primos em terceiro grau, gostaria? Parece-me, Marilla, que é nosso dever ficar com eles."

"Imagino que seja", assentiu Marilla, melancólica. "Ouso dizer que prometerei a Mary que vou ficar com eles. Você não precisa ficar tão satisfeita, Anne. Será bastante trabalho extra para você. Não consigo costurar por causa dos meus olhos, então você terá que fazer e consertar as roupas deles. E você não gosta de costurar."

"Odeio", disse Anne calmamente, "mas se a senhora estiver disposta a acolher aquelas crianças por um senso de dever, certamente posso costurar as roupas deles por um senso de dever. Faz bem às pessoas ter que fazer coisas das quais não gostam... com moderação."

CAPÍTULO VIII
Marilla adota gêmeos

A Sra. Rachel Lynde estava sentada à janela de sua cozinha, tricotando uma colcha, exatamente como estava em uma tarde muitos anos atrás, quando Matthew Cuthbert havia passado pela colina com quem que a Sra. Rachel chamava de "sua órfã importada". Aquilo havia sido na primavera; e agora era fim de outono, todos os bosques estavam sem folhas e os campos, secos e marrons. O sol estava se pondo com um esplendor púrpura e dourado além dos bosques escuros ao leste de Avonlea quando uma charrete conduzida por um tranquilo pangaré marrom desceu a colina. A Sra. Rachel a espiou ansiosamente.

"Ali está Marilla voltando para casa do funeral", disse ela ao marido, que estava deitado no salão da cozinha. Thomas Lynde deitava-se mais no salão hoje em dia do que costumava fazer, mas a Sra. Rachel, que era tão afiada para notar qualquer coisa fora de seu próprio lar, ainda não havia percebido isso. "E ela está com os gêmeos... Sim, ali estão Davy, inclinando-se sobre a frente da charrete para agarrar o rabo do pônei, e Marilla, empurrando-o de volta. Dora está sentada em seu assento tão comportada quanto se poderia esperar. Ela sempre parece que acabou de ser engomada e passada. Bem, a pobre Marilla vai ficar com as mãos cheias neste inverno, sem dúvida. Ainda assim, não vejo como ela poderia ter feito qualquer outra coisa além de acolhê-los, dadas as circunstâncias, e ela terá Anne para ajudá-la. Anne está feliz da vida com o negócio todo e tem um jeito especial com crianças, devo dizer. Deus do céu, não parece que se passou nem um dia desde que o pobre Matthew trouxe a própria Anne para casa e todos riram da ideia de Marilla educar uma criança. E agora ela adotou gêmeos. Nunca escapamos de nos surpreender enquanto estivermos vivos."

O gordo pônei trotou sobre a ponte do Vale Lynde e pela estrada de Green Gables. O rosto de Marilla estava bastante sombrio. East Grafton era a dez milhas de distância e Davy Keith parecia estar possuído por uma paixão pelo movimento perpétuo. Estava além dos poderes de Marilla fazê-lo sentar-se quieto e ela sentiu agonia durante todo o caminho, com medo de que ele caísse da charrete e quebrasse o pescoço, ou tropeçasse para a frente e fosse pisoteado pelo pônei. Em desespero, ela finalmente ameaçou surrá-lo quando chagassem em casa. Diante disso, Davy pulou para o colo dela, sem se importar com as rédeas, arremessou seus braços gorduchos ao redor de seu pescoço e lhe deu um abraço de urso.

"Acho que você não está falando sério", disse ele, dando batidinhas carinhosamente na bochecha enrugada de Marilla. "Você não PARECE ser uma moça que bateria num menininho só porque ele não consegue ficar parado. Você não achava difícil ficar parada quando tinha minha idade?"

"Não, eu sempre ficava quieta quando me mandavam ficar", disse Marilla, tentando falar seriamente, embora sentisse seu coração derreter por baixo das carícias impulsivas de Davy.

"Bem, imagino que é porque você era menina", disse Davy, contorcendo-se de volta a seu lugar depois de outro abraço. "Você já FOI uma menina, eu imagino, apesar de ser muito engraçado pensar nisso. Dora consegue ficar quieta, mas isso não é muito divertido. EU não acho. Acho que ser uma menina deve ser chato. Aqui, Dora, me deixe animar você um pouco."

O método de Davy para "animar" era agarrar os cachos de Dora em seus dedos e puxá-los. Dora contorceu-se e depois chorou.

"Como você pode ser um menino tão terrível quando sua pobre mãe acabou de se deitar num caixão hoje mesmo?", perguntou Marilla, desesperada.

"Mas ela estava feliz por morrer", disse Davy, de um jeito confidencial. "Eu sei, porque ela me disse. Ela estava muito cansada de ficar doente. Nós demos um longo passeio na noite antes de ela morrer. Ela me disse que você ficaria comigo e com a Dora durante o verão e que eu deveria ser um bom menino. Eu serei, mas não posso ser um bom menino correndo por aí tanto quanto ficando quieto? E ela disse que eu sempre deveria ser gentil com Dora e protegê-la, e vou fazer isso."

"Você acha que puxar o cabelo dela é ser gentil?"

"Bem, eu não vou deixar mais ninguém puxar", disse Davy, levantando os punhos e franzindo a testa. "Quero só ver alguém tentar. Eu não a machuquei muito... Ela só chorou porque é menina. Eu fico feliz por ser menino, mas não gosto de ser gêmeo. Quando a irmã de Jimmy Sprott o contradiz, ele só diz 'sou mais velho, claro que sei mais que você', e isso basta para ELA. Mas não posso dizer isso a Dora, e ela continua pensando diferente de mim. Você pode me deixar conduzir o carro um minutinho, já que eu sou homem."

De modo geral, Marilla sentiu-se grata quando entrou em seu próprio quintal, onde o vento da noite de outono dançava com as folhas castanhas. Anne estava no portão para encontrá-los e pegou os gêmeos. Dora submeteu-se calmamente a ser beijada, mas Davy respondeu às boas-vindas de Anne com um de seus abraços calorosos e o alegre anúncio: "Sou o Sr. Davy Keith".

Na mesa de jantar, Dora comportou-se como uma pequena dama, mas as maneiras de Davy deixavam muito a desejar.

"Estou com tanta fome que não tenho tempo para comer com educação", disse ele quando Marilla o repreendeu. "Dora não está nem com a metade da fome que estou. Pense em todo o exercício que eu fiz lá na estrada. Aquele bolo está muito gostoso e cheio de ameixas. Nós não comemos bolo em casa há muito tempo, porque mamãe estava doente demais para fazer e a Sra. Sprott dizia que o máximo que podia fazer por nós era assar o pão. E a Sra. Wiggins nunca coloca ameixas no bolo DELA. Pegue-a! Posso comer mais um pedaço?"

Marilla teria recusado, mas Anne cortou um generoso segundo pedaço. Entretanto, ela lembrou Davy de que ele deveria dizer "obrigado" por aquilo. Davy apenas deu um largo sorriso e comeu um enorme bocado. Quando terminou o pedaço, ele disse:

"Se me der OUTRO pedaço, vou dizer obrigado por ele."

"Não, você já comeu bastante bolo", disse Marilla em um tom que Anne sabia, e que Davy ainda aprenderia, que era definitivo.

Davy piscou para Anne e, então, inclinando-se sobre a mesa, arrancou dos dedos de Dora seu primeiro pedaço de bolo, do qual ela havia tirado apenas um pedacinho. Ele abriu a boca o máximo possível e engoliu o pedaço inteiro. Os lábios de Dora tremeram e Marilla ficou muda de horror. Anne prontamente exclamou, com seu melhor ar de professora:

"Oh, Davy, cavalheiros não fazem coisas desse tipo."

"Eu sei que não", disse Davy, assim que conseguiu falar, "mas não sou um cavaleiro."

"Mas não quer ser?", perguntou Anne, chocada.

"Claro que sim, mas não posso ser cavaleiro antes de crescer."

"Oh, pode sim", Anne apressou-se a dizer, pensando ter visto uma chance de plantar uma semente boa. "Você pode começar a ser um cavalheiro quando é um menininho. E cavalheiros NUNCA arrancam coisas de damas, nem se esquecem de dizer obrigado, muito menos puxam o cabelo de alguém."

"Eles não se divertem muito, então", disse Davy francamente. "Acho que vou esperar crescer para virar um."

Marilla, com um ar resignado, havia cortado outro pedaço de bolo para Dora. Ela ainda não se sentia disposta a lidar com Davy. Tinha sido um dia difícil para ela, com o funeral e a longa viagem. Naquele momento, ela via o futuro com um pessimismo que seria digno da própria Eliza Andrews.

Os gêmeos não eram notavelmente parecidos, embora ambos tivessem a pele clara. Dora tinha cachos longos e brilhantes que nunca ficavam bagunçados. Davy tinha uma plantação de anéis amarelos retorcidos por toda a cabeça. Os olhos cor de avelã de Dora eram gentis e suaves; os de Davy eram malandros e dançantes como os de um elfo. O nariz de Dora era reto, o de Davy, decididamente arrebitado. Dora tinha uma boca com lábios delicados, e Davy era só sorrisos; além disso, ele tinha uma covinha em uma bochecha e nenhuma na outra, o que lhe dava uma aparência travessa, cômica e oblíqua quando ele ria. Jovialidade e travessuras espreitavam em cada canto de seu rostinho.

"É melhor eles irem para a cama", disse Marilla, pensando que era a forma mais fácil de se livrar deles. "Dora vai dormir comigo e você pode colocar o Davy no frontão oeste. Você não tem medo de dormir sozinho, tem, Davy?"

"Não, mas eu não vou para a cama ainda tão cedo", disse Davy confortavelmente.

"Ah, vai sim." Isso foi tudo que Marilla, depois de muito provocada, disse. Algo em seu tom silenciou até Davy. Ele trotou obedientemente para cima com Anne.

"Quando eu estiver crescido, a primeira coisa que vou fazer é ficar acordado uma noite TODA só pra ver como é", disse Davy a ela em tom de confidência.

Nos anos que se seguiram, Marilla nunca pensou naquela primeira semana da estada dos gêmeos em Green Gables sem um arrepio. Não que tivesse sido muito pior que as semanas que se seguiram, mas parecia assim por causa da novidade. Havia poucos minutos do dia em que Davy não estava fazendo ou tramando alguma travessura; mas sua primeira façanha ocorreu dois dias depois de sua chegada, numa manhã de domingo... Um dia belo e morno, nebuloso e brando de setembro. Anne o vestiu para a igreja enquanto Marilla cuidava de Dora. Davy, de início, se opôs veementemente a lavar o rosto.

"Marilla lavou meu rosto ontem... E a Sra. Wiggins me esfregou com um sabão duro no dia do funeral. É suficiente para uma semana. Não vejo que bem pode fazer estar tão limpo. É muito mais confortável ficar sujo."

"Paul Irving lava o rosto todos os dias por vontade própria", disse Anne, astuta.

Davy tinha estado recluso em Green Gables por pouco mais de quarenta e oito horas; mas já idolatrava Anne e odiava Paul Irving, o qual ele tinha ouvido Anne elogiar entusiasticamente um dia depois de sua chegada. Se Paul Irving lavasse o rosto todos os dias, isso bastaria. Ele, Davy Keith, o faria também, mesmo que aquilo o matasse. A mesma consideração induziu-o a submeter-se humildemente a outros detalhes de sua higiene, e ele era mesmo um rapazinho bonito quando tudo terminou. Anne sentiu um orgulho quase maternal por ele enquanto o levava até o velho banco dos Cuthbert.

Davy comportou-se bem no começo, estando ocupado em lançar olhares clandestinos para todos os menininhos à vista e imaginando qual deles seria Paul Irving. Os primeiros dois hinos e a leitura da Escritura passaram sem complicações. O Sr. Allan estava pregando quando a sensação começou.

Lauretta White estava sentada na frente de Davy, sua cabeça ligeiramente curvada e seu cabelo claro caindo em duas longas tranças, entre as quais um tentador pedaço de nuca branca aparecia, envolta por um babado de renda frouxo. Lauretta era uma criança de 8 anos, gorducha e de aparência calma, que havia se comportado irrepreensivelmente na igreja desde o primeiro dia em que a mãe a levou lá, um bebê de 6 meses.

Davy enfiou a mão no bolso e relevou uma lagarta... uma lagarta peluda que se contorcia. Marilla viu tudo e o agarrou, mas não foi rápida o suficiente. Davy jogou a lagarta na nuca de Lauretta.

No meio do sermão do Sr. Allan, uma série de gritos agudos explodiu. O pastor parou, horrorizado, e abriu os olhos. Todas as cabeças da congregação levantaram. Lauretta White estava dançando para cima e para baixo em seu banco, agarrando a parte de trás do vestido.

"Ai, mamãe! Mamãe, ai! Tire isso de mim! Ai, tire logo! Ai, aquele menino malvado colocou no meu pescoço! Ai, mamãe! Está descendo, ai, ai, ai!"

A Sra. White levantou-se e, com uma expressão fechada, carregou a histérica Lauretta, ainda se contorcendo, para fora da igreja. Seus gritos foram morrendo a distância, e o Sr. Allan continuou a pregação. Todos sentiram que aquele dia foi um fracasso. Pela primeira vez na vida, Marilla não prestou atenção ao texto e Anne sentou-se com as bochechas vermelhas de vergonha.

Quando eles foram para casa, Marilla colocou Davy na cama e o fez ficar lá pelo resto do dia. Ela não lhe deu almoço, mas autorizou um chá simples com pão e leite. Anne levou o chá até ele e sentou-se desgostosa a seu lado, enquanto ele comia com um prazer livre de arrependimento. Os olhos infelizes de Anne, porém, o perturbaram.

"Imagino", ele disse, refletindo, "que Paul Irving não teria jogado uma lagarta no pescoço de uma menina na igreja, teria?"

"De fato, não teria", disse Anne tristemente.

"Bem, então estou um pouco arrependido de ter feito isso", cedeu Davy. "Mas era uma lagarta grande tão legal... Eu a peguei nos degraus da igreja quando entramos. Parecia uma pena desperdiçar. E diga que não foi engraçado ouvir aquela menina gritar?"

Às terças-feiras à tarde, a Sociedade de Auxílio reunia-se em Green Gables. Anne corria da escola para casa, pois sabia que Marilla precisaria de toda a ajuda que ela pudesse oferecer. Dora, limpa e arrumada, em seu vestido branco bem engomado e com uma faixa preta, estava sentada com os membros do Auxílio no salão, respondendo recatadamente quando lhe falavam, mantendo silêncio o resto do tempo, e de todas as formas se comportando como uma criança-modelo. Davy, alegremente sujo, estava fazendo tortas de lama no celeiro.

"Eu deixei", disse Marilla, exausta. "Pensei que isso o manteria afastado de travessuras piores. Ele vai apenas se sujar assim. Nós tomaremos nosso chá antes de eu chamá-lo para tomar o dele. Dora pode tomar o dela conosco, mas eu jamais ousaria deixar Davy sentar-se à mesa com todos os membros do Auxílio aqui."

Quando Anne foi chamar os membros do Auxílio para o chá, ela descobriu que Dora não estava no salão. A Sra. Jasper Bell disse que Davy tinha vindo até a porta da entrada e a chamado para fora. Uma consulta apressada com Marilla na despensa resultou na decisão de deixar que ambas as crianças tomassem o chá juntas mais tarde.

O chá estava quase acabando quando a sala de jantar foi invadida por uma figura desolada. Marilla e Anne encararam, com pavor, os membros do Auxílio, surpresos. Poderia aquilo ser Dora... aquela criatura indescritível e soluçante com vestido e cabelos encharcados de onde a água escorria para o tapete novo de Marilla?

"Dora, o que foi que aconteceu com você?", perguntou Anne, com um olhar culpado para a Sra. Jasper Bell, cuja família era conhecida por ser a única do mundo em que acidentes nunca ocorriam.

"Davy me fez andar pela cerca do chiqueiro", lamentou Dora. "Eu não queria, mas ele me chamou de medrosa. E eu caí no chiqueiro, meu vestido ficou todo sujo e os porcos correram por cima de mim. Meu vestido estava terrível, mas Davy disse que, se eu ficasse embaixo da bomba, ele o lavaria. Eu fiquei e ele bombeou água em cima de mim, mas meu vestido não está nem um pouco mais limpo, e minha linda faixa e meus sapatos estão todos destruídos."

Anne fez as honras da mesa sozinha pelo resto da refeição enquanto Marilla subia e vestia Dora novamente em suas roupas antigas. Davy foi pego e mandado para a cama sem o jantar. Anne foi para o quarto dele ao anoitecer e falou com ele seriamente, um método no qual ela tinha grande fé, não totalmente injustificado pelos resultados. Ela disse a ele que se sentia muito mal por sua conduta.

"Eu mesmo me sinto mal agora", admitiu Davy, "mas o problema é que nunca me sinto mal por fazer as coisas até depois de ter feito. Dora não me ajudava a fazer as tortas, porque estava com medo de sujar as roupas e isso me deixou muito bravo. Eu imagino que Paul Irving não teria feito a irmã DELE andar pela cerca do chiqueiro se soubesse que ela cairia?"

"Não, ele nem sonharia com uma coisa dessas. Paul é um perfeito cavalheiro."

Davy fechou os olhos apertados e pareceu meditar sobre isso por um tempo. Então, arrastou-se para cima e colocou os braços ao redor do pescoço de Anne, aconchegando seu rostinho corado no ombro dela.

"Anne, você não gosta de mim nem um pouquinho, mesmo que eu não seja um bom menino como o Paul?"

"Gosto sim", disse Anne sinceramente. De alguma forma, era impossível não gostar de Davy. "Mas gostaria mais ainda se você não fosse tão levado."

"Eu... eu fiz outra coisa hoje", continuou Davy, com uma voz abafada. "Sinto muito agora, mas estou morrendo de medo de lhe contar. Você não vai ficar muito brava, vai? E não vai contar para Marilla, vai?"

"Não sei, Davy. Talvez eu precise contar a ela, mas acho que posso prometer a você que não vou contar se me prometer que nunca mais vai fazer isso novamente, seja lá o que for."

"Não, nunca mais vou fazer. De qualquer forma, não é provável que eu encontre outros neste ano. Eu encontrei um nos degraus do porão."

"Davy, o que é que você fez?"

"Coloquei um sapo na cama da Marilla. Você pode olhar e tirar, se quiser. Mas, diga, Anne, não seria divertido deixá-lo lá?"

"Davy Keith!", disse Anne saltando dos braços de Davy e voando pelo corredor até o quarto de Marilla. A cama estava ligeiramente desarrumada. Ela jogou para longe os cobertores com uma pressa nervosa, e lá estava mesmo o sapo, piscando para ela debaixo de um travesseiro.

"Como vou levar essa coisa horrorosa para fora?", gemeu Anne, com um calafrio. Ela lembrou-se da pá da lareira e desceu para buscá-la enquanto Marilla estava ocupada na despensa. Anne enfrentou seus próprios problemas para levar o sapo para baixo, pois ele pulou da pá três vezes e uma das vezes ela achou que o havia perdido no corredor. Quando finalmente o depositou no pomar de cerejeiras, deu um longo suspiro de alívio.

"Se Marilla soubesse, nunca mais se sentiria segura ao se deitar na cama novamente. Estou feliz pelo pequeno pecador ter se arrependido a tempo. Ali está Diana sinalizando de sua janela. Fico feliz, eu realmente sinto que preciso de um pouco de distração, pois com Anthony Pye na escola e Davy Keith em casa, meus nervos já receberam o máximo que poderiam suportar em um só dia."

CAPÍTULO IX
Uma questão de cor

"A velha enxerida da Rachel Lynde esteve aqui de novo hoje, pedindo uma contribuição para comprar um tapete para a sala de sacristia", disse o Sr. Harrison, irado. "Eu detesto aquela mulher mais do que qualquer outra pessoa que conheço. Ela consegue colocar um sermão inteiro com texto, comentários e aplicações em seis palavras e arremessá-lo em você como um tijolo."

Anne, que estava empoleirada na borda do alpendre, aproveitando o charme de um fresco vento oeste soprando através do campo recém--arado em um anoitecer cinzento de novembro e assoviando uma pitoresca melodia para os espruces entrelaçados abaixo do jardim, virou seu rosto sonhador por cima do ombro.

"O problema é que o senhor e a Sra. Lynde não entendem um ao outro", ela explicou. "Esse é sempre o problema quando duas pessoas não se gostam. Eu também não gostava da Sra. Lynde no começo, mas assim que comecei a entendê-la, aprendi a gostar dela."

"A Sra. Lynde pode ser um gosto adquirido para algumas pessoas, mas eu não continuei comendo bananas porque me disseram que eu aprenderia a gostar delas se fizesse isso", resmungou o Sr. Harrison. "E quanto a entendê-la, eu entendo que ela é uma verdadeira intrometida e disse isso a ela."

"Oh, isso deve ter ferido muito os sentimentos dela", disse Anne, de modo reprovador. "Como pôde dizer uma coisa dessas? Eu disse umas coisas terríveis à Sra. Lynde faz muito tempo, mas quando havia perdido minha paciência. Eu não poderia dizer aquilo DELIBERADAMENTE."

"Era a verdade, e eu acredito em dizer a verdade a todos."

"Mas o senhor não disse toda a verdade", contestou Anne. "O senhor disse apenas a parte desagradável da verdade. Veja, o senhor me disse várias vezes que meu cabelo era vermelho, mas não me disse nem uma vez que eu tinha um nariz bonito."

"Ouso dizer que você sabe disso sem que ninguém precise dizer", riu o Sr. Harrison.

"Eu também sei que tenho cabelo vermelho, embora esteja MUITO mais escuro do que costumava ser, então não há necessidade de me dizer isso de igual forma."

"Ora, ora, vou tentar não mencioná-lo de novo, já que você é tão sensível. Agora, me dê licença, Anne. Eu tenho o hábito de ser franco e as pessoas não deveriam se importar."

"Mas elas não conseguem não se importar. E não acho que seja de grande ajuda o senhor ter esse hábito. O que o senhor pensaria de alguém que ficasse por aí espetando alfinetes e agulhas nas pessoas dizendo: 'Com licença, você não deve se importar, é apenas um hábito meu'. O senhor pensaria se tratar de um maluco, não? E quanto à Sra. Lynde ser uma intrometida, talvez ela seja, mas o senhor disse a ela que ela tinha um coração muito bom e sempre ajudava os pobres, e que não disse nada quando Timothy Cotton roubou um pote de manteiga da leiteria da Sra. Lynde e contou à esposa que tinha comprado dela? A Sra. Cotton ainda por cima disse, quando elas se encontraram, que a manteiga tinha gosto de sabão, mas a Sra. Lynde respondeu apenas que sentia muito por não ter ficado boa."

"Imagino que ela tenha algumas qualidades", concordou o Sr. Harrison, de má vontade. "A maioria das pessoas tem. Eu mesmo tenho algumas, embora talvez você nunca suspeitasse. Mas, de qualquer forma, não vou dar nada para aquele tapete. Parece que as pessoas estão sempre pedindo dinheiro por aqui. Como está indo o seu projeto de pintar o auditório?"

"Esplendidamente. Nós tivemos uma reunião da SMVA na sexta-feira passada e descobrimos que coletamos dinheiro suficiente para pintar o auditório e trocar as telhas também. A MAIORIA das pessoas fez contribuições generosas, Sr. Harrison."

Anne era uma moça de alma doce, mas ainda podia destilar um pouco de veneno em inocentes palavras destacas quando a ocasião exigia.

"De que cor você vai pintá-lo?"

"Decidimos usar um belo verde. O telhado será vermelho escuro, é claro. O Sr. Roger Pye vai buscar a tinta na cidade hoje."

"Quem ficou com o serviço?"

"O Sr. Joshua Pye, de Carmody. Ele praticamente já terminou de colocar as telhas. Nós tivemos que lhe dar o serviço, pois todos os Pye, e há quatro famílias, sabe, disseram que não doariam um centavo a menos que Joshua o fizesse. Eles tinham contribuído com doze dólares entre eles e pensamos que era muito a perder, apesar de algumas pessoas terem dito que não deveríamos ter dado aos Pye. A Sra. Lynde diz que eles sempre tentam mandar em tudo."

"A questão principal é se esse Joshua vai fazer o trabalho direito. Se fizer, não vejo qual a diferença de o nome dele ser Pye ou Pudding."

"Ele tem a reputação de ser um bom trabalhador, embora seja um homem muito peculiar. Ele quase nunca fala."

"Ele é bastante peculiar mesmo, então", disse o Sr. Harrison, seco. "Pelo menos as pessoas daqui vão chamá-lo assim. Nunca fui muito de falar até vir para Avonlea, e aí tive que começar em legítima defesa, ou a Sra. Lynde teria dito que eu era mudo e começaria uma arrecadação para me ensinar a linguagem de sinais. Você já vai, Anne?"

"Eu preciso ir. Tenho algumas costuras de Dora para fazer hoje à noite. Além disso, Davy provavelmente está partindo o coração de Marilla com alguma nova travessura a esta altura. Hoje de manhã a primeira coisa que ele disse foi: 'Para onde o escuro vai, Anne? Queria saber'. Eu disse a ele que ia para o outro lado do mundo, mas depois do café da manhã ele disse que não, que ia para dentro do poço. Marilla disse que o pegou pendurado no poço quatro vezes hoje, tentando alcançar o escuro."

"Ele é terrível", declarou o Sr. Harrison. "Ele veio até aqui ontem e arrancou seis penas da cauda de Ginger antes que eu voltasse do celeiro. O pobre pássaro ficou deprimido desde então. Aquelas crianças devem ser uma preocupação constante para vocês."

"Tudo o que vale a pena causa um pouco de preocupação", disse Anne, secretamente decidida a perdoar a próxima infração de Davy, qualquer que fosse, já que ele a havia vingado em relação a Ginger.

O Sr. Roger Pye trouxe a tinta do auditório para casa naquela noite e o Sr. Joshua Pye, um homem rabugento e taciturno, começou a pintura no dia seguinte. Ele não foi perturbado em sua tarefa. O auditório estava situado num local que era chamado de "estrada baixa". No fim do outono, essa estrada estava sempre lamacenta e molhada, e as pessoas que iam para Carmody viajavam pela "estrada alta", mais longa. O auditório era cercado tão de perto pelo bosque de espruces que ficava invisível, a não ser que se estivesse bem próximo dele. O Sr. Joshua Pye pintou na solidão e independência que eram tão caras a seu coração pouco sociável.

Na tarde de sexta-feira, ele terminou seu trabalho e foi para sua casa, em Carmody. Logo depois de sua saída, a Sra. Rachel Lynde passou por ali, tendo desbravado a lama da estrada baixa pela curiosidade de ver como estava o auditório com sua nova demão de tinta. Quando virou a curva de espruces, ela o viu.

A visão afetou a Sra. Lynde de um jeito estranho. Ela deixou cair as rédeas, levantou as mãos para cima e disse: "Deus do céu!". Ela encarou aquilo como se não pudesse acreditar nos próprios olhos. Então, riu quase histericamente.

"Deve haver algum erro... Deve haver. Eu sabia que aqueles Pye bagunçariam as coisas."

A Sra. Lynde foi para casa, e parava diversas pessoas na estrada para lhes contar sobre o auditório. As notícias espalharam-se como fogo. Gilbert Blythe, que estava debruçado sobre um livro em casa, juntou-se a Fred Wright no caminho. Eles encontraram Diana Barry, Jane Andrews e Anne Shirley, a personificação do desespero, no portão do quintal de Green Gables, embaixo dos grandes salgueiros sem folhas.

"Com certeza não é verdade, não é mesmo, Anne?", perguntou Gilbert.

"É verdade", respondeu Anne, parecendo a musa da tragédia. "A Sra. Lynde parou aqui ao voltar de Carmody para me contar. Oh, é simplesmente terrível! De que adianta tentar melhorar qualquer coisa?"

"O que é terrível?", perguntou Oliver Sloane, chegando naquele momento com uma caixa que tinha trazido da cidade para Marilla.

"Você não soube?", disse Jane furiosamente. "Bem, é simples assim... Joshua Pye pintou o auditório de azul em vez de verde... um azul escuro, brilhante, da cor que usam para pintar carroças e carrinhos de mão. E a Sra. Lynde disse que é a cor mais horrorosa para pintar um prédio, especialmente combinada a um teto vermelho, que ela já viu na vida. Você poderia ter me derrubado com uma pena quando eu soube. É de partir o coração, depois de todo o trabalho que tivemos."

"Como é que um erro desses pôde acontecer?", lamentou Diana.

A culpa desse desastre cruel foi eventualmente restringida aos Pye. Os Melhoradores decidiram usar tintas Morton-Harris, e as latas de tinta Morton-Harris eram numeradas de acordo com uma cartela de cores. O número 147 era o tom de verde desejado, e, quando o Sr. Roger Pye mandou o aviso para os Melhoradores através de seu filho, John Andrew, que estava indo à cidade e buscaria a tinta para eles, os Melhoradores disseram a John Andrew para pedir a seu pai que buscasse a 147. John Andrew afirmou ter feito isso, mas o Sr. Roger Pye declarou firmemente que John Andrew lhe disse 157, e assim permanece o assunto até os dias de hoje.

Naquela noite, houve um assombro completo em cada casa de Avonlea onde morava um Melhorador. A tristeza em Green Gables era tão intensa que sossegou até mesmo Davy. Anne chorou e não pôde ser consolada.

"Devo chorar, mesmo tendo quase 17 anos, Marilla", ela soluçou. "É tão vergonhoso. E parece a sentença de morte da nossa sociedade. As pessoas vão se acabar de rir de nós."

Na vida, como nos sonhos, entretanto, as coisas às vezes acontecem ao contrário. As pessoas de Avonlea não riram, elas estavam bravas demais para isso. Seu dinheiro tinha sido entregue para pintar o auditório e, consequentemente, elas se sentiram amargamente ofendidas pelo erro. A indignação pública foi centralizada nos Pye. Roger Pye e John Andrew haviam feito confusão entre eles; e quanto a Joshua Pye, ele devia ter nascido ontem para não suspeitar que havia algo errado quando abriu as latas e viu a cor da tinta. Joshua Pye, quando criticado, retrucou que a preferência de cor de Avonlea não era de sua conta, qualquer que fosse sua própria opinião; ele havia sido contratado para pintar o auditório, não para falar sobre ele; e ele pretendia receber o dinheiro por isso.

Os Melhoradores pagaram-lhe com um espírito amargo, depois de consultar o Sr. Peter Sloane, que era um magistrado.

"Vocês precisam pagar a ele", disse-lhes Peter. "Não podem culpá-lo pelo engano, já que ele alega nunca ter sido informado da cor, apenas recebido as latas e a autorização para seguir em frente. Mas é uma vergonha e tanto, e aquele auditório certamente está com uma aparência péssima."

Os azarados Melhoradores esperavam que Avonlea fosse mais preconceituosa do que nunca em relação a eles. Mas, em vez disso, a simpatia pública virou a favor deles. As pessoas pensavam que o grupinho interessado e entusiástico havia sido enganado depois de ter trabalhado tanto pelo seu objetivo. A Sra. Lynde disse a eles para continuarem e mostrarem aos Pye que realmente existiam pessoas no mundo que conseguiam fazer as coisas sem arrumar confusão. O Sr. Major Spencer mandou avisá-los que tiraria todos os tocos de árvores da estrada em frente à sua fazenda e cobriria tudo com grama usando o próprio dinheiro. E a Sra. Hiram Sloane foi até a escola um dia e acenou misteriosamente para Anne para lhe dizer que, se a sociedade quisesse plantar gerânios no cruzamento durante a primavera, não precisavam mais temer a vaca dela, pois ela manteria o animal maroto em um lugar seguro. Até o Sr. Harrison riu, se é que ele ria mesmo, e tentou ser simpático.

"Não se importe, Anne. A maioria das tintas desbota e fica mais feia a cada ano, mas aquele azul já é tão feio quanto seria possível, então deve desbotar para uma cor bonita. E o teto está coberto e foi bem pintado. As pessoas vão poder se sentar no auditório sem goteiras depois disso. Você conseguiu muita coisa de qualquer jeito."

"Mas o auditório azul de Avonlea vai ser motivo de chacota em todos os municípios vizinhos a partir de agora", disse Anne amargamente.

E devemos confessar que foi mesmo.

CAPÍTULO X
Davy em busca de emoção

Anne, indo da escola para casa através do Caminho das Bétulas em uma tarde de novembro, sentiu-se novamente convencida de que a vida era mesmo uma coisa maravilhosa. O dia tinha sido bom, tudo estava indo bem em seu pequeno reinado. St. Clair Donnell não havia brigado com nenhum dos outros meninos por causa de seu nome. O rosto de Prillie Rogerson estava tão inchado pelos efeitos de uma dor de dente que ela não tentou nem uma vez flertar com os meninos sob seu domínio. Barbara Shaw havia tido apenas UM acidente — esparramando uma caneca de água pelo chão — e Anthony Pye não foi à escola nesse dia.

"Que belo mês novembro tem sido!", disse Anne, que nunca superou seu hábito infantil de falar consigo mesma. "Novembro normalmente é um mês tão desagradável — como se o ano tivesse subitamente descoberto que estava ficando mais velho e não pudesse fazer nada além de derramar lágrimas e atormentar-se por isso. Este ano está ficando graciosamente mais velho — como uma velha senhora imponente que sabe que pode ser charmosa mesmo com seu cabelo cinzento e suas rugas. Nós tivemos dias adoráveis e crepúsculos deliciosos. Essas últimas duas semanas foram tão pacíficas, e até Davy esteve quase bem-comportado. Eu realmente acho que ele está melhorando bastante. Como o bosque está quieto hoje... nem um sussurro, exceto aquele vento suave soprando no topo das árvores! Soa como uma onda em uma praia distante. Como o bosque é adorável! Suas lindas árvores! Amo cada uma de vocês como a uma amiga."

Anne parou para colocar seu braço ao redor de uma jovem e esbelta bétula e beijar seu tronco branco. Diana, fazendo a curva do caminho, viu tudo e riu.

"Anne Shirley, você está apenas fingindo ter crescido. Eu acredito que, quando está sozinha, você se comporta como a menininha que sempre foi."

"Bem, não é possível perder o hábito de se comportar como uma menininha de uma vez só", disse Anne alegremente. "Veja, eu era pequena até os 14 anos e só estive crescida por pouco mais de três anos. Tenho certeza de que sempre vou me sentir uma criança no bosque. Essas caminhadas da escola para casa são quase o único momento que tenho para sonhar a não ser pela meia hora antes de pegar no sono. Estou tão ocupada ensinando, estudando e ajudando Marilla com os gêmeos que não tenho tempo para imaginar coisas. Você não sabe as aventuras esplêndidas que tenho por alguns instantes depois de me deitar no frontão leste todas as noites. Eu sempre imagino que sou algo brilhante, triunfal e esplêndido... uma bela prima-dona, uma enfermeira da Cruz Vermelha ou uma rainha. Na noite passada, eu era uma rainha. É realmente esplêndido imaginar ser uma rainha. Você tem toda a diversão sem nenhuma das inconveniências e pode parar de ser rainha sempre que quiser, o que não poderia fazer na vida real. Mas aqui no bosque eu prefiro imaginar coisas bem diferentes... Sou uma dríade morando em um velho pinheiro, ou um elfo pequeno e marrom da floresta embaixo de uma folha amassada. Aquela bétula branca que você me viu beijar é minha irmã. A única diferença é que ela é uma árvore e eu sou uma garota, mas não é uma grande diferença. Onde você está indo, Diana?"

"Vou até os Dickson. Eu prometi ajudar Alberta a cortar o molde para seu vestido novo. Você não pode descer à tarde, Anne, e voltar para casa comigo?"

"Posso, já que Fred Wright está longe, lá na cidade", disse Anne com uma expressão inocente até demais.

Diana corou, jogou a cabeça para trás e seguiu em frente. Entretanto, ela não parecia ofendida.

Anne tinha plena intenção de ir até os Dickson naquela tarde, mas não foi. Quando chegou a Green Gables, descobriu uma situação que expulsou qualquer outro pensamento de sua mente. Marilla a encontrou no quintal, uma Marilla de olhos esbugalhados.

"Anne, Dora sumiu!"

"Dora! Sumiu!", Anne olhou para Davy, que estava se balançando no portão do quintal, e detectou uma alegria em seus olhos. "Davy, você sabe onde ela está?"

"Não sei, não", disse ele enfaticamente. "Eu não a vejo desde o jantar, juro por Deus."

"Eu estive fora desde uma da tarde", disse Marilla. "Thomas Lynde ficou doente de repente e Rachel me pediu que fosse até lá imediatamente. Quando saí daqui, Dora estava brincando com a boneca na cozinha e Davy estava fazendo tortas de lama atrás do celeiro. Cheguei há meia hora, e Dora não está em lugar nenhum. Davy afirma que não a vê desde que eu saí."

"Não vi mesmo", declarou Davy solenemente.

"Ela deve estar em algum lugar por aqui", disse Anne. "Ela nunca teria saído por aí sozinha... Você sabe como ela é tímida. Talvez ela tenha adormecido em algum dos quartos."

Marilla balançou a cabeça.

"Eu a cacei pela casa inteira. Ela deve estar em algum lugar aqui fora."

Uma busca completa se seguiu. Cada canto da casa, do quintal e das outras dependências foi vasculhado pelas duas personagens perturbadas. Anne revistou o pomar e a Floresta Assombrada, chamando por Dora. Marilla pegou uma vela e investigou o porão. Davy acompanhou uma de cada vez, e estava cheio de ideias sobre os lugares onde Dora poderia estar. Finalmente, eles encontraram-se no quintal.

"É a coisa mais misteriosa do mundo", suspirou Marilla.

"Onde ela pode estar?", disse Anne miseravelmente.

"Talvez ela tenha caído dentro do poço", sugeriu Davy alegremente.

Anne e Marilla olharam com medo uma para a outra. O pensamento tinha estado com elas durante toda a busca, mas nenhuma delas ousava dizê-lo em voz alta.

"Ela... ela pode ter caído", sussurrou Marilla.

Anne, sentindo-se fraca e doente, foi até o poço e olhou para dentro. O balde estava na prateleira. Lá embaixo estava o pequenino brilho da água parada. O poço dos Cuthbert era o mais profundo de Avonlea. Se Dora... Anne não podia suportar a ideia. Ela estremeceu e virou-se para longe.

"Corra até o Sr. Harrison", disse Marilla, torcendo as mãos.

"O Sr. Harrison e John Henry estão fora... Eles foram até a cidade hoje. Vou até o Sr. Barry."

O Sr. Barry voltou com Anne, carregando um rolo de corda que estava atado a um instrumento que parecia uma garra e já tinha sido parte de um rastelo. Marilla e Anne ficaram por perto, geladas e tremendo de medo e desespero, enquanto o Sr. Barry vasculhava o poço, e Davy, montado em cima do portão, assistia ao grupo com uma expressão que indicava uma grande diversão.

Finalmente, o Sr. Barry balançou a cabeça, com um ar aliviado.

"Ela não está lá embaixo. Mas é mesmo curioso pensar onde ela poderia ter ido. Escute aqui, rapazinho, tem certeza de que não faz ideia de onde sua irmã está?"

"Já disse um monte de vezes que não sei", respondeu Davy com um ar ofendido. "Talvez um mendigo tenha vindo e levado ela."

"Bobagem", disse Marilla bruscamente, aliviada de seu terrível medo do poço. "Anne, você acha que ela poderia ter ido parar na casa do Sr. Harrison? Ela está sempre falando do papagaio dele desde que você a levou lá."

"Não consigo acreditar que Dora teria se aventurado tão longe sozinha, mas vou lá ver", disse Anne.

"Ninguém estava olhando para Davy naquela hora ou seria possível notar uma verdadeira mudança em seu rosto. Ele silenciosamente desceu do portão e correu, o mais rápido que suas pernas podiam levá-lo, até o celeiro.

Anne apressou-se pelos campos até a casa do Sr. Harrison sem grandes esperanças em mente. A casa estava trancada, as cortinas estavam cerradas e não havia sinal de vida no lugar. Ela foi até a varanda e chamou Dora bem alto.

Ginger, na cozinha atrás dela, gritou e praguejou com uma ferocidade súbita; mas, entre seus ataques, Anne ouviu um choro melancólico vindo da pequena construção no quintal que servia de galpão de ferramentas para o Sr. Harrison. Anne correu até a porta, destrancou-a e apanhou uma pequena criatura abandonada e com o rosto manchado de lágrimas que estava sentada em um barril virado de cabeça para baixo.

"Ah, Dora, Dora, que susto você nos deu! Como você veio parar aqui?"

"Davy e eu viemos ver o Ginger", soluçou Dora, "mas não pudemos vê-lo no fim das contas. Davy só o fez praguejar chutando a porta. Depois, Davy me trouxe aqui, correu para fora e trancou a porta, e eu não conseguia sair. Eu chorei e chorei, estava com medo e, ah, estou com tanta fome e frio. Achei que você nunca viria, Anne."

"Davy?" Anne não pôde dizer mais nada. Ela levou Dora para casa com o coração pesado. Sua alegria ao encontrar a criança sã e salva foi sufocada pela dor causada pelo comportamento de Davy. A loucura de ter trancado Dora poderia ter sido facilmente perdoada, mas Davy havia contado mentiras... mentiras completas a sangue frio. Aquela era a dura verdade, e Anne não podia fechar os olhos para ela. Ela poderia ter sentado e chorado de pura decepção. Ela havia aprendido a amar Davy profundamente — quão profundamente ela não sabia até aquele momento —, e descobrir que ele era culpado por uma mentida deliberada a magoava insuportavelmente.

Marilla ouviu a história de Anne em um silêncio que não dava indícios de nada de bom para Davy. O Sr. Barry riu e aconselhou que Davy fosse tratado sumariamente. Quando ele foi para casa, Anne acalmou e aqueceu a soluçante e trêmula Dora, preparou seu jantar e a colocou na cama. Depois, voltou para a cozinha no mesmo instante em que Marilla entrou sombriamente, conduzindo, ou melhor, puxando, o relutante Davy, coberto por teias de aranha, que ela havia acabado de encontrar escondido no canto mais escuro do estábulo.

Ela o largou no tapete no meio do chão e depois sentou-se à janela leste. Anne estava fracamente sentada à janela oeste. Entre elas estava o culpado.

Suas costas estavam viradas para Marilla em uma posição humilde, submissa, aterrorizada; mas seu rosto estava virado para Anne e, embora estivesse um pouco envergonhado, havia um brilho de companheirismo nos olhos de Davy, como se soubesse que havia feito algo errado e fosse ser punido por aquilo, mas pudesse contar com ela para rir de tudo mais tarde.

Mas os olhos cinzentos de Anne não lhe responderam com nenhum sorriso oculto, como poderiam ter feito se fosse apenas uma questão de mau comportamento. Havia outra coisa... algo feio e repulsivo.

"Como pôde se comportar desse jeito, Davy?", ela perguntou, ressentida.

Davy contorceu-se desconfortavelmente.

"Eu só fiz por diversão. As coisas ficaram tão quietas por tanto tempo que pensei que seria divertido dar um belo susto em vocês. E foi mesmo."

Apesar do medo e de um pouco de remorso, Davy sorriu ao se lembrar.

"Mas você contou uma mentira, Davy", disse Anne, mais ressentida do que nunca.

Davy parecia confuso.

"O que é uma mentira? Você quer dizer uma lorota?"

"Quero dizer uma história que não era verdade."

"Claro que contei", falou Davy francamente. "Se não tivesse contado, vocês não teriam se assustado. TIVE que contar."

Anne estava sentindo a reação de seu assombro e de seus esforços. A atitude impertinente de Davy deu o toque final. Duas grandes lágrimas brilharam em seus olhos.

"Oh, Davy, como você pôde?", ela disse com um tremor na voz. "Você não entende quanto foi errado?"

Davy estava pasmo. Anne chorava... Ele havia feito Anne chorar! Uma onda de verdadeiro remorso revolveu como uma enxurrada seu pequeno coração e o engolfou. Ele correu para Anne, atirou-se ao colo dela, lançou os braços ao redor de seu pescoço e começou a chorar.

"Eu não sabia que era errado contar lorotas", ele soluçou. "Como você esperava que eu soubesse que era errado? Os filhos do Sr. Sprott contam lorotas O TEMPO TODO, todos os dias, e juram por Deus também. Acho que Paul Irving nunca conta lorotas e aqui estava eu tentando ser tão bom quanto ele. Agora acho que você nunca mais vai me amar de novo.

Mas acho que você deveria ter me falado que era errado. Sinto muito ter feito você chorar, Anne, nunca vou contar uma lorota de novo."

Davy enterrou seu rosto no ombro de Anne e chorou compulsivamente. Anne, em um momento súbito de compreensão, segurou o menino bem apertado e olhou por cima de seus cachos amarelos para Marilla.

"Ele não sabia que era errado contar mentiras, Marilla. Acho que devemos perdoá-lo por isso desta vez, se ele prometer nunca mais dizer algo que não é verdade novamente."

"Não vou dizer, agora que sei que é errado", assegurou Davy, entre soluços. "Se você me pegar contando uma lorota de novo, você pode...", disse ele, tentando pensar em uma punição adequada, "...você pode arrancar o meu coro, Anne."

"Não diga 'lorota', Davy... Diga 'mentira'", disse a professora.

"Por quê?", questionou Davy, sossegando confortavelmente e olhando para cima com o rosto curioso e manchado de lágrimas. "Por que mentira é melhor que lorota? Eu queria saber. As duas palavras são grandes."

"É uma gíria, e é errado menininhos usarem gírias."

"Existe um montão de coisas erradas", disse Davy com um suspiro. "Eu nunca imaginei que fossem tantas. Sinto muito por ser errado contar loro... mentira, porque é muito útil, mas, já que é errado, nunca mais vou contar uma. O que você vai fazer comigo desta vez? Eu queria saber." Anne olhou suplicando para Marilla.

"Não quero ser muito dura com a criança", disse Marilla. "Ouso dizer que ninguém nunca lhe disse mesmo que era errado contar mentiras, e aquelas crianças Sprott não eram boas companhias para ele. A pobre Mary estava doente demais para ensiná-lo corretamente e imagino que não se pode esperar que uma criança de 6 anos aprenda as coisas por instinto. Imagino que teremos que supor que ele não sabe NADA do que é certo e começar do começo. Mas ele terá que ser punido por trancar Dora e não consigo pensar em nada além de mandá-lo para a cama sem o jantar, e já temos feito muito isso. Pode sugerir alguma outra coisa, Anne? Acredito que você seja capaz, com essa imaginação da qual você tanto fala."

"As punições são tão horríveis, e gosto apenas de imaginar coisas agradáveis", disse Anne, abraçando Davy. "Já existem tantas coisas desagradáveis no mundo que não vale a pena imaginar mais."

No fim, Davy foi mandado para a cama, como de costume, para ficar lá até o começo da tarde do dia seguinte. Ele evidentemente pensou um pouco, pois, quando Anne subiu para seu quarto um pouco mais tarde, ela o ouviu chamando seu nome suavemente. Entrando, Anne o encontrou sentado na cama, com os cotovelos nos joelhos e o queixo apoiado nas mãos.

"Anne", disse ele solenemente, "é errado quando qualquer pessoa conta loro... mentiras? Eu queria saber."

"É, sim."

"É errado quando adultos contam?"

"Sim."

"Então", disse Davy, decidido, "Marilla é malvada, porque ELA conta. E ela é pior que eu, porque eu não sabia que era errado, mas ela sabe."

"Davy Keith, Marilla nunca disse uma mentira em toda a sua vida", disse Anne, indignada.

"Disse, sim. Ela me disse na terça-feira passada que algo horrível ACONTECERIA comigo se eu não fizesse minhas orações todas as noites. E eu não rezo há mais de uma semana, só para ver o que aconteceria... e nada aconteceu", concluiu Davy, em um tom ofendido.

Anne sufocou um desejo louco de rir com a convicção de que seria fatal, e então dedicou-se avidamente a salvar a reputação de Marilla.

"Ora, Davy Keith", disse ela, "algo terrível ACONTECEU com você hoje mesmo."

Davy parecia descrente.

"Acho que você está falando de ser mandado para a cama sem jantar", disse ele com desprezo, "mas ISSO não é horrível. Claro que eu não gosto, mas já fui mandado tanto para a cama desde que cheguei aqui que já me acostumei. E vocês não economizam nada me mandando dormir sem jantar, porque eu sempre como o dobro no café da manhã."

"Não quis dizer ser mandado para a cama. Quis dizer o fato de você ter contato uma mentira hoje. E, Davy...", Anne inclinou-se sobre o pé da cama e apontou o dedo de um jeito impressionante para o culpado, "um menino contar algo que não é verdade é quase a pior coisa que poderia ACONTECER com ele... quase a pior de todas. Então, você pode ver que Marilla disse a verdade."

"Mas achei que algo ruim seria emocionante", protestou Davy com um tom magoado.

"Marilla não deve ser culpada pelo que você pensou. Coisas ruins nem sempre são emocionantes. Elas quase sempre são apenas desagradáveis e estúpidas."

"Só que foi muito engraçado ver você e a Marilla olhando dentro do poço", disse Davy, abraçando os joelhos.

Anne manteve uma expressão sóbria até chegar lá embaixo e depois se jogou no sofá da sala de estar e riu até sua barriga doer.

"Gostaria de ouvir a piada", disse Marilla, um tanto severa. "Eu não tive muitos motivos para rir hoje."

"A senhora vai rir quando ouvir isso", garantiu Anne. E Marilla riu mesmo, o que mostrou quanto sua educação havia avançado desde a adoção de Anne. Mas ela suspirou imediatamente depois.

"Imagino que não deveria ter dito aquilo a ele, apesar de ter ouvido o pastor dizer isso a uma criança uma vez. Mas ele me irritou tanto. Foi naquela noite em que você estava na apresentação de Carmody e eu estava colocando os dois na cama. Ele disse que não via de que adiantava rezar antes de crescer o bastante para ser de alguma importância para Deus. Anne, eu não sei o que vamos fazer com aquela criança. Eu nunca vi nada igual. Estou me sentindo totalmente desmotivada."

"Oh, não diga isso, Marilla. Lembre-se de como eu era má quando cheguei aqui."

"Anne, você nunca foi má... NUNCA. Vejo isso agora que aprendi o que é maldade verdadeira. Você estava sempre arranjando confusão, eu admito, mas suas intenções eram sempre boas. Davy é mau apenas por prazer."

"Oh, não, não acho que existe maldade verdadeira nele", argumentou Anne. "É apenas mau comportamento. E aqui é muito calmo para ele, sabe. Ele não tem outros meninos com quem brincar e sua mente precisa de algo com que se ocupar. Dora é tão correta e comportada que não serve de companhia para um menino. Eu realmente acho que seria melhor deixá-lo ir à escola, Marilla."

"Não", disse Marilla decididamente, "meu pai sempre me disse que nenhuma criança deveria ser confinada dentro das quatro paredes de uma escola até os 7 anos de idade, e o Sr. Allan diz a mesma coisa. Os gêmeos podem receber algumas lições em casa, mas não vão à escola até completarem 7 anos."

"Bem, então, vamos ter que tentar mudar Davy em casa", disse Anne alegremente. "Mesmo com todos os seus defeitos, ele é mesmo um rapazinho adorável. Não consigo evitar amá-lo, Marilla, e pode ser uma coisa terrível de dizer, mas honestamente gosto mais de Davy do que de Dora, ainda que ela seja tão boa."

"Não sei o motivo, mas eu também", confessou Marilla, "e não é justo, pois Dora não dá o menor trabalho. Não poderia existir criança melhor, e quase não se percebe que ela está em casa."

"Dora é boa demais", disse Anne. "Ela teria se comportado bem mesmo se não houvesse uma alma para lhe dizer o que fazer. Ela já nasceu crescida, então não precisa de nós, e eu acho", concluiu Anne, atingindo uma verdade vital, "que sempre amamos mais as pessoas que precisam de nós. Davy precisa muito de nós."

"Ele certamente precisa de alguma coisa", concordou Marilla. "Rachel Lynde diria que é de uma boa surra."

CAPÍTULO XI
Fatos e fantasias

"Ensinar é um trabalho muito interessante", escreveu Anne para uma colega da Queen's. "Jane diz que acha que é monótono, mas eu não acho. Algo engraçado quase sempre acontece todos os dias, e as crianças dizem coisas tão divertidas. Jane diz que castiga seus pupilos quando eles fazem discursos engraçados, o que provavelmente explica o motivo pelo qual ela acha que ensinar é tão monótono. Hoje à tarde, Jimmy Andrews estava tentando soletrar 'pontilhado' e não conseguia. 'Bem', ele finalmente disse, 'eu não consigo soletrar, mas sei o que significa'."

"'O que significa?', eu perguntei."

"'O rosto do St. Clair Donnell, senhorita'."

"St. Clair certamente tem muitas sardas, embora eu tente impedir os outros de comentar, pois eu já tive sardas e me lembro bem disso. Mas não acho que St. Clair se importa. Foi porque Jimmy o chamou de 'St. Clair' que ele o socou no caminho de volta para casa. Eu ouvi algo sobre o soco, mas não oficialmente, então acho que não vou levar isso em consideração."

"Ontem eu estava tentando ensinar Lottie Wright a somar. Eu disse, 'se você tivesse três doces em uma mão e dois na outra, quantos teria ao todo?'. 'Um bocado', disse Lottie. E na aula de estudos da natureza, quando eu pedi a eles que me dessem uma boa razão para não matarmos os sapos, Benjie Sloane seriamente respondeu, 'Porque choveria no dia seguinte'."

"É muito difícil não rir, Stella. Preciso guardar toda a minha diversão até chegar em casa, e Marilla diz que ouvir os ataques de riso vindos do frontão leste sem causa aparente a deixa nervosa. Ela disse que um homem em Grafton enlouqueceu uma vez e que foi assim que começou."

"Você sabia que Thomas à Becket foi canonizado como uma COBRA? Rose Bell disse isso... Além disso, William Tyndale ESCREVEU o Novo Testamento. Claude White disse que uma 'geleira' é uma pessoa que coloca vidros nas janelas!"

"Acho que o mais difícil em ensinar, e também o mais interessante, é fazer com que as crianças lhe digam seus verdadeiros pensamentos sobre as coisas. Em um dia de tempestade na semana passada, eu os reuni ao meu redor durante o horário de almoço e tentei fazê-los me contar as coisas que mais desejavam. Algumas das respostas foram bem comuns... Bonecas, pôneis e patins. Outras foram bastante originais. Hester Boulter queria 'usar seu vestido de domingo todos os dias e comer na sala de estar'. Hannah Bell queria 'ser boa sem precisar ter trabalho com isso'. Marjory White, de 10 anos, queria ser uma VIÚVA. Ao ser questionada sobre o motivo, ela respondeu seriamente que, se uma mulher não fosse casada, as pessoas a chamavam de solteirona, e, se fosse casada, seu marido lhe dava ordens; mas, se fosse viúva, não corria o risco de passar por nenhuma das duas situações. O desejo mais notável foi o de Sally Bell. Ela queria uma 'lua de mel'. Eu perguntei a ela se sabia o que era aquilo e ela disse que pensava que era algum tipo diferente de bicicleta porque seu primo de Montreal saiu em lua de mel quando se casou, e ele sempre tinha as bicicletas mais modernas!"

"Outro dia eu pedi a todos que me contassem as piores travessuras que já tinham feito. Eu não consegui fazer com que os mais velhos contassem, mas o terceiro ano respondeu bastante à vontade. Eliza Bell havia 'colocado fogo nos rolos de lã da tia'. Perguntei se ela teve a intenção de fazer isso, e ela disse, 'não completamente'. Ela apenas tentou queimar a pontinha para ver como seria, e o rolo inteiro ardeu em chamas em um instante. Emerson Gillis havia gastado dez centavos em doces em vez de colocar na caixa de doação para os missionários. O pior crime de Annetta Bell foi 'comer alguns mirtilos que cresciam no cemitério'. Willie White tinha 'escorregado pelo telhado do curral das ovelhas várias vezes vestindo as roupas de domingo'. 'Mas fui punido por isso porque tive que usar calças remendadas na escola dominical durante verão inteiro, e quando você é punido por uma coisa, não precisa se arrepender por ela', declarou Willie."

"Eu gostaria que você visse algumas das redações deles... Gostaria tanto que vou enviar para você algumas cópias das últimas que foram escritas. Na semana passada, eu disse ao quarto ano que queria que eles me escrevessem cartas sobre qualquer coisa que desejassem, incluindo como sugestão contar sobre algum lugar que visitaram ou alguma coisa ou pessoa interessante que viram. Eles deveriam escrever em papel de carta de verdade, colocar as cartas em envelopes e endereçá-las a mim, tudo sem a ajuda de outras pessoas. Na manhã de sexta-feira da semana passada, encontrei uma pilha de cartas na minha mesa e naquela noite me dei conta de que ensinar tem seus prazeres, bem como suas dores. Essas redações compensam muita coisa. Aqui está a de Ned Clay, com endereço e ortografia exatamente como foram originalmente redigidos.

"'Senhorita professora ShiRley
Green *gabels*.
Ilha p.e.
passarinhos

"'Querida professora acho que vou escrever uma redação sobre passarinhos. Passarinhos são animais muito úteis. meu gato pega eles. O nome dele é William mas papai chama ele de tom. ele é *todu* listrado e perdeu uma das orelhas no inverno passado. tirando isso ele podia ser um gato bonito. Meu tio adotou um gato. ele veio na casa dele um dia e não foi embora e o tio diz que ele esqueceu mais do que a maioria das pessoas já aprendeu. ele deixa o gato dormir na cadeira de *balanso* dele e minha tia diz que ele pensa mais no gato que nos filhos. isso não é certo. a gente tem que ser bom para os gatos e dar leite novo pra eles mas a gente não ser melhor pra eles que pros nossos filhos. isso é *tudu* que consigo pensar agora então sem mais

Edward blake ClaY'."

"A de St. Clair é, como de costume, curta e direto ao ponto. St. Clair nunca desperdiça palavras. Eu não acho que ele escolheu seu tema ou adicionou a observação por uma malícia premeditada. Trata-se apenas do fato de ele não ter muito tato nem imaginação."

"'Querida Senhorita Shirley

"'Você nos pediu para descrever algo estranho que vimos. Vou descrever o Auditório de Avonlea. Tem duas portas, uma dentro e outra fora. Tem seis janelas e uma chaminé. Tem quatro lados. É pintado de azul. É isso que é estranho. Foi construído na estrada baixa de Carmody. É o terceiro prédio mais importante em Avonlea. Os outros são a igreja e a serralheria. Eles têm clubes de debates e palestras lá e apresentações.

"'Atenciosamente,

"'Jacob Donnell.

"'Obs.: o auditório é de um azul muito brilhante'."

"A carta de Annetta Bell foi bem longa, o que me surpreendeu, pois escrever redações não é o forte de Annetta, e as dela geralmente são tão breves quanto as de St. Clair. Annetta é uma menininha quieta e um modelo de bom comportamento, não há uma sombra de originalidade nela. Aqui está a carta dela."

"'Querida professora,

"'Acho que vou escrever para a senhorita uma carta para lhe dizer quanto a amo. Eu a amo de todo o coração e alma e mente... com tudo o que há em mim... e quero ajudá-la para sempre. Seria meu maior privilégio. É por isso que tento ir tão bem na escola e aprender minhas *lissões*.

"'A senhorita é tão linda, minha professora. Sua voz é como música e seus olhos como amores-perfeitos cheios de orvalho. A senhorita é como uma rainha imponente. Seu cabelo parece ouro quando balança. Anthony Pye diz que ele é vermelho, mas a senhorita não deve dar atenção nenhuma a Anthony.

"'Eu só conheço a senhorita há alguns meses, mas não consigo imaginar que já houve tempo em que não conhecia... quando a senhorita não estava na minha vida para abençoá-la e consagrá-la. Sempre vou lembrar desse ano como o mais maravilhoso da minha vida porque a senhorita entrou nela. Além disso, foi o ano em que nos mudamos de Newbridge para Avonlea. Meu amor pela senhorita tornou minha vida muito rica e me manteve longe do perigo e da maldade. Devo tudo isso a senhorita, minha doce professora.

"'E jamais esquecerei como a senhorita me olhou com carinho da última vez em que a vi usando aquele vestido preto com flores no cabelo. Sempre lembrarei da senhorita daquele jeito, mesmo quando estivermos as duas velhas e de cabelos brancos. A senhorita sempre será jovem e bela para mim, querida professora. Penso sempre na senhorita... nas manhãs, nas tardes e no anoitecer. Amo quando a senhorita ri e quando suspira... até quando olha com desprezo. Nunca vi a senhorita ficar brava, apesar de Anthony Pye dizer que está sempre brava, mas não me surpreendo de parecer brava com ele, porque ele merece. Eu a adoro em todos os seus vestidos... a senhorita parece ainda mais adorável em um novo vestido que no anterior.

"'Querida professora, boa noite. O sol se pôs e as estrelas estão brilhando... estrelas que são brilhantes e lindas como seus olhos. Beijo suas mãos e seu rosto, minha querida. Que Deus cuide e proteja a senhorita de todo mal.

"'Sua carinhosa pupila,

"'Anetta Bell'."

"Essa carta extraordinária me surpreendeu e não foi pouco. Eu sabia que Annetta não poderia tê-la escrito mais do que poderia ser capaz de voar. Quando fui à escola no dia seguinte, eu a levei para caminhar até o riacho no recesso e pedi a ela para me contar a verdade sobre a carta. Annetta chorou e confessou abertamente. Ela disse que nunca tinha escrito uma carta e que não sabia como fazer, ou o que dizer, mas havia várias cartas de amor na gaveta de cima da cômoda de sua mãe, escritas por um antigo namorado.

"'Não era o papai', soluçou Annetta, 'era alguém que estava estudando para ser pastor, então conseguia escrever lindas cartas, mas mamãe acabou não se casando com ele no fim das contas. Ela disse que não conseguia descobrir o que ele queria na maior parte do tempo. Mas eu pensei que as cartas eram bonitas e que eu poderia copiar algumas coisas e escrever para a senhorita. Eu coloquei 'professora' onde ele tinha colocado 'dama' e eu mesma escrevi algumas coisas quando consegui pensar em algo, e mudei algumas das palavras. Coloquei 'vestido' em vez de 'humor'. Eu não sabia o que era 'humor', mas imaginei que fosse algo de vestir. Eu achei que a senhorita não perceberia a diferença. Não vejo como descobriu que não era minha. A senhorita deve ser muito inteligente, professora'."

"Disse a Annetta que foi muito errado copiar a carta de outra pessoa e dizer que era dela. Temo que Annetta tenha se arrependido apenas por ter sido descoberta."

"'E realmente amo a senhorita, professora', ela soluçou. 'Era tudo verdade, mesmo que o pastor tenha escrito antes. Eu a amo de todo coração'."

"É muito difícil repreender alguém em tais circunstâncias."

"Aqui está a carta de Barbara Shaw. Não consigo reproduzir as manchas do original."

"'Querida professora,

"'A senhorita disse que poderíamos escrever sobre uma visita. Eu só fiz uma visita uma vez. Foi na casa da minha tia Mary no inverno passado. Minha tia Mary é uma mulher muito exigente e uma ótima dona de casa. Na primeira noite que eu fiquei lá, nós tomamos chá. Eu derrubei uma jarra e quebrei. Tia Mary disse que tinha aquela jarra desde que tinha se casado e que ninguém a tinha quebrado antes. Quando levantamos, eu pisei no vestido dela e rasguei a barra da saia toda. Na manhã seguinte, quando acordei, bati uma leiteira na pia e rachei as duas e derrubei uma xícara de chá na toalha de mesa no café da manhã. Quando estava ajudando a tia Mary com a louça do almoço, derrubei um prato de porcelana e ele quebrou. Naquela noite, eu caí da escada, torci meu tornozelo e tive que ficar de cama por uma semana. Eu ouvi a tia Mary dizer ao tio Joseph que aquilo foi uma bênção ou eu teria quebrado tudo na casa. Quando melhorei, já estava na hora de voltar para casa. Não gostei muito de visitar. Gosto mais de ir pra escola, especialmente desde que cheguei em Avonlea.

“‘Atenciosamente,

“‘Barbara Shaw’.”

“A de Willie White começava assim”:

“‘Respeitável Senhorita,

“‘Quero contar a você sobre Minha Tia Corajosa. Ela mora em Ontário e um dia ela foi até o celeiro e viu um cachorro no quintal. O cachorro não tinha nada que estar ali, então ela pegou um pedaço de madeira e acertou ele e arrastou ele pro celeiro e fechou ele lá. Logo chegou um homem procurando um leão de imaginação’ (Pergunto: Será que Willie quis dizer um leão de estimação?) ‘que tinha fugido de um circo. E descobriram que o cachorro era um leão e a Minha Tia Corajosa tinha levado ele pro celeiro com um pedaço de madeira. Foi um milagre ela não ter sido comida mas ela foi muito corajosa. Emerson Gillis diz que se ela achou que era um cachorro ela não foi mais corajosa do que se fosse mesmo um cachorro. Mas Emerson tem inveja porque ele não tem uma Tia Corajosa, só um monte de tios’.”

“Eu deixei o melhor para o final. Você ri de mim porque acho que Paul é um gênio, mas tenho certeza de que a carta dele vai convencê-la de que ele é uma criança muito incomum. Paul mora longe, perto da praia, com a avó, e ele não tem amigos... nenhum amigo de verdade. Você lembra que nosso professor de gerenciamento escolar nos disse que não devemos ter ‘favoritos’ entre nossos pupilos, mas não posso evitar amar Paul Irving, o melhor de todos. Não acho que faça algum mal, entretanto, pois todos amam Paul, até mesmo a Sra. Lynde, que diz que nunca poderia imaginar que gostaria tanto de um ianque. Os outros meninos da escola também gostam dele. Não há nada de fraco ou infantil nele, apesar de seus sonhos e fantasias. Ele é muito forte e consegue se sair bem em todas as disputas. Ele brigou com St. Clair Donnell recentemente porque St. Clair disse que a bandeira do Reino Unido estava muito à frente da bandeira dos Estados Unidos. O resultado foi uma luta empatada e um acordo mútuo para respeitar o patriotismo um do outro dali em diante. St. Clair disse que ele consegue bater mais FORTE, mas Paul consegue bater MAIS VEZES.’”

“Eis a carta de Paul.”

“‘Minha querida professora,

“‘A senhorita nos disse que poderíamos escrever sobre algumas pessoas interessantes que conhecemos. Acho que as pessoas mais interessantes que conheço são minhas pessoas de pedra e quero lhe contar sobre elas. Eu nunca disse a ninguém sobre elas, exceto à minha avó e ao meu pai, mas gostaria que a senhorita soubesse porque entende as coisas. Há tantas pessoas que não entendem as coisas, então não adianta contar a elas.'

"'Minhas pessoas de pedra vivem na praia. Eu costumava visitá-las quase todas as tardes antes de o inverno chegar. Agora não posso ir até a primavera, mas elas estarão lá, pois pessoas assim nunca mudam... é isso que é esplêndido sobre elas. Nora foi a primeira delas que conheci e acho que é quem eu mais amo. Ela mora na Baía Andrews e tem cabelos e olhos escuros, e ela sabe tudo sobre as sereias e os espíritos da água. A senhorita deveria ouvir as histórias que ela sabe contar. Além dela, há os Marinheiros Gêmeos. Eles não vivem em lugar nenhum, eles velejam o tempo inteiro, mas sempre vêm até a margem para falar comigo. Eles são uma dupla de marujos e já viram de tudo no mundo... e mais do que existe no mundo. A senhorita sabe o que aconteceu com o Marinheiro Gêmeo mais novo uma vez? Ele estava velejando e foi parar dentro do brilho da lua. O brilho da lua é a trilha que a lua cheia faz na água quando está se erguendo do mar, sabe, professora. Bem, o Marinheiro Gêmeo mais novo velejou ao lado do brilho da lua até chegar na própria lua. Havia uma portinha dourada na lua, ele a abriu e velejou através dela. Ele teve aventuras maravilhosas na lua, mas esta carta ficaria muito longa se eu contasse todas.'

"'E também existe a Dama Dourada da caverna. Um dia, encontrei uma grande caverna na praia, entrei nela e depois de um tempo, encontrei a Dama Dourada. Ela tem cabelos dourados que vão até os pés e o vestido dela brilha e reluz como ouro vivo. E ela tem uma harpa de ouro e a toca o dia inteiro... a senhorita pode ouvir a música a qualquer momento na praia se prestar atenção, mas a maioria das pessoas pensaria que é apenas o vento nas pedras. EU nunca disse a Nora sobre a Dama Dourada. Tive medo de ferir seus sentimentos. Eu feriria os sentimentos dela até se falasse por muito tempo com os Marinheiros Gêmeos.'

"'Eu sempre encontrava os Marinheiros Gêmeos nas Pedras Listradas. O Marinheiro Gêmeo mais novo é muito bem-humorado, mas o mais velho parece terrivelmente feroz às vezes. Eu tenho minhas suspeitas sobre aquele Gêmeo mais velho. Acredito que ele seria um marinheiro se ousasse. Há algo muito misterioso nele. Ele praguejou uma vez e eu disse a ele que se fizesse aquilo novamente, não precisaria vir até a margem para falar comigo porque eu tinha prometido à minha avó nunca me relacionar com alguém que praguejasse. Ele ficou bastante assustado, posso lhe dizer, e disse que, se eu o perdoasse, ele me levaria ao pôr do sol. Então, na tarde seguinte, quando eu estava sentado nas Pedras Listradas, o Gêmeo mais velho veio velejando pelo mar em um barco encantado e eu subi nele. O barco era todo perolado e das cores do arco-íris, como a parte de dentro das conchas de mexilhão, e sua vela era como o brilho do luar. Bem, nós velejamos através do pôr do sol. Imagine só, professora, eu estive no pôr do sol. E como a senhora imagina que é? O pôr do sol é uma terra cheia de flores. Nós velejamos para dentro de um grande jardim, e as nuvens eram canteiros de flores. Velejamos até um grande porto, todo dourado, e eu pisei fora do barco em um grande prado todo coberto de ranúnculos grandes como rosas. Fiquei lá por muito tempo. Pareceu quase um ano, mas o Gêmeo mais velho disse que foram apenas alguns minutos. Sabe, na terra do pôr do sol o tempo é muito mais longo do que aqui.'

"'Seu amoroso pupilo, Paul Irving.'

"'Obs.: é claro que esta carta não é mesmo de verdade, professora, P.I.'"

CAPÍTULO XII
Um dia de cão

Tudo começou na noite anterior com uma vigília incansável e insone por causa de uma dor de dente impertinente. Quando Anne se levantou, naquela manhã aborrecida e amarga de inverno, sentiu que a vida era sem graça, obsoleta e improdutiva.

Ela foi à escola com um humor nada angelical. Sua bochecha estava inchada e seu rosto doía. A sala de aula estava gelada e esfumaçada, porque o fogo havia se recusado a queimar e as crianças estavam encolhidas em grupos trêmulos. Anne os mandou para seus lugares com um tom mais brusco que o já usado antes. Anthony Pye desfilou até seu lugar com a arrogância de costume e ela o viu sussurrar algo a seu colega e depois olhá-la com um sorriso amarelo.

Nunca, pareceu a Anne, houve tantos lápis estridentes quanto naquela manhã; e quando Barbara Shaw veio até a mesa com um cálculo, ela tropeçou sobre o balde de carvão, com resultados desastrosos. O carvão rolou para todos os cantos da sala, a lousa dela partiu-se em pedacinhos e, quando ela se levantou, seu rosto manchado de pó de carvão fez com que os meninos rolassem de rir.

Anne deixou a segunda classe de leitura que estava ouvindo e virou-se.

"Sinceramente, Barbara", ela disse, gélida, "se não consegue se mover sem cair por cima de algo, deveria ficar em seu lugar. É realmente vergonhoso uma menina da sua idade ser tão desajeitada."

A pobre Barbara cambaleou de volta para seu lugar, as lágrimas combinando-se com o pó de carvão e produzindo um efeito verdadeiramente grotesco. Nunca antes sua amada e compreensiva professora havia falado com ela daquele jeito ou com aquele tom de voz, e Barbara estava de coração partido. A própria Anne sentiu um peso na consciência, mas aquilo apenas serviu para aumentar sua irritação, e a segunda classe de leitura ainda se lembra daquela lição, bem como da impiedosa imposição de aritmética que se seguiu. No momento em que Anne estava vociferando os cálculos, St. Clair Donnell chegou, sem fôlego.

"Você está meia hora atrasado, St. Clair", lembrou Anne, rigidamente. "Por que isso?"

"Por favor, senhorita, eu tive que ajudar minha mãe a fazer um pudim para o almoço porque estamos esperando visita, e Clarice Almira está doente", foi a resposta de St. Clair, dada em uma voz perfeitamente respeitosa, mas ainda assim provocando muita graça entre seus colegas.

"Sente-se em seu lugar e resolva os problemas da página oitenta e quatro do livro de aritmética como punição", disse Anne. St. Clair parecia verdadeiramente surpreso com o tom dela, mas foi humildemente para sua carteira e pegou sua lousa. Então, passou secretamente um pequeno pacote para Joe Sloane através do corredor. Anne o pegou no ato e chegou a uma conclusão fatal sobre aquele pacote.

A velha Sra. Hiram Sloane ultimamente havia adquirido o hábito de fazer e vender "bolos de nozes" para aumentar sua escassa renda. Os bolos eram especialmente tentadores para meninos pequenos, e Anne teve muito trabalho por causa deles. Em seu caminho para a escola, os meninos investiam o dinheiro que lhes restava na Sra. Hiram, traziam os bolos com eles para a escola e, se possível, comiam e dividiam com os colegas durante as aulas. Anne havia avisado os meninos que, se trouxessem mais bolos para a sala, eles seriam confiscados; mesmo assim, lá estava St. Clair Donnell calmamente passando um pacote de bolo, embrulhado no papel listrado azul e branco que a Sra. Hiram usava, bem embaixo dos olhos dela.

"Joseph", disse Anne calmamente, "traga esse pacote aqui."

Joe, assustado e confuso, obedeceu. Ele era um moleque gorducho que sempre corava e gaguejava quando estava com medo. Ninguém nunca parecia mais culpado do que o pobre Joe naquele momento.

"Jogue no fogo", disse Anne.

Joe ficou branco.

"P... p... p... por favor, s... s... senhorita", ele começou.

"Faça o que eu mandei, Joseph, sem dizer mais nada."

"M... m... mas, s... s... senhorita..., s... s... são...", ofegou Joe, em desespero.

"Joseph, você vai me obedecer ou NÃO?", perguntou Anne.

Um rapaz mais corajoso e autoconfiante do que Joe Sloane teria sido intimidado pelo tom de voz e pelo brilho perigoso nos olhos dela. Aquela era uma nova Anne que nenhum dos pupilos jamais havia visto. Joe, com um olhar agonizado para St. Clair, foi até o fogareiro, abriu a grande e quadrada porta da frente e jogou o pacote azul e branco lá dentro, antes que St. Clair, que tinha ficado de pé, pudesse dizer uma palavra. E, então, ele desviou bem a tempo.

Por alguns momentos, os aterrorizados ocupantes da escola de Avonlea não souberam se era um terremoto ou uma explosão vulcânica que tinha acontecido. O pacote de aparência inocente que Anne supôs precipitadamente conter os bolos de nozes da Sra. Hiram era na verdade uma coleção de fogos de artifício e bombinhas que Warren Sloane havia pedido ao pai de St. Clair Donnell para buscar no dia anterior, pretendendo comemorar um aniversário naquela tarde. Os fogos soaram como uma trovoada, e as bombinhas explodiram para fora da porta e espalharam-se pelo chão, assoviando e crepitando. Anne se jogou em sua cadeira, branca de espanto, e todas as meninas subiram tremendo em cima das carteiras. Joe Sloane permaneceu paralisado no meio da comoção e St. Clair, sem conseguir conter o riso, rolava de um lado para o outro no corredor. Prillie Rogerson desmaiou e Annetta Bell ficou histérica.

Um longo tempo pareceu ter se passado, embora fossem apenas alguns minutos, até a última bombinha se extinguir. Anne, recuperando-se, correu para abrir as portas e as janelas para deixar sair o gás e a fumaça que enchiam a sala. Então, ela ajudou as meninas a carregar a inconsciente Prillie para a entrada, onde Barbara Shaw, em um desejo aflito de ser útil, derramou um balde cheio de água quase congelada sobre o rosto e os ombros de Prillie antes que alguém pudesse impedi-la.

Demorou uma hora inteira até que o silêncio fosse restabelecido. Era um silêncio que se podia sentir. Todos percebiam que nem mesmo a explosão havia atenuado o estado mental da professora. Ninguém, nem mesmo Anthony Pye, ousava sussurrar uma palavra. Ned Clay acidentalmente fez o lápis ranger enquanto trabalhava em um cálculo, chamando a atenção de Anne, e desejou que o chão se abrisse e o engolisse. A aula de geografia foi arrastada através de um continente com uma velocidade que deixou os alunos tontos. A aula de gramática foi detalhada e analisada até quase matá-los. Chester Sloane, soletrando "odorífero" com dois F, sentiu que nunca poderia superar aquela desgraça nesta ou na próxima vida que viria.

Anne sabia que havia feito um papel ridículo e que aquele incidente seria motivo de risadas em inúmeras mesas de chá, ter consciência do fato apenas a deixou mais irritada. Com um espírito mais calmo, ela poderia ter tratado a situação como uma piada, mas agora era impossível; então ela a ignorou com um desdém gelado.

Quando Anne voltou à escola, depois do almoço, todas as crianças estavam em seus lugares, como de costume, e todos os rostos estavam curvados estudiosamente sobre as carteiras, exceto o de Anthony Pye. Ele espiou Anne por cima de seu livro, seus olhos escuros brilhavam com curiosidade e zombaria. Anne abriu a gaveta de sua mesa à procura de um giz, e, por baixo de sua mão, um rato bem vivo saltou para fora da gaveta, correu por cima da mesa e pulou para o chão.

Anne gritou e pulou para trás, como se fosse uma cobra, e Anthony Pye riu alto.

Então, um silêncio recaiu sobre o ambiente, um silêncio muito sinistro e desconfortável. Annetta Bell estava em dúvida quanto a ficar ou não histérica novamente, especialmente porque não sabia aonde o rato tinha ido, mas decidiu não ficar. Quem poderia receber algum conforto depois de um ataque de histeria de uma professora com o rosto tão pálido e os olhos tão furiosos como aquela?

"Quem colocou aquele rato na minha mesa?", indagou Anne. Sua voz estava bem baixa, mas fez um arrepio descer pela espinha de Paul Irving. Joe Sloane olhou para ela, parecendo responsável do dedão do pé até o último fio de cabelo, mas gaguejou loucamente:

"N... n... não... f... f... fui eu, p... p... professora, e... e... eu n... n... não."

Anne não prestou atenção ao infeliz Joseph. Ela olhou para Anthony Pye, e Anthony Pye retribuiu o olhar de um modo imperturbável e desavergonhado.

"Anthony, foi você?"

"Sim, fui eu", disse Anthony, insolente.

Anne pegou o bastão de sua mesa. Era um bastão longo e pesado de madeira.

"Venha aqui, Anthony."

Aquilo estava longe de ser o castigo mais severo que Anthony Pye já havia sofrido. Anne, mesmo a Anne de alma conturbada que era naquele momento, não poderia ter punido criança alguma cruelmente. Mas seu bastão bateu firmemente, e enfim a valentia de Anthony o abandonou; ele estremeceu e lágrimas vieram aos seus olhos.

Anne, tomada pela consciência, largou o bastão e disse a Anthony para voltar ao seu lugar. Ela sentou-se de volta à mesa, sentindo-se envergonhada, arrependida e amargamente mortificada. Sua rápida raiva havia desaparecido e ela teria dado tudo para ser capaz de encontrar alívio nas lágrimas. Então, todos os seus esforços haviam resultado nisso... Ela havia mesmo dado uma surra em um de seus pupilos. Como Jane se sentiria triunfal! E como o Sr. Harrison riria! Pior que isso era o pensamento mais amargo de todos: ela havia perdido a chance de ganhar Anthony Pye. Ele nunca gostaria dela agora.

Anne, através do que alguém já chamou de "um trabalho de Hércules", segurou as lágrimas até voltar para casa naquela noite. Ela se trancou no quarto do frontão leste e chorou toda a sua vergonha, remorso e decepção em seus travesseiros... Chorou por tanto tempo que Marilla ficou preocupada, invadiu o quarto e exigiu saber qual era o problema.

"O problema é que tenho coisas pesando em minha consciência", soluçou Anne. "Oh, este foi um dia de cão, Marilla. Estou com tanta vergonha de mim mesma. Perdi minha paciência e bati em Anthony Pye."

"Fico feliz em ouvir isso", disse Marilla com firmeza. "É o que deveria ter feito há muito tempo."

"Oh, não, não, Marilla. Não sei como vou conseguir olhar nos olhos daquelas crianças novamente. Sinto que me humilhei completamente. A senhora não sabe como fui brava, odiosa e horrível. Não consigo esquecer a expressão nos olhos de Paul Irving... Ele parecia tão surpreso e desapontado. Oh, Marilla, eu TENTEI tanto ser paciente e ganhar o afeto de Anthony, e agora foi tudo por água abaixo."

Marilla passou sua mão calejada pelo cabelo brilhoso e esparramado da menina com uma ternura maravilhosa. Quando os soluços de Anne ficaram mais calmos, ela disse, muito gentilmente:

"Você leva as coisas muito a sério, Anne. Todos nós cometemos erros, mas as pessoas esquecem. E todos têm dias de cão. E quanto a Anthony Pye, por que você se importa se ele não gosta de você? Ele é o único."

"Não consigo evitar. Quero que todos me amem, fico magoada demais quando alguém não gosta de mim. E agora Anthony nunca vai gostar. Oh, eu fiz papel de idiota hoje, Marilla. Vou lhe contar toda a história."

Marilla ouviu toda a história, e se ela sorriu em certas partes dela, Anne nunca soube. Quando a narrativa teve fim, ela disse bruscamente:

"Bem, deixe para lá. Este dia acabou e amanhã será um novo dia, ainda sem nenhum erro cometido, como você mesma costumava dizer. Apenas desça e venha jantar. Você vai ver como uma boa xícara de chá e aquelas tortinhas de ameixa que fiz hoje vão animar você."

"Tortinhas de ameixa não vão apaziguar uma mente atormentada", disse Anne, inconsolável. Marilla, no entanto, pensou que era um bom sinal ela ter se recuperado o suficiente para adaptar uma citação.

A alegre mesa de jantar, com os rostos brilhantes dos gêmeos e as incomparáveis tortinhas de ameixa de Marilla — das quais Davy comeu quatro — realmente a "animaram" consideravelmente no fim das contas. Ela dormiu bem naquela noite, acordou na manhã seguinte e descobriu que ela própria e o mundo estavam transformados. Havia chovido suave e abundantemente durante a noite toda, e a linda brancura, brilhando na luz gelada do nascer do sol, parecia um manto protetor que cobria todos os erros e humilhações do passado.

"Cada manhã é um novo começo,
Cada manhã é um novo mundo.",
cantou Anne, enquanto se vestia.

Devido à neve, ela teve que dar a volta na estrada até a escola e pensou que era uma coincidência cruel que Anthony Pye estivesse vindo se arrastando no mesmo instante em que ela saiu da estrada de Green Gables. Ela se sentiu culpada, como se suas posições fossem contrárias; mas, para sua grande surpresa, Anthony não apenas levantou seu boné — o que ele nunca havia feito antes — como disse calmamente:

"É meio ruim caminhar, não é? Posso levar esses livros para a senhorita, professora?"

Anne cedeu os livros e perguntou-se se poderia mesmo estar acordada. Anthony foi andando em silêncio até a escola, e, quando Anne pegou seus livros de volta, ela sorriu para ele; não o sorriso estereotipado de "gentileza" que ela havia insistentemente assumido para benefício dele, mas uma súbita demonstração de bom companheirismo. Anthony sorriu; não, se dissermos a verdade, Anthony ARREGANHOU um sorriso. Um sorriso desses normalmente não tem a intenção de ser algo respeitoso, ainda assim, Anne de repente sentiu que, se não havia ganho o carinho de Anthony, ela havia ganho, de um jeito ou de outro, seu respeito.

A Sra. Rachel Lynde veio no sábado seguinte e confirmou aquilo.

"Bem, Anne, acho que você ganhou Anthony Pye, isso sim. Ele disse que acha que você é boa no fim das contas, mesmo sendo uma menina. Disse que a surra que você deu nele foi tão boa quanto a de um homem."

"Nunca esperei ganhar um menino batendo nele, apesar de tudo", disse Anne, um pouco triste, sentindo que seus ideais a haviam traído em algum momento. "Não parece certo. Tenho certeza de que a minha teoria da gentileza não pode estar errada."

"Não, mas os Pye são uma exceção para todas as regras, isso sim", declarou a Sra. Rachel com convicção.

O Sr. Harrison disse: "Achei que você acabaria fazendo isso", quando soube, e Jane esfregou tudo na cara dela impiedosamente.

CAPÍTULO XIII

Um excelente piquenique

Anne, em seu caminho até o Pomar Slope, encontrou Diana, a caminho de Green Gables, exatamente onde a velha ponte de madeira cheia de musgo atravessava o riacho abaixo da Floresta Assombrada, e elas se sentaram à margem das Borbulhas da Dríade, onde pequenas samambaias se desenrolavam como fadas de cabelos ondulados acordando de uma soneca.

"Eu estava indo convidar você para me ajudar a comemorar meu aniversário no sábado", disse Anne.

"Seu aniversário? Mas seu aniversário foi em março!"

"Isso não é culpa minha", riu Anne. "Se meus pais tivessem me consultado, nunca teria nascido nesse mês. Eu teria escolhido nascer na primavera, é claro. Deve ser encantador vir ao mundo com as flores de maio e as violetas. As pessoas devem sempre sentir que elas são suas irmãs adotivas. Mas já que não nasci, o melhor que posso fazer é comemorar meu aniversário na primavera. Priscilla vai chegar no sábado e Jane vai estar em casa. Nós quatro vamos até o bosque passar um dia excelente aproveitando a companhia da primavera. Nenhuma de nós ainda a conhece, mas a conheceremos ali como não poderíamos fazê-lo em nenhum outro lugar. Quero explorar todos aqueles campos e lugares solitários de qualquer jeito. Tenho a convicção de que há diversos belos recantos que nunca foram realmente VISTOS, embora possam ter sido OLHADOS. Nós faremos amizade com o vento, o céu e o sol, e traremos de volta a primavera em nossos corações."

"PARECE muito bom", disse Diana, com alguma desconfiança interna em relação às palavras mágicas de Anne. "Mas ainda não vai estar muito úmido em alguns lugares?"

"Ah, nós usaremos galochas", foi a concessão de Anne às praticidades. "E quero que vocês cheguem cedo no sábado de manhã e me ajudem a preparar o lanche. Teremos as comidas mais deliciosas, comidas que combinem com a primavera, você entende... Tortinhas de geleia, biscoitos de champanhe, bolachas cobertas de glacê rosa e amarelo e bolo amanteigado. E devemos ter sanduíches também, apesar de eles NÃO serem muito poéticos."

O sábado provou-se ideal para um piquenique, um dia de brisa, azul, quente, ensolarado, com um ventinho jovial soprando através do prado e do pomar. Sobre cada planalto e campo ensolarado havia um verde delicado e estrelado de flores.

O Sr. Harrison, ao passar o rastelo nos fundos de sua fazenda e sentir o feitiço da primavera mesmo eu seu sangue sóbrio de meia-idade, viu quatro meninas carregando cestas e trotando pelo seu campo até um bosque vasto de bétulas e abetos. Suas vozes e risadas alegres ecoaram até ele.

"É tão fácil ser feliz em um dia como este, não é?", dizia Anne, com uma filosofia própria. "Vamos tentar fazer deste um dia realmente excelente, meninas, um dia do qual sempre poderemos nos lembrar com satisfação. Nós vamos buscar a beleza e nos recusar a ver qualquer outra coisa. 'Desapareça, cuidado maçante!' Jane, você está pensando em algo que deu errado na escola ontem."

"Como você sabe?", ofegou Jane, surpresa.

"Ah, eu conheço a expressão... Eu já a senti várias vezes no meu próprio rosto. Mas, tire isso da sua mente, por favor, querida. Ainda vai estar aí na segunda-feira... e, se não estiver, melhor ainda. Oh, meninas, meninas, vejam aquele canteiro de violetas! Há algo para a galeria de quadros da memória. Quando eu tiver 80 anos, se algum dia chegar lá, fecharei meus olhos e verei estas violetas exatamente como vejo agora. Este é o primeiro belo presente que o dia nos deu."

"Se um beijo pudesse ser visto, acho que se pareceria com uma violeta", disse Priscilla.

Anne brilhou.

"Fico tão feliz por você ter FALADO esse pensamento, Priscilla, em vez de pensá-lo e guardá-lo para si mesma. Este mundo seria um lugar muito mais interessante, embora SEJA muito interessante de qualquer forma, se as pessoas falassem seus verdadeiros pensamentos."

"Seria demais para algumas pessoas", citou Jane sabiamente.

"Imagino que seria, mas seria culpa delas mesmas por pensarem coisas ruins. De qualquer forma, nós podemos contar todos os nossos pensamentos hoje porque teremos apenas pensamentos bonitos. Todas podem dizer o que lhes vier à mente. ISSO é uma conversa. Aqui está uma pequena trilha que nunca vi antes. Vamos explorá-la."

O caminho era tortuoso, tão estreito que as meninas andaram em fila única e mesmo assim os ramos de abetos roçaram seus rostos. Abaixo dos abetos, havia tufos aveludados de musgo, e, mais além, onde as árvores eram menores e mais escassas, o chão era rico de uma variedade de coisas verdes a crescer.

"Quantas orelhas-de-elefante!", exclamou Diana. "Vou colher algumas, são tão bonitas."

"Como uma coisa tão graciosa ganhou um nome tão horrível?", perguntou Priscilla.

"Porque a pessoa que lhe deu o nome não tinha imaginação nenhuma ou tinha imaginação demais", disse Anne. "Oh, meninas, olhem aquilo!"

"Aquilo" era uma lagoa rasa no centro de uma pequena clareira aberta onde a trilha terminava. Mais tarde, naquela estação, ela secaria e o lugar ficaria repleto de samambaias crescendo, mas agora era um manto plácido e brilhante, redondo como um pires e claro como um cristal. Um círculo de jovens e esbeltas bétulas a circundava e pequenas samambaias rodeavam sua margem.

"Que LINDO!", disse Jane.

"Vamos dançar em volta como ninfas do bosque!", exclamou Anne, largando sua cesta e estendendo as mãos.

A dança, porém, não foi um sucesso, pois o chão estava lamacento e as galochas de Jane escaparam.

"Você não pode ser uma ninfa do bosque se estiver usando galochas", foi a decisão dela.

"Bem, devemos nomear este lugar antes de ir", disse Anne, rendendo-se à lógica incontestável dos fatos. "Todas sugerem um nome e depois sorteamos. Diana?"

“Lagoa das Bétulas”, sugeriu Diana prontamente.

“Lago de Cristal”, disse Jane.

Anne, ficando em pé atrás delas, implorou a Priscilla com os olhos para não mencionar outro nome daqueles, e Priscilla elevou o nível da situação com “Vidro de Brilho.” A escolha de Anne foi “Espelho das Fadas”.

Os nomes foram escritos em tiras de cascas de bétulas, com um lápis que a professora Jane tirou do bolso, e colocados no chapéu de Anne. Então, Priscilla fechou os olhos e escolheu um. “Lago de Cristal”, leu Jane, triunfal. E Lago de Cristal ficou, e se Anne pensava que a sorte havia dado um golpe sujo, ela não disse nada.

Atravessando a vegetação rasteira adiante, as meninas chegaram à reclusão verde e jovem do pasto de trás do Sr. Silas Sloane. Além dele, elas encontraram a entrada de uma trilha que se estendia através do bosque e decidiram explorá-la também. Isso recompensou sua missão com uma sucessão de belas surpresas. Primeiro, contornando o pasto do Sr. Sloane, surgiu um arco de cerejeiras silvestres todas em flor. As meninas balançaram os chapéus nos braços e trançaram os cabelos com as flores suaves e macias. Então, o caminho virou para a direita e mergulhou em uma floresta de espruces tão densa e escura que elas entraram em um brilho que parecia o crepúsculo, sem resquícios do céu nem da luz do sol à vista.

“É aqui que os duendes malvados da floresta habitam”, sussurrou Anne. “Eles são diabólicos e maliciosos, mas não podem nos fazer mal, pois não têm permissão para fazer o mal na primavera. Havia um nos espiando em volta daquele velho abeto retorcido, e vocês não viram um grupo deles naquele grande cogumelo cheio de bolinhas pelo qual passamos? As boas fadas sempre habitam lugares cheios de luz do sol.”

“Eu gostaria que existissem mesmo fadas”, disse Jane. “Não seria bom ter três pedidos realizados... ou até mesmo um? O que vocês pediriam, meninas, se pudessem ter um desejo realizado? Eu desejaria ser rica, linda e inteligente.”

“Eu gostaria de ser alta e magra”, disse Diana.

“Eu gostaria de ser famosa”, disse Priscila. Anne pensou em seu cabelo e depois dispensou o pensamento, por não valer a pena.

"Eu gostaria que a primavera durasse para sempre no coração de todos e em toda a nossa vida", ela disse.

"Mas isso", disse Priscila, "seria apenas desejar que esse mundo fosse como o paraíso."

"Apenas como uma parte do paraíso. Nas outras partes deve haver verão e outono... Sim, e um pouco de inverno também. Acho que gostaria de campos de neve brilhantes e geadas brancas no paraíso às vezes. Você não, Jane?"

"Eu... eu não sei", disse Jane, desconfortável. Jane era uma boa menina, membro da igreja, que tentava conscientemente viver à altura de sua profissão e acreditava em tudo o que lhe havia sido ensinado. Mas, apesar disso, ela nunca pensava mais sobre o paraíso do que o necessário.

"Minnie May me perguntou um dia desses se nós usaríamos nossos melhores vestidos todos os dias no paraíso", riu Diana.

"E você não disse a ela que sim?", perguntou Anne.

"Jesus, não! Eu disse a ela que não pensaríamos em vestidos lá."

"Oh, acho que pensaremos... um POUCO", disse Anne fervorosamente. "Teremos muito tempo durante toda a eternidade para isso, sem negligenciar coisas mais importantes. Acredito que usaremos lindos vestidos... ou suponho que VESTES seja um jeito melhor de falar. Eu vou querer usar rosa por alguns séculos no começo... Levaria muito tempo para eu me cansar, tenho certeza. Eu amo tanto a cor rosa e nunca posso usá-la NESTE mundo."

Passando os espruces, o caminho descia para um espacinho aberto e ensolarado em que uma ponte de madeira atravessava um riacho, e depois surgia um glorioso bosque de bétulas onde o ar era como um vinho dourado e transparente, as folhas, frescas e verdes e o chão, como um mosaico da trêmula luz do sol. Então, mais cerejeiras silvestres, um pequeno vale de abetos e, em seguida, uma colina tão íngreme que as garotas perderam o fôlego subindo. Quando chegaram ao topo e atingiram o campo aberto, a mais bela surpresa de todas as aguardava.

Adiante, havia os "campos de trás" das fazendas, que chegavam até a estrada alta de Carmody. Logo em frente a elas, encurralado por faias e abetos, mas aberto em direção ao sul, havia um pequeno canto e nele um jardim —

ou o que um dia tinha sido um jardim. Um muro de pedra em ruínas o cercava, coberto de musgo e grama. Ao longo do lado leste, corria uma fileira de cerejeiras, brancas como a neve. Ainda havia traços de antigas trilhas e uma linha dupla de roseiras atravessava o centro, mas todo o resto do espaço era um manto de narcisos amarelos e brancos, desabrochando de um jeito aéreo e luxuoso, balançando ao vento acima da grama verde e exuberante.

"Ah, é simplesmente adorável!", três das meninas exclamaram. Anne apenas observava, em um silêncio eloquente.

"Como é possível algum dia ter existido um jardim aqui?", perguntou Priscilla, espantada.

"Deve ser o jardim de Hester Gray", disse Diana. "Eu ouvi mamãe falar sobre ele, mas nunca o vi antes, e não poderia imaginar que ainda existia. Você já ouviu a história, Anne?"

"Não, mas o nome me parece familiar."

"Oh, você já o viu no cemitério. Ela está enterrada ali embaixo dos choupos. Você sabe, a pequena lápide marrom com os portões abertos entalhados e a inscrição 'Dedicado à memória de Hester Gray, de 22 anos'. Jordan Gray está enterrado ao lado dela, mas não há lápide para ele. É um milagre Marilla nunca ter lhe contado, Anne. Verdade seja dita, aconteceu trinta anos atrás, e todos esqueceram."

"Bem, se existe uma história, precisamos ouvi-la", disse Anne. "Vamos nos sentar aqui entre os narcisos e Diana vai contar. Ora, meninas, há centenas deles... eles se espalharam por toda parte. Parece que o jardim é um tapete de luar e raios de sol combinados. Esta é uma descoberta que valeu a pena. E pensar que morei a uma milha deste lugar por seis anos e nunca o vi antes! Agora, Diana."

"Há muito tempo", começou Diana, "esta fazenda pertencia ao velho Sr. David Gray. Ele não morava aqui... ele morava onde Silas Sloane vive agora. Ele tinha um filho, Jordan, que foi até Boston em um inverno para trabalhar e, enquanto estava lá, se apaixonou por uma moça chamada Hester Murray. Ela trabalhava em uma loja e odiava aquilo. Ela tinha sido criada no interior e sempre quis voltar. Quando Jordan a pediu em casamento, Hester disse que faria isso se ele a levasse para algum lugar calmo onde ela não visse nada além de campos e árvores. Então, ele a trouxe para Avonlea. A Sra. Lynde disse que ele estava correndo um grande risco ao se casar com uma ianque, e é verdade que Hester era muito delicada e uma péssima dona de casa, mas mamãe diz que ela era muito bela e gentil e Jordan idolatrava o chão que ela pisava. Bem, o Sr. Gray deu esta fazenda a Jordan e ele construiu uma casinha ali no fundo. Jordan e Hester viveram nela por quatro anos. Ela não saía muito e quase ninguém ia vê-la, exceto mamãe e a Sra. Lynde. Jordan fez este jardim para ela, ela o adorava e passava a maior parte do tempo aqui. Ela não era uma dona de casa muito boa, mas levava jeito com flores. E, depois, ela ficou doente. Mamãe diz que ela estava com tuberculose mesmo antes de vir para cá. Ela nunca permaneceu acamada, mas ficava cada vez mais fraca. Jordan não deixava ninguém cuidar dela. Ele mesmo fazia tudo e mamãe disse que ele era tão carinhoso e gentil quanto uma mulher. Todos os dias ele a embrulhava num xale e a carregava para o jardim. Ela ficava ali em um banco bastante feliz. Dizem que ela costumava fazer Jordan se ajoelhar a seu lado todas as noites e todas as manhãs para rezar e pedir que ela morresse no jardim quando sua hora chegasse. E a prece dela foi atendida. Um dia Jordan a carregou até o banco, colheu todas as rosas que havia ali e a cobriu com elas; e ela apenas sorriu para ele... e fechou os olhos... e esse", concluiu Diana suavemente, "foi o fim."

"Oh, que história linda", suspirou Anne, enxugando as lágrimas.

"O que aconteceu com Jordan?", perguntou Priscilla.

"Ele vendeu a fazenda depois da morte de Hester e voltou para Boston. O Sr. Jabez Sloane comprou a fazenda e trouxe a pequena casa para a estrada. Jordan morreu cerca de dez anos depois, foi trazido para casa e enterrado ao lado de Hester."

"Não consigo entender como ela poderia ter desejado viver aqui, longe de tudo", disse Jane.

"Oh, posso facilmente entender ISSO", disse Anne, pensativa. "Eu não gostaria disso para mim como uma coisa permanente, porque, apesar de amar os campos e os bosques, amo as pessoas também. Mas posso entender isso em Hester. Ela estava morta de cansada por causa do barulho da cidade grande e das multidões de pessoas sempre indo e vindo, sem se importar com ela. Ela queria apenas escapar de tudo isso e ir para algum lugar calmo, verde e amigável onde pudesse descansar. E ela conseguiu o que queria, o que é algo que poucas pessoas conseguem, creio eu. Ela teve quatro lindos anos antes de morrer... quatro anos de perfeita felicidade, então acho que ela deve ser mais invejada que lamentada. E depois, você fecha os olhos e adormece entre as rosas com a pessoa que você mais ama no mundo sorrindo para você... oh, acho que foi lindo!"

"Ela plantou aquelas cerejeiras ali", disse Diana. "Ela disse à mamãe que não viveria o suficiente para comer seus frutos, mas queria pensar que algo que ela havia plantado continuaria vivendo e ajudando a fazer do mundo um lugar belo depois que ela morresse."

"Fico feliz por termos vindo nessa direção", disse Anne com os olhos brilhando. "Este é o meu aniversário adotado, vocês sabem, e este jardim e sua história foram o presente de aniversário que ele me deu. Sua mãe alguma vez lhe disse qual era a aparência de Hester Gray, Diana?"

"Não, disse apenas que ela era muito bonita."

"Fico feliz por isso, porque posso imaginar como ela era, sem ser prejudicada pelos fatos. Acho que ela era muito delicada e pequena, com um suave cabelo escuro e cacheado, grandes olhos castanhos, doces e tímidos, e um rostinho claro e pensativo."

As meninas deixaram as cestas no jardim de Hester e passaram o resto da tarde vagando pelo bosque e pelos campos ao redor, descobrindo muitos recantos e trilhas encantadores. Quando ficaram com fome, fizeram o lanche no lugar mais lindo de todos: na margem de um riacho borbulhante de onde bétulas brancas subiam de uma relva comprida e emplumada. As meninas sentaram-se nas raízes e fizeram justiça às guloseimas de Anne, até mesmo os sanduíches pouco poéticos foram grandemente apreciados por apetites fartos e intactos, acentuados por todo o ar fresco e exercício que elas haviam aproveitado. Anne havia trazido copos e limonada para suas convidadas, mas ela mesma bebeu a água gelada do riacho de um copo feito com uma casca de bétula. O copo vazou e a água tinha gosto de terra, como a água dos riachos costuma ter na primavera, mas Anne achou que era mais apropriado à ocasião que limonada.

"Olhem só, vocês estão vendo aquele poema?", ela perguntou, de repente, apontando.

"Onde?", Jane e Diana olharam, como se esperassem ver rimas rúnicas nos troncos das bétulas.

"Ali... no riacho... aquele tronco velho coberto de musgo com a água escorrendo através dele em ondas suaves que parecem ter sido penteadas, e aquele solitário raio de sol descendo bem através dele para dentro do riacho. Oh, é o poema mais lindo que já vi."

"Eu chamaria de imagem", disse Jane. "Um poema são linhas e versos."

"Oh, céus, não." Anne balançou a cabeça coberta pela coroa macia de flores de cerejeira. "As linhas e os versos são apenas os trajes exteriores do poema, e não são mesmo mais do que seus babados e plissados, você, Jane. O verdadeiro poema é a alma dentro deles... e aquela bela pequena parte é a alma de um poema que ainda não foi escrito. Não é todo dia que se vê uma alma... até mesmo a de um poema."

"Eu me pergunto como uma alma, a alma de uma pessoa, deve parecer", disse Priscilla, sonhadora.

"Assim, creio eu", respondeu Anne, apontando para um raio de luz do sol filtrada fluindo através de uma bétula. "Apenas com formas e traços, é claro. Eu gosto de imaginar que as almas são feitas de luz. E algumas delas são atravessadas por manchas e borrões rosados... e algumas têm um brilho suave como o luar no mar... e algumas são pálidas e transparentes como a bruma ao amanhecer."

"Eu li em algum lugar que as almas eram como flores", disse Priscilla.

"Então, sua alma é um narciso dourado", disse Anne, "e a de Diana é uma rosa, uma rosa vermelha. A de Jane é uma flor de maçã, rosada, cheia e doce."

"E a sua é uma violeta branca, com linhas púrpuras no centro", terminou Priscilla.

Jane sussurrou para Diana que não conseguia entender o que elas estavam falando. Ela conseguia?

As meninas foram para casa sob a luz de um calmo e dourado pôr do sol, suas cestas cheias de narcisos do jardim de Hester, alguns dos quais Anne carregou até o cemitério no dia seguinte e colocou sobre o túmulo de Hester. Rouxinóis estavam assoviando nos abetos e os sapos estavam cantando nos brejos. Todos os vales entre as colinas estavam rodeados pela luz da cor do topázio e da esmeralda.

"Bem, nós nos divertimos no fim das contas", disse Diana, como se dificilmente esperasse por isso quando tinha saído.

"Foi mesmo um dia excelente", disse Priscilla.

"Eu realmente gosto bastante do bosque", disse Jane.

Anne não disse nada. Ela estava olhando ao longe para o céu oeste e pensando na pequena Hester Gray.

CAPÍTULO XIV
Um perigo evitado

Anne, voltando para casa do correio em uma tarde de sexta-feira, foi acompanhada pela Sra. Lynde, que estava sobrecarregada com todas as preocupações da igreja e do estado, como sempre.

"Eu estive na casa de Timothy Cotton para ver se conseguia pedir a Alice Louise que me ajudasse por alguns dias", ela disse. "Eu fiquei com ela na semana passada, pois, apesar de ela ser muito devagar, é melhor que nada. Mas ela está doente e não pode vir. Timothy está sentado lá, tossindo e reclamando também. Ele está morrendo já tem dez anos e vai continuar morrendo por mais dez. Um tipo daqueles não pode nem morrer e acabar com o assunto... não consegue persistir em coisa alguma, nem mesmo na doença, o suficiente para terminar com isso. Eles são de uma família terrivelmente preguiçosa e o que vai ser deles eu não sei, mas talvez a Divina Providência saiba."

A Sra. Lynde suspirou como se duvidasse da extensão do conhecimento da Divina Providência sobre o assunto.

"Marilla foi de novo, na terça-feira, saber como os olhos dela estão, não foi? O que o especialista disse?", ela continuou.

"Ele ficou muito satisfeito", disse Anne alegremente. "Ele disse que houve uma grande melhora neles e acha que o perigo de ela perder a visão completamente já passou, mas diz que ela nunca mais vai poder ler muito ou fazer trabalhos manuais. Como estão indo suas preparações para o bazar?"

A Sociedade de Auxílio das Senhoras estava preparando uma feira e um jantar, e a Sra. Lynde era a líder e a organizadora do empreendimento.

"Muito bem, acabei de lembrar. A Sra. Allan acha que seria uma boa ideia arrumarmos uma barraca como se fosse uma cozinha antiga para servir feijão cozido, rosquinhas, tortas, e por aí vai. Nós estamos coletando coisas antigas em todo lugar. A Sra. Simon Fletcher vai nos emprestar os tapetes trançados da mãe dela, a Sra. Levi Boulter, algumas cadeiras antigas e Tia Mary Shaw vai nos emprestar seu armário com as portas de vidro. Imagino que Marilla vá nos deixar usar seus castiçais de bronze? E nós queremos toda louça antiga que pudermos pegar. A Sra. Allan está particularmente decidida a ter uma verdadeira bandeja de porcelana azul, se pudermos encontrar uma. Mas ninguém parece ter uma. Você sabe onde poderíamos encontrar?"

"Madame Josephine Barry tem uma. Vou escrever para ela e perguntar se ela a emprestaria para a ocasião", disse Anne.

"Bem, gostaria que você fizesse isso. Acho que realizaremos o jantar daqui a duas semanas. Tio Abe Andrews está profetizando chuva e tempestade para o dia; e esse é um belo sinal de que teremos tempo bom."

O dito "Tio Abe", isso deve ser mencionado, era no mínimo como os outros profetas, no que diz respeito a ter pouca honra em seu próprio país. Ele era, de fato, considerado motivo de piadas recorrentes, pois poucas de suas previsões do tempo se cumpriam. O Sr. Elisha Wright, que desenvolveu a impressão de que ele era um sábio local, costumava dizer que ninguém em Avonlea alguma vez pensou em consultar a previsão do tempo nos jornais de Charlottetown. Não, eles apenas perguntavam a Tio Abe como seria o dia seguinte e esperavam o oposto. Nada intimidado, Tio Abe continuou profetizando.

"Nós queremos fazer a feira antes das eleições", continuou a Sra. Lynde, "pois os candidatos com certeza vão vir e gastar muito dinheiro. Os conservadores estão passando propina a torto e a direito, então eles podem ter a oportunidade de gastar o dinheiro de forma honesta ao menos uma vez."

Anne era uma apoiadora ferrenha do Partido Conservador, por lealdade à memória de Matthew, mas não disse nada. Ela sabia bem que não devia provocar a Sra. Lynde quando o assunto era política. Ela tinha uma carta para Marilla, com um selo de uma cidade na

Colúmbia Britânica.

"É provavelmente do tio das crianças", ela disse, animada, quando chegou em casa. "Oh, Marilla, eu me pergunto o que ele diz sobre os gêmeos."

"O melhor plano é abrir e ver", disse Marilla secamente. Um observador próximo poderia ter pensado que ela também estava ansiosa, mas ela teria preferido morrer a demonstrar.

Anne abriu a carta e passou os olhos pelos seus conteúdos, escritos de forma desorganizada e malfeita. "Ele diz que não pode ficar com as crianças nesta primavera... Ele esteve doente na maior parte do inverno e seu casamento foi adiado. Ele quer saber se podemos ficar com eles até o outono e então virá buscá-los. Nós vamos ficar com eles, não vamos, Marilla?"

"Não vejo mais como poderíamos fazer outra coisa", disse Marilla, severa, embora ela sentisse um alívio secreto. "De qualquer forma, eles não dão mais tanto trabalho quanto antes... Ou nós nos acostumamos a eles. Davy melhorou muito."

"Os MODOS dele certamente estão bem melhores", disse Anne, cautelosa, como se não estivesse preparada para dizer muito sobre os princípios morais dele.

Anne havia voltado da escola para casa na tarde anterior e descobriu que Marilla estava fora em uma reunião do Auxílio, Dora estava dormindo no sofá da cozinha e Davy estava sentado no armário da sala, alegremente absorvendo o conteúdo de uma jarra da famosa compota de ameixas amarelas de Marilla... Davy a chamava de "geleia de visita", na qual que ele havia sido proibido de mexer. Ele parecia muito culpado quando Anne avançou nele e o arrastou para fora do armário.

"Davy Keith, você não sabe que é muito errado comer essa geleia, uma vez que lhe disseram para não mexer em nada NAQUELE armário?"

"Sim, eu sabia que era errado", admitiu Davy, desconfortável, "mas geleia de ameixa é muito gostoso, Anne. Eu só espiei e parecia tão gostoso que pensei em dar só uma provadinha. Eu coloquei meu dedo..." — Anne bufou — "e lambi. E era muito mais bom do que eu pensava, aí peguei uma colher e CAÍ DENTRO."

Anne lhe fez um discurso tão sério sobre o pecado de roubar geleia de ameixa que Davy ficou com a consciência pesada e prometeu, com beijos arrependidos, nunca fazer aquilo de novo.

"De qualquer forma, vai ter muita geleia no paraíso, isso é um consolo", ele disse, complacente.

Anne deu um sorriso para o amigo.

"Talvez haja... se quisermos", ela disse, "mas o que o faz pensar assim?"

"Ora, está no catecismo", disse Davy.

"Ah, não, não tem nada DISSO no catecismo, Davy."

"Estou falando que tem", insistiu Davy. "Estava naquela questão que Marilla me ensinou no domingo passado. 'Por que devemos amar a Deus?' Diz, 'Porque ele nos cria conserva e redime.' Conserva é uma palavra santa para a geleia."

"Preciso beber água", disse Anne, apressada. Quando voltou, precisou de algum tempo e esforço para explicar a Davy que uma vírgula naquela questão de catecismo fazia muita diferença no significado.

"Bem, eu pensei que era bom demais para ser verdade", disse ele, enfim, com um suspiro de convicção decepcionada. "E, além disso, não vejo quando Ele teria tempo para fazer geleia, se é um eterno dia de domingo, como diz o hino. Não acho que quero ir para o paraíso. Não vai ter nenhum sábado no paraíso, Anne?"

"Sim, sábados e todos os outros tipos de lindos dias. E cada dia no céu será mais bonito que o anterior, Davy", assegurou Anne, que estava bastante feliz por Marilla não estar por perto para ficar chocada. Marilla, se for necessário dizer, estava criando os gêmeos sob os bons modos da teologia e desencorajava todas as especulações imaginativas sobre aquilo. Davy e Dora aprendiam um hino, uma questão de catecismo e dois versos da Bíblia todos os domingos. Dora aprendia docilmente e recitava como uma pequena máquina, com talvez tanta compreensão ou interesse quanto se fosse uma. Davy, ao contrário, tinha uma curiosidade viva e frequentemente formulava perguntas que faziam Marilla temer por seu destino.

"Chester Sloane diz que não vamos fazer nada o tempo inteiro no paraíso, a não ser andar de um lado para o outro em vestidos brancos e tocar harpa; e ele diz que espera não ter que ir para lá até ser um homem velho, porque aí talvez ele goste mais. E ele acha que seria horrível usar vestido e eu também acho. Por que homens anjos não podem usar calças, Anne? Chester Sloane tem interesse nessas coisas, porque querem que ele seja pastor. Ele vai virar pastor porque a avó deixou dinheiro para ele ir para a faculdade, e ele não pode ficar com o dinheiro se não virar pastor. Ela pensou que um pastor era uma coisa respeitável para ter na família. Chester diz que não se importa muito — apesar de preferir ser ferreiro — mas ele vai se divertir ao máximo antes de começar a ser pastor, porque ele não espera se divertir muito depois. Eu não vou ser pastor. Vou ser dono de loja, como o Sr. Blair, e ter um monte de doces e bananas. Mas eu gostaria de ir para o seu tipo de paraíso, se eles me deixarem tocar gaita em vez de harpa. Acha que deixariam?"

"Sim, acho que deixariam se você quisesse", foi tudo o que Anne pode dizer com certa confiança.

A SMVA reuniu-se na casa de Harmon Andrews naquela tarde e uma presença total havia sido solicitada, já que existiam assuntos importantes a discutir. A SMVA estava florescendo e já tinha realizado maravilhas. Mais cedo, na primavera, o Sr. Major Spencer havia cumprido sua promessa e havia limpado, arrumado e semeado toda a estrada em frente à sua fazenda. Uma dúzia de outros homens, alguns motivados pela determinação de não deixar um Spencer à frente deles, outros incitados a agir pelos Melhoradores em suas próprias casas, haviam seguido seu exemplo. O resultado foi a existência de longas faixas de grama aveludada onde antes havia mato e arbustos pouco apresentáveis. As frentes das fazendas que não haviam sido arrumadas pareciam tão ruins em contraste que seus donos envergonharam-se secretamente por decidir ver o que poderiam fazer em outra primavera. O triângulo de terra no cruzamento também estava limpo e semeado, e o canteiro de gerânios de Anne, ileso de qualquer vaca marota, já se encontrava posicionado no centro.

Ao todo, os Melhoradores achavam que estavam se saindo lindamente, ainda que o Sr. Levi Boulter, diplomaticamente abordado por um comitê selecionado cuidadosamente em relação à velha casa em sua fazenda, tenha dito bruscamente a eles que não queria ninguém se intrometendo.

Naquela reunião especial, eles pretendiam formular uma petição para os administradores da escola, humildemente solicitando que uma cerca fosse colocada ao redor do terreno da escola; e um plano também seria discutido para plantar algumas árvores ornamentais perto da igreja, se os fundos da sociedade permitissem — pois, como disse Anne, não havia sentido em começar outra arrecadação enquanto o auditório permanecesse azul. Os membros foram reunidos no salão dos Andrews e Jane já estava em pé para indicar a nomeação de um comitê que deveria procurar e reportar o preço das árvores mencionadas, quando Gertie Pye entrou, com topetes e babados até não poder mais. Gertie tinha o hábito de chegar atrasada, "para sua chegada ser mais notada", pessoas rancorosas diziam. A chegada de Gertie, nesse caso, certamente foi mais notada, pois ela fez uma pausa dramática no meio do salão, jogou as mãos para o alto, revirou os olhos e exclamou: "Acabei de ouvir algo simplesmente terrível. O que VOCÊS acham? O Sr. Judson Parker VAI ALUGAR TODA A CERCA DE SUA FAZENDA PARA QUE UMA EMPRESA DE MEDICAMENTOS PATENTEADOS PINTE ANÚNCIOS."

Ao menos uma vez na vida, Gertie Pye causou a sensação que desejava. Se ela tivesse jogado uma bomba no meio dos complacentes Melhoradores, dificilmente poderia ter causado um efeito maior.

"Não PODE ser verdade", disse Anne vagamente.

"Foi isso que EU disse da primeira vez que ouvi, você não sabe", disse Gertie, que estava se divertindo imensamente. "EU disse que não podia ser verdade... que Judson Parker não teria CORAGEM de fazer isso, você não sabe. Mas papai o encontrou hoje à tarde e perguntou a ele, que respondeu que ERA verdade. Apenas imagine! A fazenda dele fica do lado da estrada de Newbridge e como vai ser simplesmente terrível ver anúncios de comprimidos e pomadas por todo lugar, você não sabe?"

Os Melhoradores SABIAM, e muito bem. Até mesmo aquele que tinha menos imaginação poderia imaginar o efeito grotesco de meia milha de uma cerca de madeira enfeitada com tais anúncios. Todos os pensamentos sobre a igreja e a escola desapareceram diante desse novo perigo. Leis e regras parlamentares foram esquecidas, e Anne, em desespero, desistiu completamente de registrar minutas. Todos falavam ao mesmo tempo e o tumulto foi assustador.

"Oh, vamos nos acalmar", implorou Anne, que era a mais ansiosa de todos eles, "e tentar pensar em alguma forma de impedi-lo."

"Não sei como você vai impedi-lo", exclamou Jane amargamente. "Todos sabem como Judson Parker é. Ele faria QUALQUER COISA por dinheiro. Ele não tem o MENOR espírito comunitário nem NENHUMA noção de beleza."

A perspectiva não parecia muito promissora. Judson Parker e suas irmãs eram os únicos Parker em Avonlea, então nenhuma influência poderia ser exercida através de conexões familiares. Martha Parker era uma dama de certa idade que desaprovava jovens de modo geral, especialmente os Melhoradores. Judson era um homem jovial e de fala mansa, de uma natureza boa e calma de um jeito tão uniforme que era surpreendente ele ter tão poucos amigos. Talvez ele tenha levado a melhor em transações comerciais demais, o que raramente causa popularidade. Ele tinha a reputação de ser muito "afiado" e era da opinião geral que ele "não tinha muitos princípios".

"Se Judson Parker tiver a chance de 'ganhar um dinheiro honesto', como ele mesmo diz, ele nunca vai perdê-la", declarou Fred Wright.

"Não há NINGUÉM que tenha influência sobre ele?", perguntou Anne, desesperada.

"Ele vai ver Louisa Spencer em White Sands", sugeriu Carrie Sloane. "Talvez ela possa convencê-lo a não alugar a cerca."

"Ela não", disse Gilbert enfaticamente. "Eu conheço Louisa Spencer muito bem. Ela não 'acredita' em Sociedades de Melhoria da Vila, mas ela ACREDITA em dólares e centavos. Seria mais fácil ela incentivar Judson ao invés de dissuadi-lo."

"A única coisa a fazer é apontar um comitê para atender o caso e protestar", disse Julia Bell, "e vocês devem enviar meninas, pois ele dificilmente seria civilizado com meninos... mas EU não vou, então ninguém precisa me nominar."

"Melhor enviar Anne sozinha", disse Oliver Sloane. "Se alguém vai conseguir convencer Judson, esse alguém é ela."

Anne protestou. Ela estava disposta a ir e conversar, mas devia ter outros com ela "para dar apoio moral". Portanto, Diana e Jane foram apontadas para dar suporte moral a ela, e os Melhoradores se separaram, zunindo como abelhas de indignação. Anne estava tão preocupada que não dormiu até a manhã quase chegar, e então sonhou que os administradores tinham colocado uma cerca ao redor da escola e pintado "Experimente as Pílulas Roxas" por todo lado.

O comitê atendeu o caso de Judson Parker na tarde seguinte. Anne implorou e posicionou-se eloquentemente contra seu intuito nefasto e Jane e Diana deram um apoio moral e corajoso. Judson era educado, suave, lisonjeiro; fez diversos elogios sobre a delicadeza dos girassóis; sentia-se muito mal por recusar o pedido de jovens damas tão charmosas... mas negócios eram negócios, e ele não podia se dar ao luxo de deixar os sentimentos ficarem no caminho durante aqueles tempos difíceis.

"Digo-lhes, porém, o que VOU fazer", disse ele, com um brilho em seus olhos claros e cheios. "Vou dizer ao agente que ele deve usar apenas cores bonitas e de bom gosto... vermelho, amarelo, e por aí. Vou dizer a ele que não deve pintar os anúncios de AZUL de jeito nenhum."

O comitê, derrotado, retirou-se, pensando coisas que não podiam ser ditas em voz alta.

"Nós fizemos tudo o que podíamos e devemos entregar o resto à Divina Providência", disse Jane, com uma imitação inconsciente do tom e dos modos da Sra. Lynde.

"Eu me pergunto se o Sr. Allan poderia fazer alguma coisa", refletiu Diana.

Anne balançou a cabeça.

"Não, não adianta preocupar o Sr. Allan, especialmente agora que o bebê está tão doente. Judson fugiria dele tão bem quanto de nós, embora ele ESTEJA indo à igreja bem regularmente agora. Isso é simplesmente porque o pai de Louisa Spencer é idoso e muito exigente sobre essas coisas."

"Judson Parker é o único homem em Avonlea que sonharia em alugar sua cerca", disse Jane, indignada. "Nem mesmo Levi Boulter ou Lorenzo White se rebaixariam a esse ponto, sovinas do jeito que são. Eles teriam muito respeito pela opinião pública."

A opinião pública certamente estava baixa em relação a Judson Parker quando os fatos ficaram conhecidos, mas isso não ajudou muito no caso. Judson riu consigo mesmo e desafiou a todos, e os Melhoradores estavam tentando se adaptar à perspectiva de ver a parte mais bonita da estrada de Newbridge coberta de anúncios, quando Anne se levantou silenciosamente, assim que o presidente pediu os relatórios dos comitês durante a reunião seguinte da Sociedade, e anunciou que o Sr. Judson Parker a havia instruído a informar a Sociedade de que ele NÃO alugaria sua cerca para a Empresa de Medicamentos Patenteados.

Jane e Diana a encararam como se não pudessem acreditar em seus ouvidos. A etiqueta parlamentar, que normalmente era aplicada rigidamente na SMVA, proibiu os jovens de expressarem sua curiosidade instantaneamente, mas depois que a Sociedade teve sua sessão encerrada, eles exigiram explicações de Anne. Anne não tinha explicações a dar. Judson Parker a havia encontrado na estrada na tarde anterior e dito a ela que havia decidido agradar à SMVA com relação a seu preconceito singular contra os anúncios de medicamentos patenteados. Aquilo foi tudo que Anne disse, naquele momento ou depois, e era a simples verdade; mas quando Jane Andrews, em seu caminho de volta para casa, confidenciou a Oliver Sloane sua convicção firme de que havia mais sobre a mudança de opinião misteriosa de Judson Parker do que Anne Shirley havia relevado, ela também disse a verdade.

Anne havia descido até o velho Sr. Irving na estrada litorânea na tarde anterior e estava voltando para casa por um atalho que a levou primeiramente até os campos baixos do litoral e depois através do bosque de bétulas abaixo da casa de Robert Dickson, por um pequeno caminho que corria até a estrada principal bem acima do Lago das Águas Brilhantes, conhecido pelas pessoas sem imaginação como Lagoa do Barry.

Dois homens estavam sentados em suas charretes, parados na beira da estrada, bem na entrada do caminho. Um era Judson Parker, o outro era Jerry Corcoran, um homem de Newbridge, contra o qual, como a Sra. Lynde teria lhe dito enfaticamente, nada suspeito tinha sido PROVADO. Ele era um agente de equipamentos agrícolas e um personagem proeminente em assuntos políticos. Ele tinha um dedo — algumas pessoas diziam TODOS os dedos — em todas as ações políticas realizadas; e como o Canadá estava às vésperas de uma eleição geral, Jerry Corcoran ficou ocupado por muitas semanas, prospectando o condado em nome dos interesses do candidato de seu partido. Assim que Anne surgiu debaixo dos ramos que pediam das bétulas, ela ouviu Corcoran dizer, "Se você votar em Amesbury, Parker... Bem, estou com uma nota para um par de rastelos que você usou na primavera. Imagino que você não se importaria de tê-los de volta, hein?"

"Bem, já que você colocou dessa forma", falou Judson de um jeito arrastado e com um sorriso torto, "acho que posso fazer isso. Um homem deve cuidar dos próprios interesses nestes tempos difíceis."

Ambos viram Anne naquele momento e a conversa cessou abruptamente. Anne fez um cumprimento gélido e continuou andando, com seu queixo ligeiramente mais empinado que o normal. Logo Judson Parker a alcançou.

"Quer uma carona, Anne?", ele perguntou genialmente.

"Não, obrigada", disse Anne educadamente, mas com um desdém fino como uma agulha em sua voz que perfurou até a consciência pouco sensível de Judson Parker. Seu rosto ficou vermelho e ele torceu as rédeas irritadamente, mas as prudentes considerações seguintes o controlaram. Ele olhou desconfortavelmente para Anne, enquanto ela seguia firmemente em frente, sem olhar para a direita ou para a esquerda. Ela havia ouvido a inquestionável oferta de Corcoran e sua simples aceitação? Confundir Corcoran! Se ele não pudesse colocar suas intenções em frases menos perigosas, ele teria problemas qualquer dia desses. E poderia confundir professoras ruivas com o hábito de aparecer em bosques de bétulas onde elas não deveriam estar. Se Anne tivesse ouvido, Judson Parker, medindo a menina com sua própria régua, como diz o ditado, e, portanto, enganando-se, como tais pessoas normalmente fazem, acreditava que ela contaria a história por toda parte. Agora, Judson Parker, como tinha sido visto, não se preocupava muito com a opinião pública, mas ficar conhecido por ter aceitado uma propina seria terrível, e se tal fato chegasse aos ouvidos de Isaac Spencer, adeus para sempre a qualquer esperança de ganhar Louisa Jane com seus confortáveis prospectos de herdeira de um fazendeiro próspero. Judson Parker sabia que o Sr. Spencer já o olhava com suspeita; ele não podia se dar ao luxo de correr riscos.

"Hum... Anne, eu queria falar com você sobre aquele probleminha que estávamos discutindo um dia desses. Eu decidi não alugar minha cerca para aquela empresa no fim das contas. Uma sociedade com um objetivo como a sua deve ser encorajada."

Anne descongelou sua menor gentileza.

"Obrigada", ela disse.

"E... e... você não precisa mencionar minha conversinha com Jerry."

"Eu não tinha a menor intenção de mencioná-la de forma alguma", disse Anne, gélida, pois teria visto todas as cercas de Avonlea pintadas com anúncios antes de parar para barganhar com um homem que vende seu voto.

"Isso mesmo... isso mesmo", concordou Judson, imaginando que eles se entendiam lindamente. "Eu não pensei que você faria isso. Claro, eu estava apenas dando corda a Jerry... Ele acha que é tão engraçadinho e inteligente. Eu não tenho intenção de votar em Amesbury. Vou votar em Grant, como sempre fiz... Você vai ver quando os resultados saírem. Eu apenas enganei Jerry para ele se comprometer. E está tudo certo sobre a cerca... Pode dizer isso aos Melhoradores."

"Precisa-se de todos os tipos de pessoas para fazer o mundo funcionar, como eu sempre ouvi, mas acho que alguns tipos poderiam ser poupados", Anne disse ao seu reflexo no espelho do frontão leste naquela noite. "Eu não teria mencionado aquela coisa vergonhosa a ninguém de qualquer forma, então minha consciência está limpa em relação a ESSE assunto. Eu realmente não quero saber a quem ou a que agradecer por isso. EU não fiz nada para causar isso, e é difícil acreditar que a Divina Providência trabalhe por meio de homens da política como Judson Parker e Jerry Corcoran fazem."

CAPÍTULO XV
O início das férias

Anne trancou a porta da escola em uma tarde calma e amarelada, quando os ventos estavam soprando nos espruces ao redor do parquinho, e as sombras estavam compridas e preguiçosas nas bordas do bosque. Ela colocou a chave no bolso com um suspiro de satisfação. O ano escolar havia terminado, ela tinha sido requisitada para o próximo, com muitas expressões de satisfação — apenas o Sr. Harmon Andrews havia dito que ela deveria usar o cinto com mais frequência — e dois meses encantadores de férias bem merecidas acenavam de forma convidativa para ela. Anne sentia-se em paz com o mundo e consigo mesma enquanto descia a colina com sua cesta de flores na mão. Desde que as primeiras flores-de-maio apareceram, Anne não tinha perdido sua peregrinação semanal ao túmulo de Matthew. Todos em Avonlea, exceto Marilla, haviam esquecido o silencioso, tímido e pouco importante Matthew Cuthbert, mas sua memória ainda estava fresca no coração de Anne e sempre estaria. Ela nunca poderia esquecer o senhor gentil que havia sido o primeiro a lhe oferecer o amor e a simpatia que sua infância faminta tanto desejava.

Ao pé da colina, um menino estava sentado na cerca sob a sombra dos espruces — um menino com olhos grandes e sonhadores e um rosto gentil e sensível. Ele desceu e se juntou a Anne, sorrindo, mas havia traços de lágrimas em suas bochechas.

"Eu pensei em esperar pela senhorita, professora, porque sabia que iria até o cemitério", disse ele, colocando a mão sobre a dela. "Eu também vou até lá... Estou levando este buquê de gerânios para colocar no túmulo do Vovô Irving para a vovó. E, veja, professora, vou colocar este buquê ao lado do túmulo do Vovô Irving em memória da minha mãezinha... porque não posso ir até o túmulo dela para colocar lá. Mas a senhorita acha que ela vai saber mesmo assim?"

"Sim, certamente, Paul."

"Sabe, professora, hoje faz três anos que a minha mãezinha morreu. Faz tanto, tanto tempo, mas continua doendo tanto quanto antes... e eu sinto falta dela tanto quanto antes. Às vezes parece que não posso suportar, dói tanto."

A voz de Paul falhou e seu lábio estremeceu. Ele olhou para suas rosas, desejando que a professora não notasse as lágrimas em seus olhos.

"Ainda assim", disse Anne, muito suavemente, "você não gostaria que parasse de doer... Você não gostaria de esquecer sua mãezinha, mesmo se pudesse."

"Não, não gostaria mesmo... Só é como eu me sinto. A senhorita é tão boa em entender, professora. Ninguém mais entende tão bem... nem mesmo a vovó, embora ela seja tão boa para mim. Papai entende bastante bem, mas eu ainda não consegui falar com ele sobre a mamãe, porque isso o faz se sentir muito mal. Quando ele colocava a mão sobre o meu rosto, eu sempre sabia que era hora de parar. Pobre papai, ele deve estar terrivelmente solitário sem mim; sabe, ele não tem ninguém a não ser uma governanta agora e ele acha que governantas não são boas para criar menininhos, especialmente porque ele fica tanto tempo fora devido aos negócios. Avós são melhores, depois das mães. Algum dia, quando eu estiver crescido, vou voltar para o meu pai e nunca mais vamos nos separar."

Paul havia falado tanto com Anne sobre sua mãe e seu pai que ela sentia que os conhecia. Ela pensava que a mãe dele devia ter sido muito parecida com o que ele mesmo era, em temperamento e disposição; e ela tinha uma ideia de que Stephen Irving era um homem bastante reservado, com uma natureza profunda e sensível que ele mantinha escrupulosamente escondida do mundo.

"Meu pai não é um homem fácil de conhecer", Paul havia dito uma vez. "Eu não o conheci de verdade até minha mãezinha morrer, mas ele é esplêndido quando você realmente o conhece. Eu o amo mais que tudo no mundo, e Vovó Irving em seguida, e depois a senhorita, professora. Eu a amaria tanto quanto amo meu pai se não fosse meu DEVER amar mais a vovó, porque ela está fazendo tanto por mim. A senhorita sabe, professora. Eu gostaria que ela deixasse a lamparina no meu quarto até eu dormir, apesar de tudo. Ela a leva embora assim que me coloca na cama, porque diz que não devo ser um covarde. Eu NÃO tenho medo, mas eu PREFERIRIA ter a lâmpada. Minha mãezinha costumava sentar-se ao meu lado e segurar minha mão até eu pegar no sono. Acho que ela me acostumou mal. As mães fazem isso às vezes, sabe."

Não, Anne não sabia, embora pudesse imaginar. Ela pensava tristemente na "mãezinha" dela, a mãe que a achava "simplesmente linda" e que havia morrido tanto tempo atrás e sido enterrada ao lado de seu jovem marido naquele túmulo não visitado tão distante. Anne não se lembrava da mãe e por esse motivo quase tinha inveja de Paul.

"Meu aniversário é na semana que vem", disse Paul, enquanto eles subiam a longa colina vermelha, aquecendo-se sob a luz do sol de junho, "e meu pai me escreveu dizendo que está me enviando algo que acha que vou gostar mais do que qualquer outra coisa que ele poderia enviar. Eu acredito que já chegou, porque a vovó está mantendo a gaveta da estante trancada, e isso é novidade. E quando eu perguntei a ela o motivo, ela fez uma cara misteriosa e disse que menininhos não deviam ser tão curiosos. É muito empolgante fazer aniversário, não é? Vou fazer 11 anos. Ninguém imaginaria, olhando para mim, não é? Vovó diz que sou muito pequeno para a minha idade e que é tudo porque eu não como bastante mingau. Eu faço o meu melhor, mas vovó me faz uns pratos tão generosos... Não há nada de mau na vovó, posso lhe dizer. Desde que tivemos aquela conversa sobre rezar, voltando da escola dominical para casa naquele dia, professora, quando a senhorita disse que devíamos rezar pelas nossas dificuldades, eu rezei todas as noites para que Deus me desse a graça de me fazer capaz de comer todo o meu mingau de manhã. Mas eu ainda não fui capaz de fazer isso, e se é porque eu tenho pouca graça ou muito mingau, não consigo decidir. Vovó diz que papai foi criado com mingau, e certamente funcionou no caso dele, pois a senhorita deveria ver que ombros ele tem. Às vezes", concluiu Paul com um suspiro e um ar meditativo, "eu realmente acho que o mingau vai ser a minha morte."

Anne se permitiu um sorriso, uma vez que Paul não estava olhando para ela. Toda Avonlea sabia que a velha Sra. Irving estava criando o neto de acordo com os bons e velhos métodos de dieta e moral.

"Vamos esperar que não, querido", ela disse alegremente. "Como estão suas pessoas de pedra? O Gêmeo mais velho continua se comportando?

"Ele PRECISA", disse Paul enfaticamente. "Ele sabe que não vou me relacionar com ele se não se comportar. Ele é realmente cheio de perversidade, eu acho."

"E Nora já descobriu sobre a Dama Dourada?"

"Não, mas acho que ela suspeita. Tenho quase certeza de que ela me viu da última vez que fui até a caverna. EU não me importo se ela descobrir, é apenas para o bem DELA que eu não quero que ela descubra, para não ferir os sentimentos dela. Mas se ela estiver DETERMINADA a ferir os próprios sentimentos, não posso evitar."

"Se eu fosse até a praia com você uma noite dessas, acha que eu poderia ver suas pessoas de pedra também?"

Paul balançou a cabeça seriamente.

"Não, não acho que você poderia ver as MINHAS pessoas de pedra. Sou o único que pode vê-las, mas você pode ver suas próprias pessoas de pedra. Você é do tipo que pode. Nós dois somos desse tipo. A senhorita sabe, professora", ele acrescentou, apertando a mão dela amigavelmente. "Não é esplêndido ser desse tipo, professora?"

"Esplêndido", Anne concordou, com seus brilhantes olhos cinzentos olhando para aqueles brilhantes olhos azuis. Tanto Anne quanto Paul sabiam

"Quão belo é o reino

Que a imaginação abre aos olhos",

e ambos conheciam o caminho para aquela terra feliz. Ali eles se elevavam à alegria que florescia imortal através dos vales e córregos; as nuvens nunca escureciam o céu ensolarado; doces sinos nunca tocavam fora de tom; e almas amigas eram abundantes. O conhecimento da geografia daquela terra — a leste do sol e a oeste da lua — é uma tradição inestimável, que não pode ser comprada em nenhum mercado. Deve ser um presente das boas fadas no momento do nascimento, e os anos jamais podem danificá-lo ou levá-lo embora. É melhor possuí-lo, vivendo em um sótão, a ser o habitante de um palácio sem ele.

O cemitério de Avonlea era até então o lugar solitário de grama crescida que sempre tinha sido. Na verdade, os Melhoradores estavam de olho nele, e Priscilla Grant havia lido um documento sobre cemitérios antes da última reunião da Sociedade. Em algum momento no futuro, os Melhoradores queriam substituir a velha cerca de madeira rebelde e coberta de líquen por uma bela grade de arame, aparar a grama e endireitar os monumentos caídos.

Anne colocou no túmulo de Matthew as flores que havia trazido, e depois foi até o pequeno canto sombreado pelos choupos onde Hester Gray dormia. Desde o dia do piquenique de primavera, Anne colocava flores no túmulo de Hester quando visitava o de Matthew. Na noite anterior, ela havia feito uma peregrinação de volta ao pequeno jardim deserto no bosque e trazido de lá algumas das rosas brancas da própria Hester.

"Achei que gostaria mais delas do que quaisquer outras, querida", disse ela suavemente.

Anne ainda estava sentada lá quando uma sombra desceu sobre a grama. Ela olhou para cima e encontrou a Sra. Allan. Elas voltaram para casa juntas.

O rosto da Sra. Allan não era mais o rosto da jovem noiva que o pastor havia trazido a Avonlea cinco anos antes. Havia perdido um pouco de seu frescor e de suas curvas juvenis, e havia linhas finas e pacientes ao redor dos olhos e da boca. Um pequeno túmulo naquele mesmo cemitério era responsável por algumas delas; e algumas novas linhas haviam aparecido durante a doença recente, agora finalmente curada, de seu filhinho. As covinhas da Sr. Allan continuavam tão doces e repentinas quanto antes, seus olhos tão claros, brilhantes e verdadeiros; e o que faltava da beleza de menina em seu rosto era agora mais do que compensado por sensibilidade e força adicionais.

"Imagino que você esteja ansiosa por suas férias, Anne", disse ela enquanto saíam do cemitério.

Anne assentiu.

"Sim... Eu poderia saborear a palavra como se fosse um doce na minha língua. Acho que o verão vai ser adorável. Para começar, a Sra. Morgan está vindo para a ilha em julho e Priscila vai trazê-la. Sinto uma das minhas antigas 'emoções' só de pensar."

"Espero que você se divirta, Anne. Você trabalhou duro este ano e foi bem-sucedida."

"Ah, não sei. Eu não fui longe com tantas coisas. Não fiz o que queria quando comecei a ensinar, no outono passado. Não fiz jus aos meus ideais."

"Nenhum de nós consegue", disse a Sra. Allan com um suspiro, "mas, Anne, você sabe o que Lowell diz, 'Não é crime fracassar, o crime é mirar baixo'. Devemos ter ideais e fazer jus a eles, mesmo se nunca chegarmos a ter sucesso. A vida seria uma coisa triste sem eles. Com eles a vida é grandiosa e fantástica. Agarre-se aos seus ideais, Anne."

"Vou tentar. Mas tenho que abandonar a maior parte das minhas teorias", disse Anne, rindo um pouco. "Eu tinha o mais lindo conjunto de teorias que já existiu quando comecei como professora, mas cada uma delas me decepcionou de um jeito ou de outro."

"Até mesmo a teoria sobre punição corporal", provocou a Sra. Allan.

Anne corou.

"Nunca me perdoarei por ter batido em Anthony."

"Bobagem, querida, ele mereceu. E fez bem a ele. Você não teve problemas com ele desde então e ele passou a achar que não existe ninguém como você. Sua gentileza ganhou o amor dele mesmo depois de a ideia de que 'uma menina não servia' estivesse enraizada na mente teimosa dele."

"Ele pode ter merecido, mas não se trata disso. Se eu tivesse decidido calma e deliberadamente bater nele porque pensava que seria apenas um castigo para ele, eu não teria sentido tanto quanto sinto. Mas a verdade é, Sra. Allan, que eu perdi minha paciência e bati nele por causa disso. Eu não estava pensando se era justo ou injusto... Mesmo se ele não tivesse merecido, eu o teria feito da mesma forma. É isso que me humilha.

"Bem, todos nós cometemos erros, querida, então, deixe isso para trás. Nós devemos nos arrepender de nossos erros e aprender com eles, mas nunca carregá-los para o futuro conosco. Lá vai Gilbert Blythe em sua bicicleta, indo passar as férias em casa também. Como você e ele estão se saindo com os estudos?"

"Muito bem. Nós planejamos terminar o Virgílio esta noite... Faltam apenas vinte linhas. Então, não vamos mais estudar até setembro."

"Você acha que algum dia vai para a faculdade?"

"Ah, não sei." Anne olhou sonhadoramente para o horizonte cor de opala ao longe. "Os olhos de Marilla nunca ficarão muito melhores do que estão agora, ainda que estejamos muito gratas por pensar que eles não vão piorar. E também temos os gêmeos... De alguma forma não acredito que o tio realmente vai mandar buscá-los algum dia. Talvez a faculdade esteja depois da curva na estrada, mas ainda não cheguei até a curva e não penso muito nisso por medo de ficar inconformada."

"Bem, eu gostaria de vê-la ir para a faculdade, Anne; mas se você nunca for, não fique inconformada por isso. Nós fazemos a vida onde quer que estejamos, no fim das contas... A faculdade apenas nos ajuda a fazer isso mais facilmente. Elas são amplas ou estreitas de acordo com o que colocamos nelas, não com o que tiramos. A vida é rica e cheia aqui, ou em qualquer lugar, se apenas aprendermos como abrir todo o coração à sua riqueza e plenitude."

"Acho que entendo o que a senhora quer dizer", disse Anne pensativamente, "e sei que tenho muito a agradecer, oh, tanto... Meu trabalho, e Paul Irving, os queridos gêmeos e todos os meus amigos. A senhora sabe, Sra. Allan, como sou grata pela amizade. Ela embeleza tanto a vida."

"A amizade verdadeira é mesmo uma coisa muito útil", disse a Sra. Allan, "e nós devemos tê-la em alta conta, e nunca manchá-la com alguma falha na verdade e na sinceridade. Temo que o nome da amizade seja frequentemente degradado a um tipo de intimidade que não tem nada de amizade verdadeira."

"Sim, como a de Gertie Pye e Julia Bell. Elas são muito íntimas e vão a todo lugar juntas; mas Gertie está sempre dizendo coisas horríveis sobre Julia pelas costas dela e todos acham que ela tem inveja porque fica tão satisfeita sempre que alguém critica a Julia. Acho que é uma profanação chamar aquilo de amizade. Se temos amigos, devemos sempre olhar apenas o melhor neles e dar a eles o melhor que temos, a senhora não acha? Então a amizade seria a coisa mais linda do mundo."

"A amizade É muito bonita", sorriu a Sra. Allan, "mas algum dia..."

Então, ela pausou abruptamente. No rosto delicado e de fronte alva ao seu lado, com seus olhos cândidos e feições mutáveis, ainda havia muito mais da criança que da mulher. O coração de Anne até então abrigava apenas sonhos de amizade e ambição, e a Sra. Allan não queria varrer o viço da sua doce inconsciência. Então, deixou sua frase para os anos futuros terminarem.

CAPÍTULO XVI
A essência das coisas que desejamos

"Anne", disse Davy apelativamente, remexendo-se no sofá brilhante de couro na cozinha de Green Gables, onde Anne estava sentada, lendo uma carta, "Anne, estou MORRENDO de fome. Você não faz ideia."

"Vou arranjar um pedaço de pão com manteiga para você em um minuto", disse Anne, distraída. A carta dela, evidentemente, continha notícias empolgantes, pois suas bochechas estavam da cor das rosas do grande arbusto lá fora, e seus olhos estavam estrelados como só os de

Anne poderiam estar.

"Mas não estou com fome de pão com manteiga", disse Davy com um tom indignado. "Estou com fome de bolo de ameixa."

"Oh", riu Anne, deixando a carta de lado e colocando seu braço ao redor de Davy para apertá-lo, "esse é o tipo de fome que pode ser facilmente suportado, Davyzinho. Você sabe que uma das regras de Marilla é que você não pode comer nada além de pão com manteiga entre as refeições."

"Bem, me dê um pedaço, então... por favor."

Davy ao menos tinha aprendido a dizer "por favor", mas normalmente fazia isso como uma reflexão tardia. Ele olhava com aprovação para a generosa fatia que Anne lhe trazia naquele momento. "Você sempre coloca tanta manteiga, Anne. Marilla passa só uma camadinha. Desce bem melhor quando tem bastante manteiga."

A fatia "desceu" com bastante facilidade, a julgar por seu rápido desaparecimento. Davy escorregou de cabeça para fora do sofá, deu uma cambalhota dupla no tapete, depois se sentou e anunciou decididamente:

"Anne, eu já me decidi sobre o paraíso. Eu não quero ir para lá."

"Por que não?", perguntou Anne seriamente.

"Porque o paraíso é no sótão de Simon Fletcher, e eu não gosto de Simon Fletcher."

"O paraíso é... no sótão de Simon Fletcher!", ofegou Anne, surpresa demais até para rir. "Davy Keith, quem colocou uma ideia extraordinária dessas na sua cabeça?"

"Milty Boulter disse que é lá. Era o último dia da escola dominical. A lição foi sobre Elias e Eliseu, e eu fui e perguntei para a Srta. Rogerson onde era o paraíso. A Srta. Rogerson pareceu muito ofendida. Ela já estava zangada mesmo, porque quando nos perguntou o que Elias deixou para Eliseu quando foi para o paraíso, Milty Boulter disse 'suas roupas velhas', e todos nós rimos sem pensar. Eu gostaria de pensar primeiro e fazer as coisas depois, porque aí acabaria não fazendo. Mas Milty não quis ser desrespeitoso. Ele só não conseguia lembrar do nome da coisa. A Srta. Rogerson disse que o paraíso era onde Deus estava e que eu não devia fazer perguntas desse tipo. Milty me cutucou e sussurrou, 'o paraíso é no sótão do Tio Simon e vou explicar isso quando voltarmos pra casa'. Então, quando estávamos voltando para casa, ele explicou. Milty é muito bom em explicar as coisas. Mesmo se ele não souber nada sobre uma coisa, vai inventar um monte de coisa, então você tem uma explicação do mesmo jeito. A mãe dele é irmã da Sra. Simon e ele foi com ela para o enterro quando a prima dele, Jane Ellen, morreu. O pastor disse que ela tinha ido para o paraíso, apesar de Milty dizer que ela estava deitada na frente dele no caixão. Mas ele acha que eles carregaram o caixão para o sótão depois. Bem, quando Milty e sua mãe foram lá para cima, depois de tudo terminar, para pegar o chapéu dela, ele perguntou a ela onde era o paraíso para onde Jane Ellen tinha ido, e ela apontou para o teto e disse 'lá em cima'. Milty sabia que não tinha nada além do sótão lá em cima, então foi assim que ELE descobriu. E ele morre de medo de ir até a casa do Tio Simon desde aquele dia."

Anne colocou Davy em seu joelho e fez seu melhor para solucionar aquela outra confusão teológica. Ela era muito mais adequada para a função que Marilla, pois se lembrava da própria infância e tinha uma compreensão instintiva sobre as ideias curiosas que as crianças de 7 anos às vezes tinham sobre as coisas que são, com certeza, muito claras e simples para os adultos. Ela havia acabado de conseguir convencer Davy de que o paraíso NÃO era no sótão de Simon Fletcher quando Marilla chegou do jardim, onde ela e Dora estavam colhendo ervilhas. Dora era uma pequena alma trabalhadora e nunca ficava mais feliz do que quando estava "ajudando" em diversos pequenos deveres adequados aos seus dedos gordinhos. Ela alimentava as galinhas, colhia batatas, enxugava pratos e executava tarefas aos montes. Ela era organizada, confiável e observadora; nunca era preciso lhe dizer como fazer alguma coisa duas vezes e ela nunca esquecia nenhuma de suas pequenas obrigações. Davy, ao contrário, era desatento e esquecido, mas ele tinha um dom nato de ganhar amor, e ainda assim, Anne e Marilla gostavam mais dele.

Enquanto Dora orgulhosamente descascava as ervilhas e Davy fazia barquinhos com as cascas, com palitos de fósforo e velas de papel, Anne contou a Marilla sobre os maravilhosos conteúdos de sua carta.

"Oh, Marilla, o que você acha? Recebi uma carta de Priscilla e ela disse que a Sra. Morgan está na ilha, e que, se não houver nenhum problema, na quinta-feira elas virão até Avonlea e chegarão por volta do meio-dia. Elas vão passar a tarde conosco e ir para o hotel de White Sands à noite, porque alguns dos amigos da Sra. Morgan estão hospedados lá. Ah, Marilla, não é maravilhoso? Mal posso acreditar que não estou sonhando."

"Ouso dizer que a Sra. Morgan é bem parecida com as outras pessoas", disse Marilla secamente, embora ela própria se sentisse um pouco animada. A Sra. Morgan era uma mulher famosa, e uma visita dela não era uma ocorrência comum. "Elas ficarão para o almoço, então?"

"Sim, e, ah, Marilla, posso eu mesma cozinhar todo o almoço sozinha? Quero sentir que posso fazer algo para a autora de O Jardim dos Botões de Rosa, ainda que seja apenas preparar o almoço para ela. A senhora não vai se importar, vai?"

"Deus do céu, não gosto tanto assim de ficar cozinhando em cima do fogo em julho a ponto de me incomodar em deixar outra pessoa fazer isso no meu lugar. Você é muito bem-vinda ao trabalho."

"Oh, obrigada", disse Anne, como se Marilla houvesse concedido um tremendo favor, "vou preparar o menu hoje mesmo."

"É melhor você não tentar inventar muita moda", avisou Marilla, um pouco alarmada pelo som chamativo da palavra "menu". "Você vai se arrepender se fizer isso."

"Ah, não vou inventar nenhuma 'moda', se você quer dizer tentar fazer coisas que normalmente não temos em ocasiões festivas", garantiu Anne. "Isso seria afetação e, embora eu não tenha tanto bom senso e segurança quanto uma moça de 17 anos que é professora deveria ter, não sou tão boba ASSIM. Mas eu quero que tudo seja tão bom e delicioso quanto possível. Davyzinho, não deixe essas cascas de ervilha na escada... Alguém pode escorregar nelas. Eu vou preparar uma sopa leve para começar, a senhora sabe que faço um excelente creme de cebola, e depois umas duas aves assadas. Vou preparar os dois galos brancos. Eu tenho um carinho especial por aqueles galos e eles têm sido como animais de estimação desde que a galinha cinzenta botou os dois... pequenas bolinhas amarelas. Mas sei que eles teriam que ser sacrificados em algum momento, e certamente não poderia haver uma ocasião mais digna do que essa. Mas, oh, Marilla, EU não posso matá-los... nem mesmo pelo bem da Sra. Morgan. Vou pedir a Henry Carter para vir e fazer isso para mim."

"Eu faço", voluntariou-se Davy, "se Marilla segurar eles pelos pés, porque acho que vou precisar das duas mãos para segurar o machado. É muito engraçado ver eles pulando depois que a gente corta a cabeça deles."

"Então, teremos ervilhas e feijões, purê de batatas e uma salada de alface para os vegetais", continuou Anne, "e para a sobremesa, torta de limão com chantilly, e café com queijo e biscoitos de champanhe. Eu vou fazer as tortas e os biscoitos de champanhe amanhã e preparar meu vestido de musselina branca. E devo contar a Diana hoje à noite, pois ela vai querer preparar o dela. As heroínas da Sra. Morgan estão quase sempre vestidas de musselina branca, e Diana e eu sempre concordamos que seria o que nós vestiríamos quando a conhecêssemos. Será um elogio delicado, a senhora não acha? Davy, querido, não deve enfiar cascas de ervilha nas fendas do chão. Devo convidar o Sr. e a Sra. Allan e a Srta. Stacy para o almoço também, pois eles estão todos muito ansiosos para conhecer a Sra. Morgan. É tanta sorte ela vir enquanto a Srta. Stacy está aqui. Davy, querido, não coloque as cascas de ervilha no balde de água... leve para o cocho lá fora. Oh, eu espero que seja uma bela quinta-feira, e acredito que será, pois Tio Abe disse na noite passada, quando passou pela casa do Sr. Harrison, que choveria a maior parte da semana.

"Esse é um bom sinal", concordou Marilla.

Anne correu através do Pomar Slope naquela tarde para contar as notícias a Diana, que também estava muito empolgada, e elas discutiram o assunto na rede embaixo do grande salgueiro do jardim dos Barry.

"Oh, Anne, não posso ajudar você a preparar o almoço?", implorou Diana. "Você sabe que posso fazer uma salada de alface esplêndida."

"Claro que pode", disse Anne, sem egoísmo. "E quero que você me ajude com a decoração também. Eu quero que o salão seja simplesmente um PERGOLADO de flores... e a mesa do almoço deve ser enfeitada com rosas silvestres. Oh, espero que tudo corra bem. As heroínas da Sra. Morgan NUNCA arranjam confusão ou saem em desvantagem, e elas são sempre tão seguras de si e donas de casa tão boas. Elas parecem ter NASCIDO boas donas de casa. A senhora se lembra de que Gertrude em Dias em Edgewood arrumava a casa para o pai dela quando tinha apenas 8 anos de idade. Quando eu tinha 8 anos, eu mal sabia como fazer qualquer coisa a não ser cuidar de crianças. A Sra. Morgan deve ser uma autoridade quando se trata de meninas, uma vez que já escreveu tanto sobre elas, e quero muito que ela tenha uma boa opinião de nós. Eu já imaginei tudo de uma dúzia de formas diferentes... como ela é, o que ela vai dizer, o que eu vou dizer. E estou tão ansiosa por causa do meu nariz. Há sete sardas nele, como você pode ver. Elas surgiram depois do piquenique da SMVA, quando eu saí no sol sem o meu chapéu. Imagino que seja ingrato da minha parte me preocupar com elas, quando deveria estar grata por elas não terem se espalhado pelo meu rosto, como já aconteceu antes; mas gostaria que elas não tivessem surgido... todas as heroínas da Sra. Morgan têm uma pele tão perfeita. Não consigo lembrar de uma só que tivesse sardas."

"As suas não são muito perceptíveis", confortou-a Diana. "Tente colocar um pouco de suco de limão nelas hoje à noite."

No dia seguinte, Anne preparou suas tortas e biscoitos de champanhe, arrumou seu vestido de musselina, varreu e tirou o pó de todos os cômodos da casa... um procedimento bastante desnecessário, pois Green Gables estava, como sempre, em perfeita ordem, tão cara ao coração de Marilla. Mas Anne sentia que uma partícula de pó seria um sacrilégio em uma casa honrada com a visita de Charlotte E. Morgan. Ela até limpou o armário de "tranqueiras" sob a escada, embora não houvesse a menor possibilidade de a Sra. Morgan olhar seu interior.

"Mas quero SENTIR que está tudo em perfeita ordem, mesmo que ela não veja", Anne disse a Marilla. "A senhora sabe, no livro dela Chaves de Ouro ela faz com que suas duas heroínas, Alice e Louisa, adotem como lema aquele verso de Longfellow,

'Nos dias antigos da arte
Construtores moldavam com o máximo cuidado
Cada parte diminuta e não vista
Pois os deuses veem todos os lugares'.

E, portanto, elas sempre mantinham o porão limpo e nunca se esqueciam de varrer embaixo da cama. Eu teria a consciência pesada se pensasse nesse armário bagunçado enquanto a Sra. Morgan estivesse na casa. Desde que lemos Chaves de Ouro, em abril, Diana e eu também adotamos aquele verso como nosso lema."

Naquela noite, John Henry Carter e Davy planejaram entre si executar os dois galos brancos, e Anne os preparou, a tarefa normalmente desagradável sendo glorificada aos seus olhos pelo destino das gordas aves.

"Eu não gosto de limpar aves", ela contou a Marilla, "mas não é uma sorte não precisarmos colocar nossa alma naquilo que nossas mãos estejam fazendo? Eu estava limpando frangos com as minhas mãos, mas na minha imaginação, eu passeava pela Via Láctea."

"Achei que você tinha espalhado mais penas pelo chão do que o normal", observou Marilla.

Então, Anne colocou Davy na cama e o fez prometer que se comportaria perfeitamente no dia seguinte.

"Se eu for tão bom quanto puder durante o dia inteiro amanhã, você vai me deixar ser tão ruim quanto puder no outro dia?"

"Eu não poderia fazer isso", disse Anne, discreta, "mas vou levar você e Dora para remar no bote até o outro lado da lagoa, e vamos descer pela areia e fazer um piquenique."

"Temos um acordo", disse Davy. "Vou ser bom, pode apostar. Eu queria ir até o Sr. Harrison e atirar ervilhas em Ginger com a minha zarabatana nova, mas posso fazer isso outro dia. Acho que vai ser como um dia de domingo, mas um piquenique na beira do lago vai compensar ISSO."

CAPÍTULO XVII
Um capítulo sobre acidentes

Anne acordou três vezes durante a noite e fez peregrinações até sua janela para certificar-se de que a previsão do Tio Abe não estava se tornando realidade. Finalmente, a manhã nasceu perolada e lustrosa em um céu cheio de um brilho prateado e radiante, e o maravilhoso dia tinha chegado.

Diana apareceu logo depois do café da manhã, com uma cesta de flores em um braço e seu vestido de musselina no outro, pois não seria possível colocá-lo até que todos os preparativos para o almoço estivessem concluídos. Naquele momento, ela estava usando seu vestido estampado cor-de-rosa e um avental maravilhosamente cheio de babados e franzidos; e parecia muito arrumada, bonita e rosada.

"Você está simplesmente adorável", disse Anne, admirada.

Diana suspirou.

"Mas tive que me desfazer de todos os meus vestidos DE NOVO. Eu peso dois quilos a mais do que pesava em julho. Anne, ONDE isso vai parar? As heroínas da Sra. Morgan são todas altas e esbeltas."

"Bem, vamos esquecer nossos problemas e pensar em nossas bênçãos", disse Anne alegremente. "A Sra. Allan diz que sempre que pensamos em algo que é uma provação para nós, também devemos pensar em algo bom para servir de comparação. Ainda que esteja um pouco acima do peso, você também tem as covinhas mais lindas; e ainda que eu tenha um nariz cheio de sardas, o FORMATO dele é bonito. Você acha que o suco de limão fez algum bem?"

"Sim, acho que fez", disse Diana criticamente; e muito entusiasmada, Anne liderou o caminho até o jardim, que estava cheio de sombras aéreas e luzes douradas oscilantes.

"Vamos decorar o salão primeiro. Vamos ter bastante tempo, pois Priscilla disse que elas estariam aqui ao meio-dia ou meio-dia e meia, o mais tardar, então almoçaremos à uma."

Poderiam existir duas garotas mais felizes e empolgadas em algum lugar do Canadá ou dos Estados Unidos naquele momento, mas eu duvido. Cada corte de tesoura, enquanto rosas, peônias e campainhas caíam, parecia cantarolar "a Sra. Morgan está chegando hoje". Anne se perguntou como o Sr. Harrison PODERIA continuar a ceifar o feno calmamente do outro lado da estrada, como se nada estivesse prestes a acontecer.

O salão de Green Gables era um cômodo bastante sombrio e severo, com móveis rígidos de crina de cavalo, cortinas de renda duras e toalhas de crochê brancas que estavam sempre colocadas em um ângulo perfeitamente correto, exceto nas vezes em que ficavam presas nos botões infelizes de alguém. Mesmo Anne não foi capaz de espalhar muita graça pelo lugar, uma vez que Marilla não permitia nenhuma alteração. Mas é maravilhoso o que as flores podem fazer se dermos uma chance a elas;

quando Anne e Diana terminaram de arrumar o salão, você não seria capaz de reconhecê-lo.

Uma bandeja cheia de bolas de neve transbordava da mesa polida. O consolo preto e brilhante da lareira estava empilhado de flores e samambaias. Cada prateleira da estante continha um buquê de campainhas; os cantos escuros de cada lado da lareira estavam acesos com vasos cheios de peônias vermelhas e a própria lareira estava flamejante com papoulas amarelas. Todo esse esplendor e cor, misturado com a luz do sol caindo sobre os ramos de madressilva nas janelas em uma rebeldia cheia de folhas e sombras dançantes pelas paredes e pelo chão, transformou o deprimente salão no verdadeiro "pergolado de flores" da imaginação de Anne, e até mesmo extraiu um tributo de admiração de Marilla, que veio para criticar e ficou para elogiar.

"Agora, devemos pôr a mesa", disse Anne, no tom de uma sacerdotisa prestes a realizar algum ritual sagrado em honra de uma divindade. "Nós teremos um vaso cheio de rosas silvestres no centro e uma única rosa na frente de cada prato — e um buquê especial de botões de rosa apenas para a Sra. Morgan — uma alusão a O Jardim dos Botões de Rosa, você sabe."

A mesa foi posta na sala de estar, com o linho mais fino e as melhores porcelanas, copos e pratarias de Marilla. Você pode ter certeza absoluta de que cada artigo posicionado nela tinha sido polido ou esfregado até a mais alta perfeição possível de brilho e lustro.

Então, as meninas saíram da cozinha, que estava repleta de aromas apetitosos emanando do forno, onde os frangos já estavam sendo assados esplendidamente. Anne preparou as batatas e Diana deixou as ervilhas e o feijão prontos. Então, enquanto Diana se fechava na despensa para preparar a salada de alface, Anne, cujas bochechas já estavam começando a brilhar vermelhas, tanto de empolgação quanto pelo calor do fogo, preparava o molho de pão para os frangos, fatiava as cebolas para a sopa, e finalmente batia o chantilly para as tortas de limão.

E Davy durante todo aquele tempo? Ele estava cumprindo sua promessa de ser bom? Estava mesmo. Na verdade, ele insistiu em continuar na cozinha, pois sua curiosidade desejava ver tudo o que acontecia. Enquanto ele estava sentado silenciosamente em um canto, muito ocupado em desatar os nós de um pedaço de rede de pesca que tinha trazido de seu último passeio à praia, ninguém fez objeção a isso.

Às onze e meia, a salada de alface estava feita, os círculos dourados das tortas estavam cobertos de chantilly e tudo o que devia chiar e borbulhar estava chiando e borbulhando.

"É melhor irmos nos vestir agora", disse Anne, "pois elas devem chegar aqui ao meio-dia. Nós devemos almoçar pontualmente à uma, pois a sopa deve ser servida assim que estiver pronta."

E sérios foram os rituais de toalete realizados naquele momento no frontão leste. Anne observou seu nariz ansiosamente e se alegrou ao ver que suas sardas não estavam nada proeminentes, graças ao suco de limão ou ao incomum rubor de suas bochechas. Quando ficaram prontas, elas estavam adoráveis, elegantes e delicadas como quaisquer das "heroínas da Sra. Morgan."

"Espero ser capaz de dizer alguma coisa de vez em quando, e não ficar sentada como se fosse muda", disse Diana ansiosamente. "Todas as heroínas da Sra. Morgan conversam tão lindamente. Tenho medo de parecer estúpida e sem assunto. E tenho certeza de que vou acabar dizendo 'tô sabendo'. Eu não digo isso com frequência desde que a Srta. Stacy lecionou aqui, mas em momentos de empolgação acaba escapando. Anne, se eu disser 'tô sabendo' na frente da Sra. Morgan, vou morrer de vergonha. Seria quase tão ruim quanto não ter nada a dizer."

"Estou nervosa por causa de tantas coisas", disse Anne, "mas acho que não preciso ter medo de não conseguir falar."

E, para lhe fazer justiça, não precisava mesmo.

Anne envolveu seu esplendor de musselina em um grande avental e desceu para finalizar sua sopa. Marilla havia se vestido e também aos gêmeos, e parecia mais empolgada do que alguém já tinha visto antes. Ao meio-dia e meia, os Allan e a Srta. Stacy chegaram. Tudo estava indo bem, mas Anne estava começando a ficar nervosa. Estava certamente na hora de Priscilla e a Sra. Morgan chegarem. Ela fez visitas frequentes ao portão e olhou ansiosamente para a estrada com tanta frequência quanto sua xará na história do Barba Negra havia espiado pela janela da torre.

"E se elas acabarem não vindo?", perguntou ela penosamente.

"Não pense isso. Seria muita maldade", disse Diana, que, entretanto, estava começando a sentir um pressentimento desconfortável sobre o caso.

"Anne", disse Marilla, vindo do salão, "a Srta. Stacy quer ver a bandeja de porcelana azul de Madame Barry."

Anne correu até o armário da sala de estar para pegar a bandeja. Ela havia, conforme sua promessa para a Sra. Lynde, escrito para Madame Barry de Charlottetown, pedindo a peça emprestada. Madame Barry era uma velha amiga de Anne, e ela prontamente enviou a bandeja, com uma carta exortando Anne a ser muito cuidadosa com ela, pois havia custado vinte dólares. A bandeja havia servido seu propósito no bazar do Auxílio e havia sido devolvida ao armário de Green Gables, pois Anne não teria confiado em nenhuma outra pessoa além dela mesma para levá-la de volta à cidade.

Ela carregou a bandeja cuidadosamente até a porta da frente, onde seus convidados estavam aproveitando a brisa fresca que soprava do riacho. Ela foi examinada e admirada; então, assim que Anne a pegou de volta em suas próprias mãos, um barulho de algo se quebrando e caindo veio da despensa da cozinha. Marilla, Diana e Anne correram, a última pausando apenas para colocar a preciosa bandeja rapidamente sobre o segundo degrau da escada.

Quando chegaram à despensa, seus olhos encontraram um espetáculo verdadeiramente angustiante... um menininho de olhar culpado descia da mesa, com sua camisa estampada generosamente coberta de recheio amarelado, e na mesa estavam os restos destruídos do que haviam sido duas tortas de limão corajosas e cobertas de creme.

Davy havia terminado de desembaraçar sua rede de pesca e havia enrolado os fios em uma bola. Então, ele tinha ido até a despensa para colocá-la na prateleira acima da mesa, onde já mantinha um estoque de bolas semelhantes que, até onde se sabia, não serviam a nenhum propósito útil além de conceder a alegria da posse. Davy teve que escalar a mesa e alcançar a prateleira em um ângulo perigoso... Algo que tinha sido proibido por Marilla, uma vez que ele já havia fracassado antes no experimento. O resultado naquele caso foi desastroso. Davy escorregou e caiu espalhado sobre as tortas de limão. Sua blusa limpa ficou arruinada por um instante e as tortas, para todo o sempre. Entretanto, há males que vêm para o bem, e os porcos foram recompensados pelo azar de Davy.

"Davy Keith", disse Marilla, chacoalhando o ombro do menino, "eu não o proibi de subir naquela mesa de novo? Não proibi?"

"Eu esqueci", choramingou Davy. "Você já me disse para não fazer tantas coisas que não consigo me lembrar de todas."

"Bem, vá você lá para cima e fique lá até depois do almoço. Talvez você consiga organizar tudo em sua memória nesse tempo. Não, Anne, não se preocupe em interceder por ele. Não vou puni-lo por ter destruído suas tortas... Aquilo foi um acidente. Estou punindo-o pela desobediência. Vá, Davy, já disse."

"Não vou almoçar nada?", lamentou Davy.

"Você pode descer depois do almoço e comer na cozinha."

"Ah, tudo bem", disse Davy, de alguma forma reconfortado. "Eu sei que Anne vai guardar uns bons pedaços para mim, não vai, Anne? Porque você sabe que eu não tive a intenção de cair nas tortas. Diga, Anne, uma vez que elas ESTÃO destruídas, não posso levar uns pedaços lá para cima comigo?"

"Não, nenhuma torta de limão para você, senhor Davy", disse Marilla, empurrando-o em direção ao corredor.

"O que devemos fazer para a sobremesa?", perguntou Anne, olhando com arrependimento para a bagunça e destruição.

"Pegue um pote de compota de morangos", disse Marilla como consolo. "Há bastante chantilly na tigela."

Uma da tarde chegou... E nada de Priscilla ou da Sra. Morgan. Anne estava em agonia. Todos os pratos estavam perfeitos e a sopa estava exatamente como deveria, mas não ficariam assim por muito tempo.

"Acho que, no fim das contas, elas não virão mesmo", disse Marilla, irritada.

Anne e Diana buscaram conforto nos olhos uma da outra.

À uma e meia, Marilla surgiu novamente do salão.

"Meninas, nós DEVEMOS almoçar. Todos estão com fome e não adianta esperarmos mais. Priscilla e a Sra. Morgan não virão, isso é claro, e em nada vai adiantar ficar esperando."

Anne e Diana começaram a servir o almoço e toda a alegria havia desaparecido de sua performance.

"Não acredito que eu vá conseguir comer algo", disse Diana dolorosamente.

"Nem eu, mas espero que tudo esteja bom pelo bem da Srta. Stacy e do Sr. e da Sra. Allan", disse Anne, apática.

Quando Diana colocou as ervilhas no prato e as provou, uma expressão muito peculiar atravessou seu rosto.

"Anne, VOCÊ colocou açúcar nessas ervilhas?"

"Sim", disse Anne, amassando as batatas com o ar de quem estava realizando um dever moral. "Coloquei uma colher de açúcar. Nós sempre fazemos isso. Você não gosta?"

"Mas EU coloquei uma colher também quando as mandei para o forno", disse Diana.

Anne largou o amassador de batatas e experimentou as ervilhas. Então, ela fez uma careta.

"Que horrível! Eu nunca sonhei que você colocaria açúcar, porque eu sei que sua mãe nunca coloca. Eu acabei pensando nisso por acaso... Estou sempre esquecendo... Então coloquei uma colher."

"É um caso de cozinheiras demais, imagino", disse Marilla, que havia ouvido o diálogo com uma expressão bastante culpada. "Achei que você não se lembraria do açúcar, Anne, pois tenho certeza de que você nunca lembrou antes... então EU coloquei uma colher."

Os convidados no salão ouviram todas as risadas da cozinha, mas nunca souberam qual o motivo da graça. Entretanto, não havia nenhuma ervilha na mesa do almoço naquele dia.

"Bem", disse Anne, ficando séria novamente, com um suspiro conformado, "nós temos a salada, de qualquer forma, e não acho que nada tenha acontecido aos feijões. Vamos continuar e acabar com isso."

Não é possível dizer que aquele almoço foi um sucesso notável socialmente. Os Allan e a Srta. Stacy esforçaram-se para salvar a situação, e a placidez habitual de Marilla não estava perceptivelmente alterada. Mas Anne e Diana, entre sua decepção e a reação de sua empolgação durante a manhã, não conseguiam falar nem comer. Anne tentou heroicamente suportar sua parte na conversa pelo bem dos convidados, mas todo o brilho havia desaparecido dela naquele instante e, apesar de seu amor pelos Allan e pela Srta. Stacy, ela não conseguia evitar pensar como seria bom quando todos tiverem ido para casa e ela pudesse enterrar seu cansaço e decepção nos travesseiros do frontão leste.

Há um antigo provérbio que às vezes realmente parece ser inspirado: "Uma desgraça nunca vem sozinha." A medida das tribulações do dia ainda não estava cheia. Assim que a Sra. Allan havia terminado de agradecer, um som estranho e preocupante veio da escada, como um objeto duro e pesado saltando degrau a degrau, terminando com um grande estrondo no final. Todos correram para o corredor. Anne deu um grito de desespero.

Ao pé da escada havia uma grande concha cor-de-rosa no meio dos fragmentos do que havia sido a bandeja de Madame Barry; e, no topo da escada, Davy estava ajoelhado e aterrorizado, olhando para baixo com os olhos arregalados para o estrago.

"Davy", disse Marilla ameaçadoramente, "você jogou aquela concha aqui embaixo DE PROPÓSITO?"

"Não joguei, não", gemeu Davy. "Eu estava ajoelhado aqui, bem quieto, para ficar olhando vocês pelo corrimão, e meu pé bateu nessa coisa velha e a empurrou para baixo... e estou morrendo de fome... queria que vocês me batessem e acabassem com o assunto, em vez de sempre me mandar para cima para perder toda a diversão."

"Não culpe Davy", disse Anne, coletando os fragmentos com dedos trêmulos. "Foi minha culpa. Eu coloquei aquela bandeja ali e esqueci dela. Estou sendo punida de acordo com a minha falta de cuidado... Oh, o que Madame Barry vai dizer?"

"Bem, você sabe que ela acabou de comprá-la, então não é como se fosse uma relíquia de família", disse Diana, tentando consolar.

Os convidados saíram logo depois, sentindo que era a coisa mais diplomática a fazer, e Anne e Diana lavaram a louça, falando menos do que alguém já as tinha visto falar antes. Então, Diana foi para casa com uma dor de cabeça e Anne foi com outra para o frontão leste, onde ela ficou até Marilla voltar para casa do correio ao pôr do sol, com uma carta de Priscilla, escrita no dia anterior. A Sra. Morgan havia torcido o tornozelo tão seriamente que não podia deixar seu quarto.

"E, oh, Anne, querida", escreveu Priscilla, "sinto muito, mas receio que não poderemos ir a Green Gables agora, pois quando o tornozelo de titia estiver bom, ela terá que voltar para Toronto. Ela tem que estar lá em uma certa data."

"Bem", suspirou Anne, deixando a carta no degrau de arenito vermelho da varanda de trás, onde estava sentada, enquanto o crepúsculo descia sobre o céu mesclado, "sempre pensei que era bom demais para ser verdade a Sra. Morgan vir mesmo. Mas, chega... Este discurso parece tão pessimista quanto a Srta. Eliza Andrews e tenho vergonha de fazê-lo. Afinal de contas, NÃO era bom demais para ser verdade... Coisas tão boas e ainda melhores se realizam para mim o tempo inteiro. E imagino que os eventos de hoje também tenham um lado engraçado. Talvez quando Diana e eu estivermos velhas e grisalhas, poderemos rir de tudo isso, mas sinto que não posso fazer isso por enquanto, pois foi mesmo uma amarga decepção."

"Você provavelmente terá decepções maiores e piores que essa até o fim da vida", disse Marilla, que realmente achava que estava fazendo um discurso reconfortante. "Parece, Anne, que você nunca vai superar seu hábito de colocar tanto do seu coração nas coisas e depois cair em desespero por elas não se realizarem."

"Sei que sou muito inclinada a isso", concordou Anne tristemente. "Quando penso que algo bom vai acontecer, pareço voar nas asas da antecipação; e quando me dou conta, caio na terra com um baque. Mas, de verdade, Marilla, a parte do voo É gloriosa enquanto dura... é como pairar sobre o pôr do sol. Acho que quase compensa o baque."

"Bem, talvez compense", admitiu Marilla. "Eu preferiria andar calmamente e ficar sem o voo e sem o baque. Mas cada um tem seu modo de viver... Eu costumava pensar que havia apenas um modo... mas desde que peguei você e os gêmeos para criar, não estou mais tão certa disso. O que você vai fazer quanto à bandeja de Madame Barry?"

"Pagar a ela os vinte dólares que gastou, imagino. Fico grata por não ser uma herança estimada, porque, nesse caso, nenhum dinheiro poderia substituí-la."

"Talvez você possa achar uma parecida em algum lugar e comprar para ela."

"Receio que não. Bandejas antigas como aquelas são muito escassas. A Sra. Lynde não conseguiu encontrar uma em lugar nenhum para o jantar. Gostaria de achar, pois é claro que Madame Barry aceitaria outra bandeja, se fosse igualmente antiga e genuína. Marilla, veja aquela grande estrela sobre o bosque de bordos do Sr. Harrison, com toda aquela sagrada calma no céu prateado. Ela me faz sentir que é quase uma oração. Afinal, quando podemos ver estrelas e céus assim, pequenos acidentes e decepções não podem importar muito, podem?"

"Onde está Davy?", indagou Marilla, com um olhar indiferente para a estrela.

"Na cama. Eu prometi levar Davy e Dora até a praia para um piquenique amanhã. É claro, o acordo original era que ele deveria ser bom. Mas ele TENTOU ser bom... e não tenho coragem de desapontá-lo."

"Você vai se afogar ou afogar os gêmeos, remando pelo lago com aquele bote", resmungou Marilla. "Eu moro aqui há sessenta anos e nunca estive naquela lagoa."

"Bem, nunca é tarde para consertar isso", disse Anne de um jeito travesso. "Você poderia ir conosco amanhã. Vamos fechar Green Gables e passar o dia inteiro na praia e deixar o mundo de lado."

"Não, obrigada", disse Marilla, com uma ênfase indignada. "Eu seria uma bela visão, não seria, remando pela lagoa em um bote? Acho que já estou ouvindo Rachel falar sobre isso. Lá está o Sr. Harrison indo para algum lugar. Você acha que existe alguma verdade no rumor sobre o Sr. Harrison de estar indo ver Isabella Andrews?"

"Não, tenho certeza que não. Ele fez uma visita em uma tarde para tratar de negócios com o Sr. Harmon Andrews e a Sra. Lynde o viu e disse que sabia que ele estava fazendo a corte porque estava de colarinho branco. Eu não acredito que o Sr. Harrison vá se casar algum dia. Ele parecer ter um preconceito em relação ao casamento."

"Bem, nunca podemos ter certeza sobre esses velhos solteirões. E se ele estava de colarinho branco, eu concordo com a Rachel de que parece suspeito, pois tenho certeza de que nunca foi visto com um antes."

"Acho que ele apenas o colocou porque queria fechar um negócio com Harmon Andrews", disse Anne. "Eu o ouvi dizer que é o único momento em que um homem precisa ter cuidado com a aparência, porque se ele parecer próspero, a outra parte não ficará tão disposta a enganá-lo. Eu realmente sinto muito pelo Sr. Harrison, não creio que ele se sinta satisfeito com a vida dele. Deve ser muito solitário não ter ninguém com quem se preocupar, a não ser um papagaio, a senhora não acha? Mas percebo que o Sr. Harrison não gosta que sintam pena dele. Ninguém gosta, eu imagino."

"Lá está Gilbert vindo pela estrada", disse Marilla. "Se ele quiser que você vá remar na lagoa, faça o favor de colocar seu casaco e suas galochas. Tem bastante sereno hoje à noite."

CAPÍTULO XVIII
Uma aventura na Estrada Tory

"Anne", disse Davy, sentando na cama e apoiando o queixo nas mãos. "Anne, aonde vamos quando dormimos? As pessoas dormem toda noite, e é claro que sei que é o lugar onde faço as coisas que eu sonho, mas queria saber ONDE fica e como chego lá sem saber nada sobre isso... e ainda por cima de pijama. Onde fica?"

Anne estava ajoelhada na janela do frontão oeste assistindo ao pôr do sol, que era como uma grande flor com suas pétalas de açafrão e um coração de amarelo flamejante. Ela virou a cabeça para Davy e respondeu à pergunta sonhadoramente,

"'Sobre as montanhas da lua
Embaixo do vale da sombra.'"

Paul Irving teria entendido o significado dessas palavras, ou criado ele mesmo um significado, se não entendesse; mas o prático Davy, que, como Anne lembrava com desesperadora frequência, não tinha um pingo de imaginação, estava apenas intrigado e indignado.

"Anne, acho que você está falando coisas sem sentido."

"Claro que estou, querido menino. Você não sabe que apenas pessoas muito tolas falam com sentido o tempo inteiro?"

"Bem, acho que você deveria ter uma resposta sensata para a pergunta sensata que eu fiz", disse Davy, em um tom magoado.

"Oh, você é muito pequeno para entender", disse Anne. Mas sentiu vergonha por dizer isso; pois não tinha ela, com uma forte lembrança de muitos desprezos semelhantes direcionados a ela própria anos antes, jurado solenemente que nunca diria a criança nenhuma que ela era muito pequena para entender? Ainda assim, aqui estava ela fazendo isso... o vão entre a teoria e a prática pode ser tão amplo, às vezes.

"Bem, estou fazendo o meu melhor para crescer", disse Davy, "mas é uma coisa que não se pode apressar muito. Se Marilla não fosse tão mesquinha com a geleia dela, acredito que eu iria crescer bem mais rápido."

"Marilla não é mesquinha, Davy", disse Anne, severa. "É muita ingratidão sua dizer uma coisa dessas."

"Tem outra palavra que significa a mesma coisa e tem um som bem melhor, mas eu não lembro", disse Davy, franzindo a testa intensamente. "Eu ouvi a própria Marilla dizer que era um dia desses."

"Você quer dizer ECONÔMICA, é uma coisa MUITO diferente de ser mesquinha. É uma excelente qualidade em uma pessoa ser econômica. Se Marilla fosse mesquinha, ela não teria ficado com você e Dora quando sua mãe morreu. Você teria gostado de morar com a Sra. Wiggins?"

"Pode apostar que não!", Davy foi enfático nesse ponto. "E também não gostaria de ir embora com o Tio Richard. Acho que prefiro morar aqui, mesmo que Marilla seja essa palavra comprida quando o assunto é geleia, porque VOCÊ está aqui, Anne. Diga, Anne, você não pode me contar uma história antes de eu dormir? Eu não quero um conto de fadas. Eles são bons para meninas, eu acho, mas quero algo empolgante... muita matança e tiros, e uma casa em chamas, e coisas interessantes assim."

Felizmente para Anne, Marilla a chamou naquele momento.

"Anne, Diana está sinalizando bastante. É melhor você ver o que é."

Anne correu para o frontão leste e viu clarões de luz vindo através do crepúsculo da janela de Diana em grupos de cinco, o que significava, de acordo com seu código infantil, "Venha o mais rápido que puder, porque tenho algo importante para revelar". Anne jogou seu xale branco sobre a cabeça e correu pela Floresta Encantada e através do pasto do Sr. Bell, que era ligado ao Pomar Slope.

"Tenho boas notícias para você, Anne", disse Diana. "Mamãe e eu acabamos de chegar de Carmody, e eu vi Mary Sentner de Spencervale na loja do Sr. Blair. Ela disse que as velhas moças Copp na Estrada Tory têm uma bandeja de porcelana azul e acha que é exatamente como a que nós usamos no jantar. Ela disse que provavelmente vão querer vendê-la, pois Martha Copp nunca foi conhecida por manter nada que pudesse vender; mas, se não vender, há uma bandeja na casa de Wesley Keyson em Spencervale e ela sabe que eles a venderiam, só que não tem certeza de que é do mesmo tipo que a de Tia Josephine."

"Vou até Spencervale atrás dela amanhã", disse Anne, resoluta, "e você deve vir comigo. Vai tirar o peso da minha consciência, pois tenho que ir à cidade depois de amanhã e como vou encarar sua Tia Josephine sem uma bandeja de porcelana azul? Seria pior que a vez em que precisei confessar que pulei na cama do quarto de hóspedes."

As duas meninas riram da antiga lembrança, que, se algum dos meus leitores não estiver ciente e for curioso, devo recomendá-los a ler, está na história anterior de Anne.

Na tarde seguinte, as meninas seguiram em sua expedição de caça à bandeja. Eram dez milhas até Spencervale e o dia não estava especialmente agradável para viajar. Estava muito quente e sem nenhum vento, e a poeira da estrada estava como seria de esperar depois de seis semanas de tempo seco.

"Oh, eu gostaria que chovesse logo", suspirou Anne. "Tudo está tão seco. Os pobres campos parecem dignos de pena e as árvores parecem estar esticando suas mãos, pedindo pela chuva. Quanto ao meu jardim, me dói cada vez que vou até ele. Imagino que não deveria reclamar sobre um jardim quando as colheitas dos fazendeiros estão sofrendo tanto. O Sr. Harrison diz que seus pastos estão tão secos, que suas pobres vacas mal conseguem um bocado para comer e ele se sente culpado de crueldade com os animais toda vez que os olha nos olhos."

Depois de uma jornada cansativa, as meninas alcançaram Spencervale e desceram pela Estrada "Tory" — uma estrada verde, solitária, onde tiras de grama entre as marcas de roda serviam de evidência para a falta de viagens. Ao longo da maior parte de sua extensão, era contornada por um grupo vasto de jovens espruces que se alastravam até a estrada, com um vão aqui e ali onde o pasto de trás de uma fazenda de Spencervale surgia através da cerca ou uma extensão de estacas se tornava radiante com ervas-de-fogo e varas-de-ouro.

"Por que se chama Estrada Tory?", perguntou Anne.

"O Sr. Allan diz que é o mesmo princípio de chamar um lugar de bosque quando não há árvores nele", disse Diana, "pois ninguém mora ao longo da estrada, exceto as moças Copp e o velho Martin Bovyer bem no fim, que é liberal. O governo do Partido Conservador gastou muito dinheiro com a estrada quando estavam no poder só para mostrar que estavam fazendo alguma coisa."

O pai de Diana era um liberal, razão pela qual ela e Anne nunca discutiam política. As pessoas de Green Gables sempre tinham sido conservadoras.

Finalmente, as meninas chegaram à velha casa Copp... Um lugar de organização externa tão excessiva que até Green Gables sofreria em contraste. A casa era antiquada, situada em uma colina, fato que havia exigido a construção de um porão de pedra embaixo de um dos lados. A casa e suas construções anexas eram todas caiadas de branco a ponto de atingir uma perfeição ofuscante e nem uma erva daninha era visível no belo jardim da cozinha, cercado por suas estacas brancas.

"As cortinas estão todas cerradas", disse Diana com pesar. "Acredito que ninguém esteja em casa."

Aquele se provou o caso. As meninas olharam uma para a outra com perplexidade.

"Não sei o que fazer", disse Anne. "Se eu tivesse certeza de que a bandeja é do tipo certo, eu não me importaria de esperar que elas voltem, mas, se não for, pode ser tarde demais para ir até Wesley Keyson."

Diana olhou por uma certa janelinha quadrada em cima do porão.

"Essa é a janela da despensa, tenho certeza", ela disse, "porque essa casa é igualzinha à de Tio Charles em Newbridge, e aquela é a janela da despensa deles. A cortina não está cerrada, então se nós escalássemos o telhado daquela casinha, poderíamos olhar dentro da despensa e talvez conseguir enxergar a bandeja. Acha que faria algum mal?"

"Não, acho que não", decidiu Anne, depois da devida reflexão, "uma vez que nosso motivo não é pura curiosidade."

Depois daquele importante ponto de ética ter sido esclarecido, Anne preparou-se para subir a já mencionada "casinha", uma construção de madeira ripada, com um telhado pontudo, que havia servido no passado de habitação para patos. As moças Copp haviam desistido de criar patos — "porque eram pássaros muito desleixados" — e a construção não tinha sido usada por alguns anos, exceto como casa de correção para prender galinhas. Embora escrupulosamente caiada, havia se tornado bastante instável, e Anne tinha dúvidas enquanto subia por um ponto estratégico, composto de um barril colocado em cima de uma caixa.

"Tenho medo de não suportar o meu peso", disse ela, enquanto pisava cuidadosamente no telhado.

"Tente se apoiar no parapeito", aconselhou Diana, e Anne se apoiou de acordo. Para seu encanto, ela viu, enquanto espiava pela vidraça, uma bandeja de porcelana azul, exatamente como a que ela buscava, em uma prateleira em frente à janela. Foi tudo o que viu antes de a catástrofe acontecer. Em sua alegria, Anne esqueceu a natureza precária de seu equilíbrio, descuidadamente deixou de se apoiar no parapeito, deu um pequeno pulo de felicidade... e no momento seguinte caiu através do telhado até as axilas, e ali ficou pendurada, incapaz de sair. Diana correu para a casa dos patos e, segurando sua azarada amiga pela cintura, tentou puxá-la para baixo.

"Ai... não faça isso", gritou a pobre Anne. "Tem umas farpas compridas me pinicando. Veja se consegue colocar alguma coisa embaixo dos meus pés... talvez eu consiga me arrastar para cima."

Diana rapidamente arrastou o já mencionado barril e Anne descobriu que era apenas suficientemente alto para fornecer um descanso seguro para seus pés. Mas ela não conseguia se soltar.

"Eu conseguiria puxar você para fora se subisse?", sugeriu Diana.

Anne balançou a cabeça, sem esperanças.

"Não... As farpas estão doendo muito. Mas se você conseguir encontrar um machado, talvez consiga me tirar daqui. Oh, céus, eu realmente estou começando a acreditar que nasci sob uma estrela de má sorte."

Diana procurou incansavelmente, mas nenhum machado estava à vista.

"Vou ter que buscar ajuda", ela disse, voltando à prisioneira.

"Não, não vai não", disse Anne veementemente. "Se você for, a história vai chegar a todo lugar e vou morrer de vergonha. Não, devemos esperar as moças Copp voltarem para casa e fazê-las prometer sigilo. Elas vão saber onde o machado está e me tirar daqui. Não estou desconfortável, contanto que continue completamente parada — não desconfortável no CORPO, quero dizer. Eu me pergunto qual o valor que as moças Copp dão a esta casa. Devo pagar pelo dano que causei, mas não me importaria com isso se apenas tivesse certeza de que elas entenderiam meu motivo para espiar pela janela da despensa. Meu único conforto é que a bandeja é do tipo que eu quero e se a Srta. Copp vendê-la para mim, ficarei resignada com o que aconteceu."

"E se as moças Copp não voltarem para casa até anoitecer... ou até amanhã?", perguntou Diana.

"Se elas não voltarem ao pôr do sol, você terá que buscar outro auxílio, imagino", disse Anne, relutante, "mas não deve ir até que seja realmente necessário. Oh, céus, esse é um dilema terrível. Eu não me importaria tanto com as minhas desgraças se elas fossem românticas, como as das heroínas da Sra. Morgan sempre são, mas são sempre simplesmente ridículas. Imagine o que as moças Copp vão pensar quando chegarem ao quintal e virem a cabeça e os ombros de uma menina saindo do telhado de uma das casas. Escute... isso é uma carroça? Não, Diana, acho que é um trovão."

E, inquestionavelmente, era um trovão, e Diana, tendo feito uma peregrinação apressada em volta da casa, retornou para anunciar que uma nuvem muito escura estava vindo rapidamente na direção noroeste.

"Acho que vai cair uma tempestade pesada!", ela exclamou, em desespero. "Oh, Anne, o que vamos fazer?"

"Devemos nos preparar para ela", disse Anne tranquilamente. Uma tempestade parecia uma bobagem em comparação com o que já havia acontecido. "É melhor você levar o cavalo e a charrete para aquele barracão aberto. Felizmente, meu guarda-chuva está na charrete. Aqui... leve meu chapéu com você. Marilla disse que eu era uma boba por colocar meu melhor chapéu para vir à Estrada Tory, e, como sempre, ela estava certa."

Diana desamarrou o pônei e o levou para o barracão no mesmo instante em que pesadas gotas de chuva começaram a cair. Ela se sentou ali e assistiu ao aguaceiro que se seguiu, que foi tão denso e pesado que ela mal podia ver Anne através dele, segurando o guarda-chuva corajosamente sobre a cabeça desprotegida. Não houve muitos trovões, mas pela maior parte de uma hora, a chuva caiu em abundância. Ocasionalmente, Anne inclinava seu guarda-chuva e acenava uma mão encorajadora para sua amiga. Mas uma conversa àquela distância estava fora de questão. Finalmente, a chuva parou, o sol surgiu, e Diana se aventurou através das poças do quintal.

"Você se molhou muito?", ela perguntou ansiosamente.

"Ah, não", respondeu Anne alegremente. "Minha cabeça e ombros estão bastante secos e minha saia está apenas um pouco úmida onde a chuva atravessou as ripas. Não fique com pena de mim, Diana, pois não me importei nem um pouco. Fiquei pensando em como a chuva faria bem e como o meu jardim deve estar feliz por causa dela, e imaginando o que as flores e os botões estavam pensando quando as gotas começaram a cair. Imaginei o diálogo mais interessante entre os ásteres e as ervilhas-de-cheiro e entre os canários silvestres no arbusto lilás e o espírito guardião do jardim. Quando for para casa, vou escrever tudo. Gostaria de ter um lápis e um papel para fazer isso agora, porque ouso dizer que vou esquecer as melhores partes quando chegar em casa."

A fiel Diana tinha um lápis e encontrou uma folha de papel de embrulho na caixa da charrete. Anne dobrou seu guarda-chuva encharcado, colocou seu chapéu, espalhou o papel de embrulho em uma telha que Diana lhe entregou, e escreveu seu idílio sobre o jardim sob condições que dificilmente poderiam ser consideradas favoráveis à literatura. Entretanto, o resultado foi bastante bonito, e Diana ficou "extasiada" quando Anne leu para ela.

"Oh, Anne, é tão adorável... simplesmente adorável. Envie MESMO para a Canadian Woman".

Anne balançou a cabeça.

"Ah, não, não seria adequado de jeito nenhum. Não há nenhum ENREDO, veja bem. São apenas fantasias. Eu gosto de escrever coisas assim, mas é claro que nada desse tipo serviria para ser publicado, pois os editores insistem em enredos, é o que diz Priscilla. Oh, ali está a Srta. Sarah Copp agora. POR FAVOR, Diana, vá lá e explique."

A Srta. Sarah Copp era uma pessoa pequena, vestida de um preto desbotado, com um chapéu escolhido menos por ser um mero enfeite do que pelas qualidades que o fariam durar bastante. Ela parecia impressionada, como era de esperar, por ver o curioso quadro em seu quintal, mas quando ouviu a explicação de Diana, ela foi pura simpatia. Ela rapidamente destrancou a porta de trás, arranjou um machado e, com alguns golpes habilidosos, libertou Anne. Esta, um tanto cansada e rígida, deixou-se cair para dentro de sua prisão e, muito grata, emergiu para a liberdade mais uma vez.

"Srta. Copp", ela disse, ansiosamente. "Eu garanto à senhora que olhei pela janela de sua despensa apenas para descobrir se a senhora tinha uma bandeja de porcelana azul. Eu não vi mais nada — eu não PROCUREI mais nada."

"Bendita seja, está tudo bem", disse a Srta. Sarah amigavelmente. "Não precisa se preocupar, não houve nenhum dano. Graças a Deus, nós os Copp mantemos nossas despensas apresentáveis o tempo inteiro e não me importo com quem as vê. Quanto àquela velha casa dos patos, fico feliz por ter sido destruída, porque talvez Martha agora concorde em removê-la. Ela nunca o fez por medo de ser útil algum dia e eu tinha que passar cal toda primavera. Mas é mais fácil argumentar com um poste do que com Martha. Ela foi à cidade hoje, eu a levei até a estação. E você quer comprar minha bandeja. Bem, quanto você dá por ela?"

"Vinte dólares", disse Anne, que nunca havia feito negócio com um Copp, ou não teria oferecido seu preço logo de início.

"Bem, vamos ver", disse a Srta. Sarah cautelosamente. "Felizmente, aquela bandeja é minha, ou eu não ousaria vendê-la sem Martha aqui. Ainda assim, ouso dizer que ela vai fazer um estardalhaço. Martha é a chefe desta casa, posso lhe dizer. Estou muito cansada de viver sob o domínio de outra mulher. Mas, entrem, entrem. Vocês devem estar muito cansadas e com fome. Farei o melhor que puder para o chá, mas já aviso que não devem esperar nada além de pão e manteiga e alguns *pipinos*. Martha trancou todos os bolos, queijos e compotas antes de sair. Ela sempre faz isso, porque diz que sou muito extravagante com eles quando tenho visita."

As meninas estavam como fome suficiente para fazer justiça a qualquer cardápio, e aproveitaram imensamente o excelente pão com manteiga da Srta. Sarah e os "pipinos". Quando a refeição acabou, a Srta. Sarah disse:

"Eu não acho que me importo de vender a bandeja. Mas ela vale vinte e cinco dólares. É uma bandeja muito antiga".

Diana deu um leve chute no pé de Anne por baixo da mesa, que significava, "Não concorde, ela vai vendê-la por vinte se você se mantiver firme." Mas Anne não queria correr riscos em relação àquela preciosa bandeja. Ela prontamente concordou em dar vinte e cindo dólares e a Srta. Sarah parecia se sentir desapontada por não ter pedido trinta.

"Bem, imagino que você pode ficar com ela. Quero todo o dinheiro que poder juntar agora. A verdade é", a Srta. Sarah levantou a cabeça de um jeito importante, com um rubor profundo em suas bochechas magras, "que vou me casar com Luther Wallace. Ele me quis há vinte anos. Eu gostava mesmo dele, mas ele era pobre naquela época e meu pai o pôs para correr. Imagino que eu não devia tê-lo deixado escapar tão facilmente, mas eu era tímida e tinha medo do meu pai. Além disso, não sabia que os homens eram tão raros."

Quando as meninas já estavam a uma distância segura, Diana guiando e Anne segurando a cobiçada bandeja cuidadosamente em seu colo, a solidão verde e fresca por causa da chuva da Estrada Tory foi animada pelos sons das risadas das meninas.

"Vou entreter sua Tia Josephine com a 'curiosa e estranha história' desta tarde quando for à cidade amanhã. Nós passamos por uma grande provação, mas agora acabou. Estou com a bandeja e a chuva fez a poeira baixar esplendidamente. Então, 'tudo está bem quando acaba bem'".

"Ainda não chegamos em casa", disse Diana, um tanto pessimista, "e não podemos saber o que vai acontecer até chegarmos. Você é uma menina e tanto para ter aventuras, Anne."

"Ter aventuras acontece naturalmente para algumas pessoas", disse Anne serenamente. "Você simplesmente tem um dom para isso ou não tem."

CAPÍTULO XIX
Apenas um dia feliz

"No fim das contas", disse Anne para Marilla uma vez, "acredito que os melhores e mais adoráveis dias não são aqueles em que coisas muito esplêndidas, maravilhosas ou empolgantes acontecem, mas simplesmente aqueles que trazem pequenos prazeres, seguidos um do outro suavemente, como pérolas caindo de um cordão."

A vida em Green Gables estava cheia de dias assim, pois as aventuras e desventuras de Anne, como as de outras pessoas, não aconteciam todas de uma vez, mas estavam espalhadas pelo ano, com longos intervalos de dias inofensivos e felizes entre elas, cheias de trabalho, sonhos, risadas e lições. Um dia desses veio no fim de agosto. Pela manhã, Anne e Diana levaram os contentes gêmeos para ir de bote até o outro lado da lagoa, colher "erva-doce" e remar sobre as ondas, sobre as quais o vento estava entoando uma velha cantiga aprendida quando o mundo ainda era jovem.

À tarde, Anne desceu até a velha casa dos Irving para ver Paul. Ela o encontrou estirado no gramado ao lado do denso bosque de abetos que resguardava a casa ao norte, absorto em um livro de contos de fada. Ele ficou de pé, radiante, ao vê-la.

"Oh, fico tão feliz por ter vindo, professora", ele disse ansiosamente, "porque vovó saiu. A senhorita vai ficar para tomar o chá comigo, não vai? É tão solitário tomar o chá sozinho. A senhorita sabe, professora. Eu pensei seriamente em convidar a Jovem Mary Joe para se sentar e tomar o chá comigo, mas acho que vovó não aprovaria. Ela diz que os franceses devem ser mantidos em seu lugar. E de qualquer forma, é difícil falar com a Jovem Mary Joe. Ela só ri e diz 'Bem, você supera todas as crianças que já conheci'. Essa não é a minha ideia de uma conversa."

"Claro que ficarei para o chá", disse Anne alegremente. "Estava esperando você me convidar. Minha boca esteve salivando por causa dos bolinhos da sua avó desde que tomei o chá aqui da última vez."

Paul ficou muito sério.

"Se dependesse de mim, professora", disse ele diante de Anne, com suas mãos nos bolsos e seu lindo rosto sombreado por uma preocupação repentina, "você teria bolinhos de boa vontade. Mas depende de Mary Joe. Eu ouvi vovó dizer a ela antes de sair que ela não deveria me dar nenhum bolinho porque era pesado demais para estômagos de menininhos. Mas talvez Mary Joe dê alguns para você se eu prometer não comer nenhum. Vamos torcer pelo melhor."

"Sim, vamos", concordou Anne, a quem essa filosofia animada se adaptava perfeitamente, "e se Mary Joe provar que têm um coração duro e não me der nenhum bolinho, não tem o menor problema, então não precisa se preocupar com isso."

"Tem certeza de que não vai se importar se ela não der?", perguntou Paul ansiosamente.

"Certeza absoluta, querido."

"Então, não vou me preocupar", com um longo suspiro de alívio, "especialmente porque realmente acho que Mary Joe vai ouvir a voz da razão. Ela não é uma pessoa naturalmente insensata, mas aprendeu por experiência própria a não desobedecer às ordens de vovó. Vovó é uma mulher excelente, mas as pessoas devem fazer o que ela manda. Ela ficou muito satisfeita comigo hoje de manhã porque consegui ao menos comer todo o meu prato de mingau. Foi um grande esforço, mas fui bem-sucedido. Vovó disse que ainda vai me tornar um homem. Mas, professora, quero lhe fazer uma pergunta muito importante. A senhorita vai me responder com a verdade, não vai?"

"Vou tentar", prometeu Anne.

"Acha que tem algo de errado com a minha cabeça?", perguntou Paul, como se sua própria existência dependesse da resposta dela.

"Deus do céu! Não, Paul!", exclamou Anne com surpresa. "Certamente não. O que fez você colocar essa ideia na sua cabeça?"

"Mary Joe... mas ela não sabe que eu ouvi. A menina que o Sr. Peter Sloane contratou, Verônica, veio ver Mary Joe ontem à tarde e eu as ouvi conversando na cozinha enquanto atravessava o corredor. Eu ouvi Mary Paul dizer, 'Aquele Paul, ele é o menino mais esquisito. Ele fala tão estranho. Acho que ele não é bom da cabeça'. Eu não consegui dormir ontem à noite por muito tempo pensando nisso e imaginando se Mary Joe tinha razão. Eu não tive coragem de perguntar à vovó sobre isso, mas decidi perguntar à senhorita. Fico feliz por achar que estou bom da cabeça."

"Claro que está. Mary Joe é uma menina tola e ignorante, e você não deve se preocupar com nada do que ela fala", disse Anne, indignada, secretamente decidida a insinuar à Sra. Irving a necessidade de restringir a língua de Mary Joe.

"Bem, isso tira um peso da minha mente", disse Paul. "Estou perfeitamente feliz agora, professora, obrigado. Não seria bom ter algo de errado com a minha cabeça, não é, professora? Imagino que a razão de Mary Joe pensar que tem é porque eu às vezes conto para ela o que penso sobre as coisas."

"É uma prática perigosa", admitiu Anne, das profundezas de sua própria experiência.

"Bem, aos poucos vou lhe contar os pensamentos que contei a Mary Joe e poderá ver por si mesma se tem algo de estranho neles", disse Paul, "mas vou esperar até começar a escurecer. É nessa hora que fico com vontade de contar as coisas às pessoas, e quando não tem mais ninguém disponível, eu TENHO que contar a Mary Joe. Mas depois disso, não vou contar, se faz ela pensar que não estou bom da cabeça. Vou apenas passar vontade e suportar."

"E se a vontade for muito grande, você pode vir a Green Gables e me contar seus pensamentos", sugeriu Anne, com uma seriedade que a fazia amada pelas crianças, que tanto amam ser levadas a sério.

"Sim, eu vou. Mas espero que Davy não esteja lá quando eu for, porque ele faz umas caretas para mim. Eu não me importo MUITO, porque ele é um menino tão pequeno e eu sou bem grande, mas ainda acho que não é agradável que façam caretas para a gente. E Davy faz umas horríveis. Às vezes fico com medo de ele não conseguir mais endireitar o rosto. Ele faz caretas para mim na igreja quando eu deveria estar pensando em coisas sagradas. Já Dora gosta de mim, e eu gosto dela, mas não tanto quanto eu gostava antes de ela contar a Minnie May Barry que quer se casar comigo quando eu crescer. Eu posso me casar com alguém quando crescer, mas sou muito jovem para pensar nisso, não acha, professora?"

"Muito jovem", concordou a professora.

"Falando em casamento, isso me faz lembrar outra coisa que tem me preocupado ultimamente", continuou Paul. "A Sra. Lynde esteve aqui um dia na semana passada para tomar chá com a vovó, e vovó me fez mostrar a ela a foto da minha mãezinha... a que meu pai me mandou como presente de aniversário. Eu não queria muito mostrá-la a Sra. Lynde. A Sra. Lynde é uma mulher boa e gentil, mas ela não é o tipo de pessoa para quem a gente quer mostrar a foto da mãe. A senhorita sabe, professora. Mas claro que obedeci a vovó. A Sra. Lynde disse que ela era muito bonita, mas que tinha um jeito de atriz e que deveria ser muito mais jovem que o meu pai. Então, ela disse, 'Um dia desses, seu pai provavelmente vai se casar de novo. O que você vai achar de ter uma nova mãe, Sr. Paul?'. Bem, a ideia quase me tirou o fôlego, professora, mas eu não deixaria a Sra. Lynde ver aquilo. E só olhei bem para a cara dela, assim, e disse 'Sra, Lynde, meu pai fez um ótimo trabalho ao escolher minha mãe da primeira vez e posso confiar nele para fazer o mesmo da segunda vez'. E POSSO confiar nele, professora. Ainda assim, espero que ele pergunte a minha opinião se realmente for me dar uma nova mãe, antes que seja tarde demais. Lá está Mary Joe vindo nos chamar para o chá. Vou consultá-la a respeito dos bolinhos."

Como resultado da "consulta", Mary Joe preparou alguns bolinhos e incluiu um prato de conservas no cardápio. Anne serviu o chá e ela e Paul fizeram uma refeição alegre na velha sala de estar com as janelas abertas para as brisas do golfo, falaram muitas coisas "sem sentido" que escandalizaram Mary Joe e foram contadas a Verônica na tarde seguinte e resultaram no comentário de que "a professora era esquisita igual ao Paul". Depois do chá, Paul levou Anne ao seu quarto para mostrar-lhe a foto da mãe, que tinha sido o misterioso presente de aniversário mantido pela Sra. Irving na estante. O quarto de teto baixo de Paul era um redemoinho de luz suave vindo do sol, que estava se pondo sobre o mar, e sombras dançantes das árvores de abetos, que cresciam próximo à janela quadrada e profunda. Daquela luminosidade e encanto suaves, brilhou um rosto doce, feminino, com carinhosos olhos de mãe, que estava pendurado na parede ao pé da cama.

"Essa é a minha mãezinha", disse Paul com um orgulho amoroso. "Eu pedi a vovó para pendurar aqui onde posso vê-la assim que abro meus olhos de manhã. Eu nem me importo de ficar com a lâmpada quando vou para a cama agora, porque parece que minha mãezinha está bem aqui comigo. Papai sabia do que eu gostaria como presente de aniversário, apesar de nunca ter me perguntado. Não é maravilhoso quanto os pais sabem MESMO?"

"Sua mãe era muito encantadora, Paul, e você se parece um pouco com ela, mas os olhos e os cabelos dela são mais escuros que os seus."

"Meus olhos são da mesma cor que os de meu pai", disse Paul, correndo pelo quarto para empilhar todas as almofadas disponíveis no assento da janela, "mas o cabelo do meu pai é grisalho. Ele tem bastante cabelo, mas é grisalho. Sabe, meu pai tem quase 50 anos. É uma idade madura, não é? Mas ele só é velho POR FORA. POR DENTRO ele é tão jovem quanto qualquer um. Agora professora, por favor, sente-se aqui; e vou me sentar aos seus pés. Posso colocar minha cabeça no seu joelho? É assim que eu e minha mãezinha costumávamos nos sentar. Ah, isso é realmente esplêndido, eu acho."

"Agora, quero ouvir aqueles pensamentos que Mary Joe declarou serem tão esquisitos", disse Anne, alisando os cachos ao seu lado. Paul nunca precisou de persuasão para contar seus pensamentos... ao menos para almas amigáveis.

"Eu pensei neles no bosque de abetos uma noite dessas", ele disse sonhadoramente. "Claro, eu não ACREDITEI neles, mas eu PENSEI neles. A senhorita sabe, professora. E, então eu queria contá-los para alguém e não tinha ninguém além de Mary Joe. Mary Joe estava na despensa fazendo pão, eu me sentei no banco ao lado dela e disse, 'Mary Joe, sabe o que eu acho? Acho que a estrela da noite é um farol na terra em que as fadas habitam'. E Mary Joe disse, 'Bem, você é um menino estranho. Não tem essas coisas de fada'. Eu me senti muito provocado. É claro, eu sabia que fadas não existem; mas aquilo não precisava me impedir de pensar que existiam. A senhorita sabe, professora. Aí eu tentei de novo com bastante paciência. Eu disse, 'Bem, então, Mary Joe, sabe o que eu penso? Penso que um anjo anda sobre o mundo depois que o sol se põe — um grande, alto, anjo branco com asas prateadas — e canta para as flores e os pássaros dormirem. As crianças conseguem ouvi-lo se souberem como escutar'. Então, Mary Joe levantou as mãos da farinha e disse, 'Bem, você é o menino mais esquisito mesmo. Você me dá medo'. E ela realmente parecia com medo. Eu saí naquela hora e sussurrei o resto dos meus pensamentos para o jardim. Havia uma pequena bétula no jardim, e ela morreu. Vovó diz que a maresia a matou, mas acho que a dríade que pertencia a ela era uma tola que saiu por aí para ver o mundo e se perdeu. E a pequena árvore ficou tão solitária que morreu de coração partido."

"E quando a pobre, tola e pequena dríade se cansar do mundo e voltar para sua árvore, o coração DELA vai se partir", disse Anne.

"Sim, mas se dríades forem tolas, elas devem arcar com as consequências, assim como se fossem pessoas reais", disse Paul seriamente. "A senhorita sabe o que eu penso sobre a lua nova, professora? Acho que é um pequeno barco dourado cheio de sonhos."

"E quando ela encosta em uma nuvem, alguns sonhos vazam e caem em seu sono."

"Exatamente, professora. Oh, a senhorita entende MESMO. E acho que as violetas são pequenos pedaços do céu que caíram quando os anjos cortaram buracos através dos quais as estrelas pudessem brilhar. E os ranúnculos são feitos de ouro velho; e acho que as ervilhas-de-cheiro vão ser borboletas quando forem para o céu. Agora, professora, a senhorita vê algo tão esquisito assim nesses pensamentos?"

"Não, meu querido, eles não são nem um pouco esquisitos; eles são pensamentos diferentes e lindos para um menininho ter, e então pessoas que não poderiam pensar nada do tipo sozinhas, mesmo que tentassem por cem anos, pensam que são esquisitos. Mas continue pensando neles, Paul... algum dia você vai ser um poeta, creio eu."

Quando Anne chegou em casa, encontrou um tipo diferente de menino esperando para ser colocado na cama. Davy estava mal-humorado; e quando Anne o despiu, ele pulou na cama e enterrou o rosto no travesseiro.

"Davy, você se esqueceu de fazer suas orações", disse Anne, repreendendo-o.

"Não, não esqueci", disse Davy, desafiador, "mas não vou mais fazer minhas orações. Vou desistir de ser bom, porque não importa quanto eu seja bom, você gosta mais de Paul Irving. Então é melhor eu ser ruim e me divertir com isso."

"Eu não gosto MAIS de Paul Irving", disse Anne seriamente. "Eu gosto dele tanto quanto gosto de você, apenas de um jeito diferente."

"Mas quero que você goste de mim do mesmo jeito", disse Davy, fazendo beicinho.

"Não podemos gostar de pessoas diferentes do mesmo jeito. Você não gosta de mim e de Dora do mesmo jeito, gosta?"

"Davy sentou-se e refletiu.

"Nã...ão...ão", ele admitiu, enfim, "gosto de Dora porque ela é minha irmã, mas gosto de você porque você é VOCÊ."

"E gosto de Paul porque ele é Paul e de Davy porque ele é Davy", disse Anne alegremente.

"Bem, nesse caso eu gostaria de ter feito minhas orações", disse Davy, convencido por aquela lógica. "Mas é muito trabalho levantar agora para isso. Vou fazer as orações duas vezes de manhã, Anne. Isso não serve?"

Não, Anne tinha certeza de que não servia. Então, Davy desceu e ajoelhou-se perto dela. Quando terminou suas preces, ele se inclinou em seus pequenos e descalços calcanhares e olhou para ela.

"Anne, eu estou 'mais bom' do que costumava ser."

"Sim, está mesmo, Davy", disse Anne, que nunca hesitava em dar crédito quando o crédito era devido.

"Eu SEI que estou 'mais bom'", disse Davy, confiante, "e vou lhe dizer como sei. Hoje Marilla me deu duas fatias de pão com geleia, uma para mim e a outra para Dora. Uma era bem maior que a outra e Marilla não disse qual era a minha. Mas eu dei a fatia maior para Dora. Isso foi bom da minha parte, não foi?"

"Muito bom e muito cavalheiresco, Davy."

"Claro que", admitiu Davy, "Dora não estava com muita fome e só comeu metade da fatia dela e depois deu o resto para mim. Mas eu não sabia que ela ia fazer isso quando dei para ela, então eu FUI bom, Anne."

Ao anoitecer, Anne estava passeando pelas Borbulhas da Dríade e viu Gilbert Blythe descendo pela escura Floresta Assombrada. Ela percebeu de repente que Gilbert não era mais um menino. E como ele se parecia com um homem — um rapaz alto, de rosto sincero, com olhos claros e honestos e ombros largos. Anne pensou que Gilbert era um rapaz muito bonito, embora não se parecesse de modo algum com o homem ideal dela. Ela e Diana muito tempo antes haviam decidido que tipo de homem admiravam e seus gostos pareciam exatamente iguais. Ele deveria ser alto e de aparência distinta, com olhos melancólicos, inescrutáveis, e uma voz suave e simpática. Não havia nada de melancólico ou inescrutável na fisionomia de Gilbert, mas é claro que aquilo não importava para a amizade!

Gilbert saiu das samambaias ao lado das Borbulhas e olhou de forma aprovadora para Anne. Se tivessem pedido a Gilbert para descrever sua mulher ideal, a descrição teria sido respondida com as características de Anne de ponta a ponta, até aquelas sete pequeninas sardas, cuja presença desagradável continuava a incomodá-la. Gilbert ainda era pouco mais que um menino. Mas um menino tem seus sonhos assim como os outros, e no futuro de Gilbert sempre havia uma menina com grandes e límpidos olhos cinzentos e um rosto fino e delicado como uma flor. Ele também havia decidido que seu futuro deveria ser digno de sua deusa. Mesmo na tranquila Avonlea existiam tentações a ser encontradas e enfrentadas. A juventude de White Sands era um grupo bastante "rápido", e Gilbert era popular aonde quer que fosse. Mas ele queria se manter digno da amizade de Anne e, talvez, em algum futuro distante, de seu amor; e vigiava cada palavra, pensamento e ação com desconfiança, como se os claros olhos dela fossem julgá-lo. Ela mantinha sobre ele a inconsciente influência que toda garota, cujos ideais sejam altos e puros, exerce sobre seus amigos; uma influência que poderia durar enquanto ela fosse fiel àqueles ideais e que ela certamente perderia se fosse desonesta com eles. Aos olhos de Gilbert, o maior charme de Anne era o fato de ela nunca se rebaixar às práticas mesquinhas de tantas meninas de Avonlea — os pequenos ciúmes, as intriguinhas e rivalidades, as evidentes propostas de favores. Anne se mantinha longe de tudo isso, sem ter consciência ou intenção, mas simplesmente porque qualquer coisa do tipo era completamente estranha à sua natureza transparente, impulsiva, clara como um cristal, em seus motivos e aspirações.

Mas Gilbert não tentou colocar seus pensamentos em palavras, pois já tinha boas razões para saber que Anne descartaria, sem misericórdia e friamente, todas as tentativas de sentimento do companheiro — ou riria dele, o que seria dez vezes pior.

"Você parece uma dríade de verdade embaixo dessa bétula", ele disse, provocando-a.

"Eu amo as bétulas", disse Anne, pousando sua bochecha sobre o cetim cor de creme do esbelto tronco, com um dos gestos bonitos e carinhosos que eram tão naturais a ela.

"Então, vai ficar feliz em saber que o Sr. Major Spencer decidiu plantar uma fileira de bétulas brancas ao longo da estrada na frente de sua fazenda, como forma de encorajar a SMVA", disse Gilbert. "Ele estava falando comigo sobre isso hoje. Major Spencer é o homem mais progressista e de espírito público em Avonlea. E o Sr. Bell vai colocar uma sebe de espruces ao longo de sua estrada e da entrada da fazenda. Nossa Sociedade está se saindo esplendidamente, Anne. Já passou da fase experimental e se tornou um fato consumado. O pessoal mais velho está começando a se interessar por ela e o pessoal de White Sands está falando em começar uma também. Até Elisha Wright mudou de opinião desde que os americanos do hotel fizeram o piquenique na praia. Eles elogiaram tanto nossas estradas e disseram que eram muito mais bonitas do que em qualquer outra parte da ilha. E quando, em seu devido tempo, os outros fazendeiros seguirem o bom exemplo do Sr. Spencer e plantarem árvores ornamentais e sebes ao longo de suas estradas, Avonlea será o lugar mais bonito da província."

"O Auxílio tem falado sobre dar um jeito no cemitério", disse Anne, "e espero que façam isso, porque vai ser preciso arrecadar dinheiro para isso, e não adiantaria a Sociedade tentar depois do problema do auditório. Mas o Auxílio nunca teria tocado no assunto se a Sociedade não o houvesse colocado em seus pensamentos informalmente. Aquelas árvores que plantamos no terreno da igreja estão florescendo, e os administradores me prometeram que vão cercar o terreno da escola no ano que vem. Se eles fizerem isso, farei um Dia da Árvore e cada aluno plantará uma; e teremos um jardim no canto perto da estrada."

"Tivemos sucesso em quase todos os nossos planos até agora, exceto demolir a velha casa Boulter", disse Gilbert, "e eu já desisti DAQUILO por desespero. Levi não vai demoli-la apenas para nos irritar. Há uma veia contrária em todos os Boulter e está fortemente desenvolvida nele."

"Julia Bell quer enviar outro comitê para ele, mas acho que é melhor o deixarmos completamente sozinho", disse Anne sabiamente.

"E confiar na Providência Divina, como a Sra. Lynde diz", sorriu Gilbert. "Com certeza, chega de comitês. Eles apenas o irritaram. Julia Bell acha que você pode fazer qualquer coisa, se apenas tiver um comitê para fazer uma tentativa. Na próxima primavera, Anne, devemos tentar uma agitação a favor de belos gramados e terrenos. Nós plantamos boas sementes neste inverno. Tenho um tratado aqui sobre gramados e seus cuidados e vou preparar um relatório sobre esse assunto em breve. Bem, imagino que nossas férias estejam quase no fim. A escola volta na segunda-feira. Ruby Gillis conseguiu a escola de Carmody?"

"Sim. Priscilla escreveu dizendo que tinha organizado sua própria escola, então os administradores de Carmody a deram a Ruby. Sinto muito por Priscilla não voltar, mas já que ela não pode, fico feliz por Ruby ter ficado com a escola. Ela estará em casa aos sábados e será como nos velhos tempos, com ela, Jane, Diana e eu todas juntas novamente."

Marilla acabara de chegar da casa da Sra. Lynde e estava sentada no degrau da varanda de trás quando Anne voltou para casa.

"Rachel e eu decidimos fazer nossa viagem até a cidade amanhã", ela disse. "O Sr. Lynde está se sentindo melhor esta semana e Rachel quer ir antes que ele passe mal de novo."

"Eu pretendo acordar muito cedo amanhã de manhã, pois tenho muito a fazer", disse Anne virtuosamente. "Primeiramente, vou trocar as penas do meu velho colchão para o novo. Deveria ter feito isso há muito tempo, mas fiquei deixando para depois... é uma tarefa detestável. É um velho hábito deixar tarefas desagradáveis para depois, e nunca pretendo fazer isso de novo, senão não poderei dizer confortavelmente aos meus pupilos para não fazerem isso. Seria inconsistente. Depois, quero fazer um bolo para o Sr. Harrison, terminar meu relatório sobre jardins para a SMVA, escrever para Stella, lavar e engomar meu vestido de musselina e fazer um avental novo para Dora."

"Não vai conseguir fazer nem a metade", disse Marilla, pessimista. "Eu nunca planejei fazer tantas coisas, mas algo sempre acontece para nos impedir."

CAPÍTULO XX

Do jeito que sempre acontece

Anne levantou cedo na manhã seguinte e cumprimentou despreocupadamente o novo dia, quando as bandeiras do pôr do sol foram balançadas triunfalmente através do céu perolado. Green Gables deitava em uma piscina de luz do sol, salpicada com as sombras dançantes dos choupos e salgueiros. Além da terra, estava o campo de trigo do Sr. Harrison, uma vastidão de ouro pálido beijada pelo vento. O mundo era tão lindo que Anne passou dez minutos gloriosos pendurada ociosamente no portão do jardim, absorvendo sua beleza.

Depois do café da manhã, Marilla se preparou para sua jornada. Dora iria com ela, já que havia muito tempo lhe tinham prometido essa recompensa.

"Agora, Davy, tente ser um bom menino e não atrapalhe Anne", ela o cobrou diretamente. "Se for bom, vou lhe trazer um doce da cidade."

Aliás, Marilla havia se rebaixado ao maldoso hábito de subornar as pessoas para serem boas!

"Não vou ser ruim de propósito, mas e se eu for ruim sem querer?", queria saber Davy.

"Você terá que se proteger contra acidentes", advertiu Marilla. "Anne, se o Sr. Shearer vier hoje, pegue um bom pedaço de carne e um pouco de filé. Se ele não vier, você terá que matar uma ave para o jantar amanhã."

Anne assentiu.

"Não vou me dar ao trabalho de preparar o almoço apenas para mim e para Davy hoje", ela disse. "Aquele presunto frio será suficiente para um lanche e vou fritar um filé para a senhora quando chegar em casa à noite."

"Vou ajudar o Sr. Harrison a carregar algas dulse hoje de manhã", disse Davy. "Ele me pediu e acho que vai me convidar para o almoço também. O Sr. Harrison é um homem muito bom. Ele é muito sociável. Espero ser como ele quando crescer. Quero dizer, me COMPORTAR como ele... não quero PARECER com ele. Mas acho que não tem perigo, pois a Sra. Lynde diz que sou uma criança muito bonita. Você não acha que isso vai durar, Anne? Queria saber."

"Ouso dizer que vai", disse Anne seriamente. "Você é um menino bonito, Davy", Marilla parecia desaprovar imensamente, "mas você deve fazer jus a isso e ser tão gentil e cavalheiresco quanto parece ser."

"E você disse a Minnie May Barry um dia desses, quando a viu chorando porque alguém disse que ela era feia, que, se ela fosse boa e gentil, as pessoas não se importariam com a sua aparência", disse Davy, descontente. "Parece que a gente não consegue se livrar de ser bom nesse mundo, de um jeito ou de outro. A gente só TEM que se comportar."

"Você não quer ser bom?", perguntou Marilla, que havia aprendido muito, mas ainda não havia aprendido a inutilidade de perguntar tais coisas.

"Sim, quero ser bom, mas não bom DEMAIS", disse Davy cautelosamente. "A gente não precisa ser muito bom para ser superintendente da escola dominical. O Sr. Bell é superintendente e é um homem muito ruim."

"Claro que não", disse Marilla, indignada.

"É sim... ele mesmo disse", assegurou Davy. "Ele disse isso quando rezou na escola dominical no domingo passado. Ele disse que era um verme vil, um pecador miserável e culpado da pior iniquidade. O que ele fez que foi tão ruim, Marilla? Ele matou alguém? Ou roubou o dinheiro da oferenda? Eu queria saber."

Felizmente, a Sra. Lynde apareceu na estrada naquele momento e Marilla saiu, sentindo que havia escapado da armadilha do caçador, e desejando fervorosamente que o Sr. Bell não fosse tão figurativo em suas petições públicas, especialmente aos ouvidos de menininhos que estavam sempre "querendo saber".

Anne, deixada sozinha em sua glória, trabalhou com vontade. O chão foi varrido, as camas foram arrumadas, as galinhas, alimentadas, o vestido de musselina, lavado e pendurado no varal. Depois, Anne preparou-se para transferir as penas. Ela subiu até o sótão e colocou o primeiro vestido velho em seu alcance... um vestido azul marinho de caxemira que ela havia usado aos 14 anos. Estava decididamente curto e apertado, como o notável vestido que Anne havia trajado na ocasião de sua estreia em Green Gables; mas ao menos ele não ficaria muito danificado pelas penas e fiapos. Anne completou sua toalete amarrando um lenço vermelho grande de bolinhas brancas que havia pertencido a Matthew sobre a cabeça e, já preparada, dirigiu-se para o quartinho ao lado da cozinha, para onde Marilla, antes de sua partida, a havia ajudado a carregar o colchão de penas.

Um espelho rachado estava pendurado na janela do quarto e em um momento de má sorte, Anne olhou para ele. Lá estavam aquelas sete sardas no nariz dela, mais exuberantes que nunca, ou assim pareciam sob a luz da janela sem cortinas.

"Oh, esqueci de passar aquela loção na noite passada", ela pensou. "É melhor eu descer até a despensa e fazer isso agora."

Anne já havia sofrido muitas coisas tentando remover aquelas sardas. Em uma ocasião, a pele toda do nariz tinha descascado, mas as sardas permaneceram. Alguns dias antes, ela havia encontrado a receita de uma loção para sardas em uma revista e, como os ingredientes estavam a seu alcance, ela imediatamente a fez, muito para o desgosto de Marilla, que pensava que, se a Divina Providência havia colocado sardas em seu nariz, era seu dever sagrado deixá-las ali.

Anne correu até a despensa, que sempre tinha pouca luz por causa do grande salgueiro crescendo perto da janela e estava agora quase escura por causa da cortina cerrada para espantar as moscas. Anne pegou a garrafa contendo a loção e a espalhou pelo nariz abundantemente, usando uma pequena esponja designada para aquele propósito. Depois daquele importante dever realizado, ela voltou ao trabalho. Qualquer um que tenha trocado penas de um colchão para o outro não precisa que lhe contem que, quando Anne terminou, ela era uma visão e tanto. Seu vestido estava branco de fiapos e penugem, e a parte da frente de seu cabelo, escapando do lenço, estava enfeitada com uma autêntica auréola de penas. Naquele momento auspicioso, uma batida soou na porta da cozinha.

"Deve ser o Sr. Shearer", pensou Anne. "Estou numa bagunça terrível, mas vou ter que descer assim mesmo, pois ele está sempre com pressa."

Anne correu até a porta da cozinha. Se um chão caridoso realmente pudesse se abrir para engolir uma donzela miserável e emplumada, o chão da varanda de Green Gables teria prontamente engolfado Anne naquele momento. Na soleira da porta esperavam Priscilla Grant, dourada e bela, vestida de seda; uma dama baixa e corpulenta de cabelos grisalhos em um terno de tweed; e outra dama, imponentemente alta, maravilhosamente vestida, com um rosto lindo e refinado, olhos violeta de cílios escuros, que Anne "instintivamente sentiu", como teria dito antigamente, ser a Sra. Charlotte E. Morgan.

No desespero do momento, um pensamento se destacou na confusão da mente de Anne e ela o agarrou como último recurso. Todas as heroínas da Sra. Morgan eram reconhecidas por "estar à altura da situação". Não importava quais eram seus problemas, elas invariavelmente ficavam à altura da situação e mostravam sua superioridade em todos os problemas relacionados ao tempo, ao espaço e à quantidade. Anne, portanto, sentiu que era SEU dever estar à altura da ocasião e ela fez isso, tão perfeitamente que Priscilla mais tarde declarou que nunca admirou Anne Shirley tanto quanto naquele momento. Independentemente de quais fossem seus sentimentos de indignação, ela não os mostrou. Ela cumprimentou Priscilla e foi apresentada a suas companhias tão calma e seguramente como se estivesse vestida de púrpura e fino linho. Na verdade, de certa forma foi um choque descobrir que a dama que ela havia instintivamente sentido ser a Sra. Morgan não era mesmo a Sra. Morgan, mas uma desconhecida chamada Sra. Pendexter, e a corpulenta e pequena mulher grisalha era a Sra. Morgan; mas com um choque maior, o menor perdeu seu poder. Anne conduziu suas convidadas até o quarto de hóspedes e depois para o salão, onde as deixou enquanto se apressava para ajudar Priscilla a desatrelar o cavalo lá fora.

"É terrível virmos até aqui tão inesperadamente assim", desculpou-se Priscilla, "mas eu não sabia até a noite passada que viríamos. Tia Charlotte vai embora na segunda-feira e ela tinha prometido passar o dia com uma amiga da cidade. Na noite passada, porém, a amiga dela telefonou para pedir que não fosse, porque está de quarentena por causa da escarlatina. Então, eu sugeri que viéssemos aqui em vez disso, pois sabia que você estava ansiosa para vê-la. Nós ligamos no Hotel White Sands e trouxemos a

Sra. Pendexter conosco. Ela é amiga de titia, mora em Nova Iorque e seu marido é um milionário. Não podemos ficar por muito tempo, pois a Sra. Pendexter tem que estar de volta ao hotel às cinco em ponto."

Diversas vezes enquanto estavam guardando o cavalo, Anne pegou Priscilla olhando-a de modo furtivo e intrigado.

"Ela não precisava ficar me encarando tanto", Anne pensou, um pouco ressentida. "Se ela não SABE o que é trocar um colchão de penas, deve IMAGINAR."

Quando Priscilla havia ido ao salão, e antes que Anne pudesse escapar lá para cima, Diana entrou na cozinha. Anne pegou sua espantada amiga pelo braço.

"Diana Barry, quem você imagina que está naquele salão neste exato momento? Sra. Charlotte E. Morgan... e a esposa de um milionário de Nova Iorque... e aqui estou eu ASSIM... e NÃO TEM NADA EM CASA PARA O ALMOÇO A NÃO SER PRESUNTO FRIO, Diana!"

Àquela altura, Anne havia percebido que Diana a estava encarando da mesma forma desnorteada que Priscilla tinha feito. Era mesmo demais.

"Oh, Diana, não me olhe desse jeito", ela implorou. "VOCÊ, ao menos, deve saber que a pessoa mais organizada do mundo não poderia esvaziar penas de um colchão e passar para o outro e continuar limpa durante o processo."

"Não... não... não são as penas", hesitou Diana. "É... é... o seu nariz, Anne."

"Meu nariz? Oh, Diana, com certeza não há nada de errado com ele!"

Anne correu até o pequeno espelho sobre a pia. Um olhar revelou a verdade fatal. Seu nariz estava de um vermelho brilhante!

Anne sentou-se no sofá, com seu destemido espírito, enfim, derrotado.

"Qual é o problema com ele?", perguntou Diana, cuja curiosidade superava a delicadeza.

"Eu pensei que estava esfregando minha loção para sardas nele, mas devo ter usado aquela tinta vermelha que Marilla tem para fazer desenhos nos tapetes dela", foi a resposta desesperada. "O que vou fazer?"

"Lave", disse Diana, sendo prática.

"Talvez não saia mesmo lavando. Primeiro, pintei meu cabelo; agora pintei meu nariz. Marilla cortou meu cabelo fora quando o tingi, mas aquela solução dificilmente seria possível nesse caso. Bem, este é mais um castigo pela vaidade, e imagino que eu mereça, embora não haja muito conforto NISSO. É realmente quase suficiente para fazer uma pessoa acreditar em má sorte, embora a Sra. Lynde diga que isso não existe, porque tudo é predestinado."

Felizmente, a tinta saiu facilmente ao ser lavada, e Anne, um tanto consolada, dirigiu-se ao frontão leste enquanto Diana corria para casa. Em seguida, Anne desceu novamente, vestida e recomposta. O vestido de musselina que ela havia carinhosamente desejado vestir estava balançando alegremente no varal lá fora, então ela foi obrigada a se contentar com seu vestido preto. Ela tinha acendido o fogo e estava fazendo o chá quando Diana retornou. Ela ao menos estava usando SEU vestido de musselina e carregava uma bandeja coberta nas mãos.

"Mamãe lhe mandou isso", ela disse, levantando o pano e exibindo um belo frango fatiado aos olhos gratos de Anne.

O frango foi acompanhado por um leve pão fresco, manteiga e queijos excelentes, o bolo de frutas de Marilla e um prato de ameixas em conserva, flutuando em seu xarope dourado como em um cristalizado raio de luz do sol. Havia também uma tigela cheia de ásteres brancos e cor-de-rosa, como decoração; ainda assim o arranjo parecia muito escasso em comparação com aquilo que havia sido preparado anteriormente de um jeito tão elaborado para a Sra. Morgan.

As famintas convidadas de Anne, entretanto, não pareceram achar que alguma coisa estava faltando e comeram as simples iguarias com aparente satisfação. Mas depois dos primeiros instantes, Anne não pensou mais no que estava ou não em seu cardápio. A aparência da Sra. Morgan poderia ser um tanto decepcionante, como até mesmo suas leais adoradoras haviam sido forçadas a admitir uma a outra; mas ela provou ser uma conversadora encantadora. Ela havia viajado extensamente e era uma contadora de histórias excelente. Ela havia visto muitos homens e mulheres e havia cristalizado suas experiências em pequenas frases espirituosas e epigramas que faziam seus ouvintes sentir que estavam ouvindo uma personagem saída de livros inteligentes. Mas por baixo de todo o seu brilho, havia uma tendência à verdade fortemente percebida, uma simpatia feminina e uma bondade de coração que conquistavam a afeição tão facilmente quanto ganhavam a admiração. E ela não monopolizou a conversa. Ela conseguia atrair os outros tão completa e habilidosamente quanto podia falar por si própria, e Anne e Diana se viram falando livremente com ela. A Sra. Pendexter falou pouco; ela meramente sorriu com seus adoráveis olhos e lábios, e comeu o frango, o bolo de frutas e a compota com uma graça tão requintada que dava a impressão de estar se banqueteando de ambrosia e néctar. Mas também, como Anne disse a Diana mais tarde, uma pessoa tão divinamente bonita como a Sra. Pendexter não precisava falar; era suficiente para ela apenas OLHAR.

Depois do almoço, todos saíram para caminhar pela Estrada dos Amantes, pelo Vale Violeta e pelo Caminho das Bétulas e depois de volta pela Floresta Assombrada até as Borbulhas da Dríade, onde se sentaram para conversar pela encantadora última meia hora. A Sra. Morgan queria saber como a Floresta Assombrada havia ganho aquele nome, e riu até chorar quando ouviu a história e o relato dramático de Anne sobre um certo passeio memorável através dela durante a hora assustadora do crepúsculo.

"Foi certamente um banquete da virtude e um fluxo da alma, não foi?", disse Anne, quando suas convidadas partiram e ela e Diana estavam sozinhas novamente. "Não sei do que gostei mais... ouvir a Sra. Morgan ou olhar para a Sra. Pendexter. Creio que nos divertimos mais do que se soubéssemos que elas estavam vindo e ficássemos distraídas servindo tantas coisas. Você precisa ficar para tomar o chá comigo, Diana, e vamos conversar sobre isso."

"Priscilla disse que a irmã do marido da Sra. Pendexter é casada com um conde inglês; e ainda assim ela se serviu uma segunda vez da compota de ameixa", disse Diana, como se os dois fatos fossem, de alguma forma, incompatíveis.

"Ouso dizer que até mesmo o próprio conde inglês não teria torcido o nariz para a compota de ameixa de Marilla", disse Anne, orgulhosa.

Anne não mencionou a desgraça que havia recaído sobre seu nariz quando relatou a história do dia para Marilla naquela noite. Mas ela pegou a garrafa de loção e a esvaziou do lado de fora da janela.

"Nunca mais vou experimentar ideias malucas de embelezamento", disse ela, sombriamente resoluta. "Elas podem servir para pessoas cuidadosas e deliberadas, mas para qualquer um que é tão irremediavelmente dado a cometer erros como eu, mexer com isso parece ser desafiar o destino."

CAPÍTULO XXI

A doce Srta. Lavendar

A escola voltou e Anne retornou ao trabalho, com menos teorias, mas consideravelmente com mais experiência. Ela tinha diversos novos pupilos, crianças de 6 e 7 anos se aventurando, de olhos arregalados, em um novo mundo de maravilhas. Entre eles estavam Davy e Dora. Davy sentou-se com Milty Boulter, que estava indo à escola havia um ano e, portanto, era um homem vivido. Dora tinha feito um pacto na escola dominical no domingo anterior para sentar-se com Lily Sloane, mas como Lily Sloane não veio no primeiro dia, ela ficou temporariamente com Mirabel Cotton, que tinha 10 anos e, portanto, aos olhos de Dora, era uma das "meninas grandes."

"Acho que a escola é muito divertida", Davy disse a Marilla quando chegou em casa naquela noite. "Você disse que eu acharia difícil ficar sentado, e eu achei — você quase sempre diz a verdade, já percebi —, mas dá para balançar as pernas embaixo da mesa e isso ajuda muito. É maravilhoso ter tantos meninos com quem brincar. Eu sento com Milty Boulter, e ele é legal. Ele é mais comprido que eu, mas eu sou mais largo. É mais legal sentar lá no fundo, mas a gente não pode sentar lá até as pernas crescerem o suficiente para tocar o chão. Milty desenhou a Anne na lousa dele, ficou muito feio e eu disse a ele que, se fizesse mais desenhos assim da Anne, eu ia arrebentar a cara dele no recreio. Eu pensei primeiro em desenhar ele e colocar chifres e um rabo, mas fiquei com medo de magoar os sentimentos dele, e Anne diz que nunca devemos magoar ninguém. Parece terrível ser magoado. É melhor derrubar um menino do que magoar os sentimentos dele quando a gente TEM que fazer alguma coisa. Milty disse que não tinha medo de mim, mas que ia colocar o nome de outra pessoa para me agradar, então ele apagou o nome de Anne e escreveu Barbara Shaw embaixo. Milty não gosta de Barbara porque ela o chama de doce menininho e uma vez ela deu um tapinha na cabeça dele."

Dora disse educadamente que gostava da escola, mas estava muito quieta, até mesmo para ela, e quando Marilla a mandou subir para a cama ao anoitecer, ela hesitou e começou a chorar.

"Estou... estou com medo", ela soluçou. "Eu... eu não quero subir sozinha no escuro."

"Que ideia é essa na sua cabeça agora?", quis saber Marilla. "Tenho certeza de que você foi para a cama sozinha o verão inteiro e nunca teve medo antes."

Dora continuou a chorar, então Anne a pegou e a abraçou com compaixão e sussurrou:

"Conte para Anne o que houve, meu amor. Do que você tem medo?"

"Do... do tio da Mirabel Cotton", soluçou Dora. "Mirabel Cotton me contou sobre a família dela hoje na escola. Quase todo mundo na família dela morreu — todos os avôs e avós e um monte de tios e tias. Eles têm o costume de morrer, Mirabel disse. Ela tem muito orgulho de ter tantos parentes mortos e também me disse do que eles morreram, o que eles disseram e como eles estavam no caixão. E Mirabel me contou que um dos tios dela foi visto andando pela casa depois de ter sido enterrado. A mãe dela o viu. Eu não me importei muito com o resto, mas não consigo parar de pensar naquele tio."

Anne subiu com Dora e sentou-se a seu lado até que ela dormisse. No dia seguinte, Mirabel Cotton conteve-se durante o recesso e, de um jeito "gentil, mas firme", deu a entender que, quando se tem a infelicidade de possuir um tio que persiste em andar pela casa depois de ter sido devidamente sepultado, não era de bom-tom falar sobre aquele excêntrico cavalheiro com sua colega de carteira de tenra idade. Mirabel achava aquilo muito difícil. Os Cotton não tinham muito do que se gabar. Como ela manteria seu prestígio entre seus colegas de escola se fosse proibida de tirar proveito do fantasma da família?

Setembro passou em uma graça dourada e vermelha para outubro. Em uma noite de sexta-feira, Diana veio.

"Recebi uma carta de Ella Kimball hoje, Anne, e ela nos pediu para irmos até lá para o chá amanhã à tarde para conhecer sua prima, Irene Trent, da cidade. Mas não podemos pegar um de nossos cavalos, pois todos vão ser usados amanhã, e seu pônei está coxo... então, imagino que não poderemos ir."

"Por que não andamos?", sugeriu Anne. "Se formos direto pelo bosque, chegaremos à estrada de West Grafton, não muito longe da casa dos Kimball. Eu passei por aquele caminho no inverno passado e conheço a estrada. Não são mais que quatro milhas e não vamos precisar andar para casa, pois Oliver Kimball com certeza vai nos trazer. Ele vai ficar até feliz pela desculpa, pois vai ver Carrie Sloane e dizem que seu pai quase nunca o deixa pegar um cavalo."

Foi assim combinado que elas andariam, e na tarde seguinte elas saíram, passando pela Estrada dos Amantes até a parte de trás da fazenda dos Cuthbert, onde encontraram uma estrada que levava ao coração de um vislumbre de acres de florestas de bétulas e bordos, que estavam todos com um maravilhoso brilho flamejante e dourado, estendidos em uma grande calmaria e paz púrpura.

"É como se o ano estivesse se ajoelhando para rezar em uma vasta catedral cheia de uma luz suave e colorida, não é?", disse Anne, sonhadora. "Não parece certo correr aqui, parece? Parece desrespeitoso, como correr em uma igreja."

"Mas PRECISAMOS correr", disse Diana, olhando para seu relógio. "Nós já estamos com pouco tempo."

"Bem, vou andar depressa, mas não me peça para falar", disse Anne, apressando o passo. "Eu só quero beber o encanto deste dia... Sinto como se alguém o estivesse segurando perto dos meus lábios como uma taça de vinho fresco e que vou beber um gole a cada passo."

Talvez fosse por estar tão absorta em "beber" que Anne pegou o caminho da esquerda ao chegar numa bifurcação da estrada. Ela devia ter pegado o da direita, mas mais tarde considerou aquilo como o erro mais afortunado de sua vida. Elas finalmente saíram em uma estrada solitária e cheia de grama, sem nada em vista a não ser fileiras de mudas de espruces.

"Ora, onde estamos?", exclamou Diana, desnorteada. "Esta não é a estrada de West Grafton."

"Não, é a estrada principal de Middle Grafton", disse Anne, bastante envergonhada. "Eu devo ter pegado o caminho errado na bifurcação. Não sei exatamente onde estamos, mas devemos estar ainda a três milhas da casa dos Kimball."

"Então, não vamos chegar lá às cinco, pois já são quatro e meia agora", disse Diana, com um olhar desesperado para o relógio. "Vamos chegar lá depois do chá e eles vão ter o trabalho de preparar tudo de novo para nós."

"É melhor voltarmos e irmos para casa", sugeriu Anne humildemente. Diana, depois de pensar, vetou aquela ideia.

"Não, é melhor irmos e passarmos a tarde, já que viemos até aqui."

Alguns metros depois, as meninas chegaram a um lugar onde a estrada se bifurcava novamente.

"Qual destas nós pegamos?", perguntou Diana, em dúvida.

Anne balançou a cabeça.

"Não sei, e não podemos nos dar ao luxo de cometer mais erros. Aqui está um portão e um caminho levando direto para a floresta. Deve haver uma casa do outro lado. Vamos até lá perguntar."

"Que estrada mais antiga e romântica", disse Diana, enquanto andavam através de suas voltas e reviravoltas. Ela passava por baixo de velhos abetos patriarcais, cujos galhos se encontravam lá em cima, criando uma penumbra perpétua em que nada além de musgo podia crescer. De cada lado havia madeira castanha no chão, atravessada aqui e ali por raios arremessados pelo sol. Tudo era muito calmo e remoto, como se o mundo e suas preocupações estivessem bem longe.

"Sinto como se estivéssemos andando por uma floresta encantada", disse Anne em um tom abafado. "Você acha que vamos encontrar nosso caminho de volta para o mundo real, Diana? Devemos estar chegando a um palácio com uma princesa enfeitiçada dentro, eu acho."

Na curva seguinte, elas viram, não um palácio, mas uma casinha quase tão surpreendente quanto um palácio teria sido naquela província de casas de fazenda comuns e feitas de madeira, todas tão parecidas em suas características gerais como se tivessem crescido da mesma semente. Anne parou de repente em êxtase e Diana exclamou: "Ah, eu sei onde estamos agora. Esta é casinha de pedra onde a Srta. Lavendar Lewis mora... Cabana do Eco, ela se chama, eu acho. Eu já ouvi sobre ela, mas nunca a tinha visto. Não é um lugarzinho romântico?"

"É o lugar mais doce e bonito que eu já vi ou imaginei", disse Anne, encantada. "Parece simplesmente ter saído de um livro de histórias ou de um sonho."

A casa era uma estrutura baixa construída com blocos crus de arenito vermelho da ilha, com um pequeno telhado pontudo do qual surgiam duas janelas, com telhas de madeira pitorescas sobre elas, e duas grandes chaminés. A casa inteira era coberta por uma hera exuberante, que encontrava apoio fácil no arenito bruto e tinha sido tingida pelas geadas de outono nos mais bonitos tons de bronze e vinho.

Diante da casa havia um jardim oblongo para o qual o portão do caminho onde as meninas estavam se abria. A casa era delimitada por ele de um lado; dos outros três era cercada por um velho muro de pedras, tão coberto por musgo, grama e samambaias que parecia uma sebe alta e verde. À esquerda e à direita, os altos e escuros espruces espalhavam seus galhos sobre ela; mas embaixo havia um pequeno prado, verde por causa dos trevos, descendo até a margem azul do Rio Grafton. Nenhuma outra casa ou clareira estava à vista... nada além de colinas e vales cobertos por jovens samambaias.

"Eu me pergunto que tipo de pessoa a Srta. Lewis é", especulou Diana, enquanto abriam o portão para o jardim. "Dizem que ela é muito peculiar."

"Ela deve ser interessante, então", disse Anne decididamente. "As pessoas peculiares são sempre no mínimo interessantes, não importa o que mais elas sejam ou deixam de ser. Eu não lhe disse que chegaríamos a um palácio encantado? Eu sabia que os elfos não tinham lançado mágica sobre aquele caminho para nada."

"Mas a Srta. Lavendar Lewis não tem nada de princesa enfeitiçada", riu Diana. "Ela é uma velha solteirona... Ela tem 45 anos e é bastante grisalha, ouvi dizer."

"Ah, isso é só parte do feitiço", afirmou Anne, confiante. "Em seu coração ela ainda é jovem e bela... E se apenas soubéssemos como desfazer o feitiço, ela surgiria radiante e linda novamente. Mas não sabemos como — é sempre e apenas o príncipe que sabe como —, e o príncipe da Srta. Lavendar ainda não veio. Talvez algum infortúnio fatal tenha caído sobre ele, embora ISSO seja contra a lei em todos os contos de fada."

"Temo que ele tenha vindo há muito tempo e partido", disse Diana. "Dizem que ela era noiva de Stephen Irving, o pai de Paul, quando eles eram jovens, mas eles tiveram uma discussão e se separaram."

"Quieta", avisou Anne. "A porta está aberta."

As meninas pararam na varanda embaixo das gavinhas da hera e bateram na porta aberta. Havia um padrão de degraus lá dentro e uma personagem bastante estranha se apresentou, uma menina de uns 14 anos, com um rosto sardento, um nariz arrebitado e uma boca tão grande que parecia mesmo ir "de orelha a orelha" e duas longas tranças de cabelo claro com dois enormes laços de fita azul.

"A Srta. Lewis está em casa?", perguntou Diana.

"Sim, madame. Entre, madame. Vou dizer a Srta. Lavendar que estão aqui, madame. Ela está lá em cima, madame."

Com isso, a pequena empregada sumiu de vista e as meninas, deixadas sozinhas, olharam ao redor encantadas. O interior daquela pequena e maravilhosa casa era tão interessante quanto seu exterior.

O cômodo tinha um teto baixo e duas pequenas janelas de vidro, cobertas por cortinas de musselina. Toda a mobília era antiga, mas mantida com tanto cuidado e delicadeza que o efeito era adorável. Mas deve ser candidamente admitido que a característica mais atraente, para duas saudáveis garotas que haviam acabado de caminhar quatro milhas sob o ar outonal, era uma mesa posta com porcelana azul clara e coberta de guloseimas, enquanto samambaias douradas espalhadas pela toalha davam o que Anne teria descrito como um "ar festivo".

"A Srta. Lavendar deve estar esperando companhia para o chá", ela sussurrou. "Há seis lugares postos. Mas que menininha engraçada ela tem. Ela parece uma mensageira da terra das fadas. E imagino que ela poderia nos dizer o caminho, mas fiquei curiosa para ver a Srta. Lavendar. E... e... ela está vindo."

E lá estava a Srta. Lavendar Lewis em pé sobre a soleira da porta. As meninas ficaram tão surpresas que esqueceram as boas maneiras e simplesmente a encararam. Elas tinham inconscientemente esperado ver o tipo habitual de velha solteirona que conheciam por experiência, uma personagem cheia de ângulos, com um cabelo grisalho bem-arrumado e óculos. Nada mais diferente a respeito da Srta. Lavendar poderia ter sido imaginado.

Ela era uma dama pequena com cabelos brancos lindamente ondulados e grossos, cuidadosamente arrumados em belos cachos e topetes. Por baixo deles, um rosto quase de menina, de bochechas rosadas e lábios doces, com grandes e suaves olhos castanhos e covinhas — covinhas de verdade. Ela vestia um traje muito delicado de musselina cor de creme com rosas azuis — um traje que teria parecido ridiculamente juvenil na maioria das mulheres da idade dela, mas que se adequava à Srta. Lavendar tão perfeitamente que ninguém jamais pensaria algo assim.

"Charlotta, a Quarta, diz que vocês desejavam me ver", disse ela, em uma voz que correspondia à sua aparência.

"Nós queríamos perguntar o caminho certo para a estrada de West Grafton", disse Diana. "Fomos convidadas para o chá na casa do Sr. Kimball, mas pegamos o caminho errado saindo da floresta e saímos na estrada principal em vez de sair na estrada de West Grafton. Nós devemos virar à direita ou à esquerda do seu portão?"

"À esquerda", disse a Srta. Lavendar, com um olhar hesitante para sua mesa de chá. Então, ela exclamou numa repentina explosão de resolução,

"Mas, ah, vocês não querem ficar e tomar o chá comigo? Por favor, fiquem. O Sr. Kimball terá terminado o chá quando vocês chegarem lá. E Charlotta, a Quarta, e eu vamos ficar tão felizes por ter vocês aqui."

Diana olhou em um questionamento mudo para Anne.

"Nós gostaríamos de ficar", disse Anne prontamente, pois havia decidido que queria saber mais sobre aquela surpreendente Srta. Lavendar, "se não for inconveniente para a senhorita. Mas está esperando outros convidados, não está?"

A Srta. Lavendar olhou para sua mesa novamente e corou.

"Sei que vão pensar que sou terrivelmente tola", ela disse. "Eu SOU tola e sinto vergonha disso quando as pessoas descobrem, mas nunca quando NÃO SOU descoberta. Não estou esperando ninguém... Apenas estava fingindo estar. Sabe, estava tão solitária. Adoro companhia, digo, o tipo certo de companhia, mas tão pouca gente vem aqui, porque é tão fora de mão. Charlotta, a Quarta, estava solitária também. Então, apenas fingi que teria visitas para o chá. Cozinhei, decorei a mesa, coloquei a porcelana do casamento de minha mãe e me vesti de acordo."

Diana secretamente pensou que a Srta. Lavendar era tão peculiar quanto se dizia sobre ela. A ideia de uma mulher de 45 anos brincando de ter visitas para o chá, como se fosse uma menininha! Anne, com olhos brilhantes, exclamou alegremente: "Oh, VOCÊ também imagina coisas?"

Aquele "também" revelou uma alma amiga à Srta. Lavendar.

"Sim, imagino", ela confessou corajosamente. "Claro que é tolice em qualquer uma tão velha quanto eu. Mas de que adianta ser uma velha solteira e independente se não posso ser tola quando quiser, algo que não faz mal a ninguém? Uma pessoa deve ter algumas compensações. Eu não acredito que poderia viver às vezes se não imaginasse coisas. Não costumam me pegar fazendo isso, e Charlotta, a Quarta, nunca conta a ninguém. Mas fico feliz por ter sido descoberta hoje, pois vocês realmente vieram e tenho o chá esperando por vocês. Vocês não querem ir até o quarto de hóspedes para tirar os chapéus? Na porta branca em frente à escada. Devo correr até a cozinha e ver se Charlotta, a Quarta, não está deixando o chá ferver. Charlotta, a Quarta, é uma menina muito boa, mas ela SEMPRE deixa o chá ferver."

A Srta. Lavendar saiu para a cozinha com pensamentos hospitaleiros em sua intenção e as meninas encontraram o caminho até o quarto de hóspedes, um apartamento tão branco quanto sua porta, iluminado pela janela coberta de hera e parecendo, como disse Anne, o lugar onde sonhos felizes cresciam.

"Esta é uma aventura e tanto, não é?", disse Diana. "E a Srta. Lavendar não é um doce, ainda que SEJA um pouco estranha? Ela não se parece nem um pouco com uma velha solteirona."

"Ela parece soar como música, eu acho", respondeu Anne.

Quando desceram, a Srta. Lavendar estava carregando a chaleira, e atrás dela, parecendo muito satisfeita, vinha Charlotta, a Quarta, com um prato de biscoitos quentinhos.

"Agora, devem me dizer seus nomes", disse a Srta. Lavendar. "Fico tão feliz por serem menininhas. Amo menininhas. É tão fácil fingir que eu mesma sou uma menininha quando estou com elas. Eu odeio", disse, com uma pequena careta, "acreditar que sou velha. Agora, quem são vocês? Apenas pelo bem da conveniência? Diana Barry? E Anne Shirley? Posso fingir que conheço vocês há cem anos e chamá-las de Anne e Diana logo de cara?"

"Pode, sim", disseram as duas meninas juntas.

"Então vamos nos sentar confortavelmente e comer tudo", disse a Srta. Lavendar, feliz. "Charlotta, sente-se na cabeceira e sirva o frango. É tanta sorte eu ter feito pão de ló e rosquinhas. Claro que foi tolice fazer isso para convidados imaginários, sei que Charlotta, a Quarta, pensou isso, não pensou, Charlotta? Mas veja como tudo correu bem. Claro que a comida não seria desperdiçada, pois Charlotta, a Quarta, e eu poderíamos ter comido tudo aos poucos. Mas pão de ló não é algo que fica melhor com o tempo."

Aquela foi uma refeição feliz e memorável. E quando tudo acabou, elas saíram para o jardim, banhado pelo brilho do pôr do sol.

"Acho que este lugar é simplesmente adorável", disse Diana, olhando a seu redor, admirada.

"Por que o chama de Cabana do Eco?", perguntou Anne.

"Charlotta", disse a Srta. Lavendar, "vá em casa e traga a pequena corneta de lata pendurada na prateleira do relógio."

Charlotta, a Quarta, saiu e retornou com a corneta.

"Sopre-a, Charlotta", ordenou a Srta. Lavendar.

Charlotta soprou, conforme ordenado, um som bastante barulhento e estridente. Houve um momento de calmaria... e depois da floresta sobre o rio veio uma multidão de ecos de fadas, doces, elusivos e prateados, como se todas as "trombetas da terra dos elfos" estivessem soprando contra o pôr do sol. Anne e Diana exclamaram encantadas.

"Agora ria, Charlotta... Ria bem alto."

Charlotta, que provavelmente teria obedecido se a Srta. Lavendar a tivesse mandado plantar bananeira, subiu no banco de pedra e riu alto e com vontade. E logo vieram os ecos, como se o anfitrião do mundo das fadas estivesse imitando a risada dela nas florestas púrpuras e ao longo dos pontos margeados por abetos.

"As pessoas sempre admiram muito os meus ecos", disse a Srta. Lavendar, como se os ecos fossem sua propriedade particular. "Eu mesma os amo. Eles fazem muito boa companhia, com um pouco de imaginação. Em noites calmas, Charlotta, a Quarta, e eu costumamos nos sentar aqui e nos divertir com eles. Charlotta, leve de volta a corneta e a pendure com cuidado em seu lugar."

"Por que você a chama de Charlotta, a Quarta?", perguntou Diana, que estava explodindo de curiosidade sobre esse assunto.

"Apenas para impedi-la de se misturar com as outras Charlottas nos meus pensamentos", disse a Srta. Lavendar seriamente. "Elas são tão parecidas que fica difícil diferenciá-las. O nome dela não é Charlotta, na verdade. É... Deixe-me ver... Qual é? ACHO que é Leonora... Sim, É Leonora. Vejam, é assim. Quando minha mãe morreu, dez anos atrás, eu não podia ficar aqui sozinha e também não podia pagar o salário de uma menina crescida. Então pedi à pequena Charlotta Bowman para vir e ficar comigo para ajudar com a casa e as roupas. Seu nome era mesmo Charlotta... Ela foi Charlotta, a Primeira. Ela tinha apenas 13 anos. Ela ficou comigo até os 16 anos e depois foi para Boston, porque podia se sair melhor lá. A irmã dela veio ficar comigo. O nome dela era Julietta... A Sra. Bowman tinha um fraco por nomes elegantes, eu acho, mas ela parecia tanto com Charlotta que continuei a chamá-la assim o tempo inteiro, e ela não se importava. Então, desisti de tentar lembrar o nome certo. Ela foi Charlotta, a Segunda, e, quando foi embora, Evelina veio, e ela foi Charlotta, a Terceira. Agora tenho Charlotta, a Quarta, mas quando ela fizer 16 anos — ela tem 14 anos agora — vai querer ir para Boston também, e o que eu farei, nesse caso, ainda não sei. Charlotta, a Quarta, é a última das meninas Bowman, e a melhor. As outras Charlottas sempre me deixavam perceber que pensavam que era tolice minha imaginar coisas, mas Charlotta, a Quarta, nunca faz isso, não importa o que ela realmente pense. Eu não me importo com o que as pessoas pensam sobre mim se não me deixarem perceber."

"Bem", disse Diana, olhando arrependida para o sol se pondo, "imagino que devemos ir se quisermos chegar ao Sr. Kimball antes de escurecer.

Nós nos divertimos muito, Srta. Lewis."

"Vocês vão vir me ver de novo?", implorou a Srta. Lavendar.

A alta Anne colocou seu braço ao redor da pequena dama.

"Vamos sim", ela prometeu. "Agora que a encontramos, vamos esgotar nossas boas-vindas com visitas. Sim, devemos ir... 'Chegou a hora da despedida', como Paul Irving diz toda vez que vai a Green Gables."

"Paul Irving?" Houve uma mudança sutil na voz da Srta. Lavendar. "Quem é ele? Não sabia que havia alguém em Avonlea com esse nome."

Anne se sentiu envergonha de sua própria desatenção. Ela havia esquecido o antigo romance de Srta. Lavendar quando o nome de Paul escapou.

"Ele é um dos meus pupilos", ela explicou lentamente. "Veio de Boston no ano passado para morar com a avó, a Sra. Irving da estrada litorânea."

"Ele é filho de Stephen Irving?", perguntou a Srta. Lavendar, inclinando-se sobre um arbusto de lavanda para que seu rosto ficasse escondido.

"Sim."

"Vou dar um buquê de lavandas para cada uma de vocês", disse a Sra. Lavendar alegremente, como se não tivesse ouvido a resposta para a sua pergunta. "São muito lindas, não acha? Minha mãe sempre as amou. Ela plantou esses arbustos há muito tempo. Meu pai me deu o nome de Lavendar porque gostava tanto de lavandas. A primeira vez que viu minha mãe foi quando a visitou em sua casa, em East Grafton, com o irmão dela. Ele se apaixonou à primeira vista. Eles o colocaram para dormir no quarto de hóspedes e os lençóis tinham cheiro de lavanda. Ele ficou acordado a noite inteira pensando nela. Ele sempre amou o cheiro da lavanda depois disso... E foi por isso que me deu o nome. Não se esqueçam de voltar logo, queridas meninas. Estarei esperando vocês, eu e Charlotta, a Quarta."

Ela abriu o portão embaixo dos abetos para elas passarem. De repente, pareceu velha e cansada; o brilho e a radiância haviam desaparecido de seu rosto; seu sorriso de despedida foi tão doce e cheio de uma juventude tão inextirpável quanto antes. Mas quando as meninas olharam para trás, depois da primeira curva no caminho, viram-na sentada no velho banco de pedra embaixo do choupo prateado no meio do jardim, com a cabeça apoiada de um jeito cansado nas mãos.

"Ela parece mesmo solitária", disse Diana suavemente. "Devemos vir vê-la com frequência."

"Acho que os pais dela lhe deram o único nome certo e apropriado que poderia ser dado a ela", disse Anne. "Se eles tivessem sido tão cegos a ponto de registrá-la como Elizabeth, Nellie ou Muriel, ela deveria ser chamada de Lavendar mesmo assim, eu acho. É tão sugestivo de doçura, graças antigas e 'vestes de seda'. Agora, meu nome só cheira a pão com manteiga, retalhos e tarefas."

"Ah, eu não acho", disse Diana. "Anne me parece realmente imponente e digno de uma rainha. Mas eu gostaria até de Kerrenhappuch se seu nome fosse esse. Acho que as pessoas fazem seus nomes belos ou feios através do que elas mesmas são. Não suporto os nomes Josie ou Gertie agora, mas antes de conhecer as meninas Pye, eu os achava bem bonitos."

"Essa é uma ideia adorável, Diana", disse Anne, entusiasmada. "Viver para embelezar seu nome, mesmo que ele não seja bonito no início... Fazê-lo aparecer nos pensamentos das pessoas de um jeito tão adorável e agradável que elas nunca pensariam apenas nele. Obrigada, Diana."

CAPÍTULO XXII
Coisas pequenas

"Então, você tomou chá na casa de pedra com Lavendar Lewis?", disse Marilla durante o café da manhã no dia seguinte. "Como ela está agora? Faz mais de quinze anos desde que a vi pela última vez... Foi em um domingo, na igreja de Grafton. Imagino que ela tenha mudado muito. Davy Keith, quando quiser algo que não consegue alcançar, peça a alguém que lhe passe e não se espalhe pela mesa desse jeito. Você viu Paul Irving fazer isso quando ele esteve aqui durante as refeições?"

"Mas os braços dele são maiores que os meus", resmungou Davy. "Eles tiveram onze anos para crescer e os meus só tiveram sete. E, também, eu PEDI, mas você e Anne estavam tão ocupadas falando que não prestaram atenção. E, também, Paul só esteve aqui para o chá, e é mais fácil ser educado no chá do que no café da manhã. A gente não está com tanta fome. Passa muito tempo entre o jantar e o café da manhã. Agora, Anne, essa colher não é maior do que era no ano passado, mas EU estou bem maior."

"Claro que não sei como a Srta. Lavendar era, mas, de alguma forma, imagino que ela não tenha mudado muito", disse Anne, depois de ter entregado o xarope de bordo para Davy, dando a ele duas colheres para sossegá-lo. "O cabelo dela é branco como a neve, mas o rosto é jovem e quase de menina, e ela tem os mais doces olhos castanhos — um tom de castanho tão bonito, com pequenos reflexos dourados — e a voz dela faz você pensar em cetim branco, água tilintando e sinos de fadas, todos misturados."

"Ela era considerada uma grande beleza quando menina", disse Marilla. "Nunca a conheci muito bem, mas gostava do que sabia sobre ela. Algumas pessoas já a achavam peculiar naquela época. DAVY, se eu pegar você fazendo isso de novo, vou fazer você esperar pelas refeições até todos terem terminado de comer, como os franceses."

A maioria das conversas entre Anne e Marilla na presença dos gêmeos era pontuada por essas repreensões dirigidas a Davy. Naquele caso, Davy, triste por não ter sido capaz de pegar as últimas gotas do xarope com a colher, havia solucionado a dificuldade levantando o prato com as duas mãos e passando sua pequena língua rosada nele. Anne olhou para ele tão horrorizada que o pequeno pecador ficou vermelho e disse, meio envergonhado, meio desafiador:

"Assim não desperdiço nada".

"As pessoas que são diferentes dos outros são sempre chamadas de peculiares", disse Anne. "E a Srta. Lavendar com certeza é diferente, embora seja difícil dizer onde a diferença aparece. Talvez seja porque ela é uma dessas pessoas que nunca envelhecem."

"Uma pessoa faria bem em envelhecer, uma vez que toda a geração delas fez isso", disse Marilla, um tanto descuidada com seus pronomes. "Se não envelhecer, não se encaixará em lugar nenhum. Até onde sei, Lavendar Lewis largou tudo. Ela ficou morando naquele lugar fora de mão até todos se esquecerem dela. A casa de pedra é uma das mais velhas da ilha. O velho Sr. Lewis a construiu há oitenta anos, quando veio da Inglaterra. Davy, pare de sacudir o cotovelo de Dora. Ah, eu vi você! Não precisa fazer cara de inocente. Por que está se comportando desse jeito hoje?"

"Talvez eu tenha levantado com o pé esquerdo", sugeriu Davy. "Milty Boulter diz que, se a gente faz isso, as coisas dão errado o dia inteiro. A avó dele contou para ele. Mas qual é o pé direito? E o que a gente faz quando a cama está encostada na parede? Queria saber."

"Sempre me perguntei o que deu errado entre Stephen Irving e Lavendar Lewis", continuou Marilla, ignorando Davy. "Eles estavam noivos vinte e cinco anos atrás e, de repente, desmancharam. Não sei qual foi o problema, mas deve ter sido algo terrível, pois ele foi embora para os Estados Unidos e nunca mais voltou para casa."

"Talvez não seja nada muito terrível no fim das contas. Acho que as coisas pequenas da vida frequentemente causam mais problemas que as coisas grandes", disse Anne, num daqueles momentos de percepção que a experiência não poderia ter melhorado. "Marilla, por favor, não conte nada à Sra. Lynde sobre o fato de eu ter ido até a Srta. Lavendar. Ela com certeza faria umas cem perguntas e, de alguma forma, eu não gostaria disso — nem a Srta. Lavendar, se ela soubesse, tenho certeza."

"Ouso dizer que Rachel ficaria curiosa", admitiu Marilla, "embora ela não tenha mais tanto tempo quanto costumava ter para cuidar da vida das outras pessoas. Ela está presa em casa por causa de Thomas; e está se sentindo bastante desanimada, pois acho que perdeu as esperanças de ele algum dia melhorar. Rachel ficaria bastante solitária se alguma coisa acontecesse a ele, com todos os filhos dela morando no oeste, a não ser Eliza, que reside na cidade; e ela não gosta do marido dela."

Os pronomes de Marilla caluniaram Eliza, que gostava muito do marido.

"Rachel diz que, se ele apenas se animasse e exercesse sua força de vontade, ficaria melhor. Mas cachorro velho não aprende truque novo", continuou Marilla. "Thomas Lynde nunca teve nenhuma força de vontade para exercer. A mãe mandou nele até ele se casar, e depois Rachel assumiu esse papel. É um milagre ele ter ousado ficar doente sem pedir permissão a ela. Mas também eu não deveria falar sim. Rachel tem sido uma boa esposa para ele. Ele nunca teria alcançado nada sem ela, isso é certo. Ele nasceu para receber ordens; e foi bom ter caído nas mãos de uma administradora esperta e capaz como Rachel. Ele não se meteu no caminho dela. Isso o poupou do trabalho de ter que decidir qualquer coisa. Davy, pare de se contorcer como uma enguia."

"Não tenho mais nada para fazer", protestou Davy. "Não posso comer mais, e não tem graça ficar vendo você e Anne comerem."

"Bem, saia com a Dora para dar milho às galinhas", disse Marilla. "E não tente puxar mais nenhuma pena do rabo do galo branco."

"Eu queria umas penas para fazer um cocar de índio", disse Davy, de mau humor. "Milty Boulter tem um bem legal, feito com as penas que a mãe dele deu quando matou o velho peru branco deles. Você podia me deixar pegar algumas. Aquele galo tem mais penas do que precisa."

"Você pode ficar com o espanador do sótão", disse Anne, "e eu vou tingir as penas dele de verde, vermelho e amarelo para você."

"Você mima demais esse menino", disse Marilla, quando Davy, com o rosto radiante, havia seguido a bem-comportada Dora para fora. A educação de Marilla havia feito grandes avanços nos últimos seis anos; mas ela ainda não tinha sido capaz de se livrar da ideia de que era muito ruim para uma criança ter muitos de seus desejos realizados.

"Todos os meninos da classe dele têm cocares indígenas, e Davy também quer um", disse Anne. "EU sei como é... Nunca vou esquecer como desejei mangas bufantes quando todas as meninas as usavam. E Davy não está sendo mimado. Ele está melhorando todos os dias. Pense em como ele está diferente desde que chegou aqui, há um ano."

"Ele certamente não apronta tantas travessuras desde que começou a ir à escola", reconheceu Marilla. "Imagino que ele alivie essa tendência com os outros meninos. Mas é uma surpresa para mim não termos notícias de Richard Keith sobre esse assunto. Nenhuma palavra desde maio."

"Tenho medo de ter notícias dele", suspirou Anne, começando a tirar os pratos. "Se uma carta chegasse, teria receio de abri-la, por medo de ele nos mandar levar os gêmeos para ele."

Um mês depois, uma carta chegou. Mas não era de Richard Keith. Um amigo dele escrevera para dizer que Richard Keith havia morrido de tuberculose duas semanas antes. Quem escreveu a carta foi o executor do testamento dele, e, pelo testamento, a quantia de dois mil dólares fora deixada para Marilla Cuthbert em nome de David e Dora Keith, até eles serem maiores de idade ou se casarem. Enquanto isso, o valor deveria ser usado para seu sustento.

"Parece ser terrível ficar feliz por qualquer coisa relacionada a uma morte", disse Anne, seriamente. "Sinto muito pelo pobre Sr. Keith, mas ESTOU feliz por ficarmos com os gêmeos."

"Foi muito bom ele ter deixado esse dinheiro", disse Marilla, prática. "Eu queria ficar com eles, mas não via como arranjaria dinheiro para isso, especialmente quando eles ficassem mais velhos. O aluguel da fazenda é suficiente só para manter a casa, e eu prometi que nenhum centavo do seu dinheiro seria gasto com eles. Você já faz muito por eles. Dora não precisava daquele chapéu novo que você comprou para ela, do mesmo jeito que um gato não precisa de dois rabos. Mas agora o caminho está claro e eles estão garantidos."

Davy e Dora ficaram encantados quando souberam que viveriam em Green Gables "para sempre". A morte de um tio que eles nunca tinham visto não poderia pesar mais na balança do que aquilo. Mas Dora tinha uma desconfiança.

"Tio Richard foi enterrado?", ela sussurrou para Anne.

"Sim, querida, é claro."

"Ele... ele... não está como o tio da Mirabel Cotton, está?", disse em um sussurro ainda mais agitado. "Ele não vai andar pelas casas depois de ter sido enterrado, vai, Anne?"

CAPÍTULO XXIII
O romance da Srta. Lavendar

"Acho que vou andar até a Cabana do Eco hoje à tarde", disse Anne, em uma tarde de sexta-feira de dezembro.

"Parece que vai nevar", disse Marilla, incerta.

"Vou estar lá antes de a neve começar e pretendo passar a noite lá. Diana não pode ir porque tem visitas, e tenho certeza de que a Srta. Lavendar vai estar me esperando hoje à noite. Já faz duas semanas que eu estive lá."

Anne havia feito muitas visitas à Cabana do Eco desde aquele dia de outubro. Às vezes, ela e Diana iam de charrete pela estrada; às vezes andavam pela floresta. Quando Diana não podia ir, Anne ia sozinha. Entre ela e a Srta. Lavendar havia crescido uma daquelas amizades fervorosas e prestativas, possíveis apenas entre uma mulher que manteve o frescor da juventude em seu coração e em sua alma e uma menina cuja imaginação e intuição substituíam a experiência. Anne havia finalmente descoberto uma verdadeira "alma amiga", enquanto para a vida de sonhos solitária e reclusa daquela pequena dama Anne e Diana chegaram com a plenitude da alegria e do prazer de um outro mundo; elas tinham trazido uma atmosfera de juventude e realidade à pequena casa de pedra. Charlotta, a Quarta, sempre as cumprimentava com um sorriso bem largo — e os sorrisos de Charlotta ERAM mesmo bem largos —, sentindo amor por elas tanto pelo bem de sua adorada senhora como pelo dela mesma. Nunca antes houvera tantas "brincadeiras" na pequena casa de pedra como naquele lindo e demorado outono, quando novembro parecia outubro novamente, e mesmo dezembro imitou o sol e as brumas do verão.

Mas, naquele dia em particular, parecia que dezembro havia se lembrado de que estava na hora do inverno e tornou-se subitamente monótono e melancólico, com uma calmaria sem brisa que previa a chegada da neve. Entretanto, Anne aproveitou intensamente sua caminhada pelo grande e cinzento labirinto da floresta de faias; embora sozinha, ela nunca se sentia solitária; sua imaginação povoava seu caminho com companhias felizes, e com elas manteve uma conversa animada e ilusória, que era mais espirituosa e fascinante do que as conversas que podemos ter na vida real, em que as pessoas às vezes fracassam lamentavelmente em falar à altura dos requisitos. Em uma assembleia de "faz de conta" de espíritos escolhidos, todos dizem exatamente o que queremos que digam e nos dão a chance de dizer o que queremos dizer. Acompanhada por aquela comitiva invisível, Anne atravessou a floresta e chegou ao caminho de abetos no mesmo instante em que flocos de neve grandes e emplumados começaram a flutuar suavemente até o chão.

Na primeira curva, ela encontrou a Srta. Lavendar em pé embaixo de um grande abeto de amplos galhos. Ela vestia um traje quente, de um vermelho intenso, e a cabeça e os ombros estavam embrulhados em um xale de seda prateada.

"A senhorita parece a rainha das fadas do bosque de abetos", chamou Anne alegremente.

"Pensei que você não viesse hoje, Anne", disse a Srta. Lavendar, correndo para encontrá-la. "E estou duplamente feliz, pois Charlotta, a Quarta, está longe. A mãe dela está doente e ela teve que ir para casa hoje. Eu ficaria muito solitária se você não viesse... Mesmo os sonhos e os ecos não teriam sido companhia suficiente. Oh Anne, como você é linda", ela acrescentou de repente, olhando para a alta e esbelta menina que estampava um rubor rosado no rosto por causa da caminhada. "Como você é linda e jovem! É tão maravilhoso ter 17 anos, não é? Eu invejo você", concluiu a Srta. Lavendar candidamente.

"Mas você tem 17 anos no coração", sorriu Anne.

"Não, eu estou velha... ou na meia-idade, o que é bem pior", suspirou a Srta. Lavendar. "Às vezes consigo fingir que não estou, mas às vezes eu percebo. Não consigo me conformar como a maioria das mulheres parece fazer. Estou tão rebelde quanto fiquei quando descobri meu primeiro fio de cabelo branco. Agora, Anne, não fique com essa cara de quem está tentando entender. Aos 17, você NÃO PODE entender. Vou fingir agora mesmo que tenho 17 anos também, e posso fazer isso neste momento porque você está aqui. Você sempre traz a juventude nas mãos como um presente. Nós vamos ter uma noite divertida. Primeiro o chá... O que você quer para o chá? Teremos o que você quiser. Pense em algo delicioso e indigesto."

Havia sons de confusão e alegria na pequena casa de pedra naquela noite. Com todos os preparativos, o banquete, os doces, as risadas e a imaginação, a verdade é que a Srta. Lavendar e Anne se comportaram de uma maneira completamente inadequada para a dignidade de uma dama solteira de 45 anos e de uma professora tranquila. Depois, quando ficaram muito cansadas, elas se sentaram no tapete em frente à lareira do salão, iluminado por um fogo suave e perfumado deliciosamente pelo vaso de rosas da Srta. Lavendar. O vento havia aumentado e estava soprando e se lamentando pelos beirais, e a neve estava caindo suavemente contra as janelas, como se centenas de espíritos da tempestade estivessem batendo para entrar.

"Fico tão feliz por você estar aqui, Anne", disse a Srta. Lavendar, mordiscando seu doce. "Se você não estivesse, eu ficaria triste... muito triste... quase deprimida. Sonhos e fantasias ficam muito bem durante o dia, sob a luz do sol, mas, quando a escuridão e a tempestade vêm, eles não conseguem nos satisfazer. Queremos coisas verdadeiras nesse caso. Mas você não sabe disso... Aos 17 nunca se sabe. Aos 17, os sonhos nos satisfazem porque pensamos nas realidades que nos aguardam adiante. Quando eu tinha 17, Anne, eu não me imaginava como uma velha solteirona de 45 anos, com cabelos brancos e nada além de sonhos para preencher minha vida."

"Mas você não é uma velha solteirona", disse Anne, sorrindo para os olhos castanhos melancólicos da Srta. Lavendar. "As velhas solteironas NASCEM assim... elas não se TRANSFORMAM."

"Algumas nascem velhas solteironas, outras atingem esse estado, e algumas têm a velhice e a solteirice atiradas nelas", parodiou a Srta. Lavendar de um jeito extravagante.

"Você é uma daquelas que atingiram esse estado, então", riu Anne, "e fez isso tão maravilhosamente que, se todas as velhas solteironas fossem como você, elas voltariam à moda, eu acho."

"Eu sempre gosto de fazer as coisas da melhor maneira possível", disse a Srta. Lavendar, pensativamente, "e, já que tinha que ser uma velha solteirona, estava determinada a ser uma muito boa. As pessoas dizem que sou estranha; mas é só porque eu sigo meu próprio caminho para ser uma velha solteirona e me recuso a copiar o padrão tradicional. Anne, alguém alguma vez lhe contou sobre mim e Stephen Irving?"

"Sim", disse Anne candidamente, "ouvi dizer que você e ele já foram noivos."

"Fomos mesmo... há vinte e cinco anos... há uma vida. E deveríamos nos casar na primavera seguinte. Eu já estava com meu vestido de noiva pronto, embora ninguém, além de minha mãe e Stephen, tenha ficado sabendo DISSO. Nós estivemos noivos, de certa forma, por toda a nossa vida, pode-se dizer. Quando Stephen era um menininho, a mãe dele costumava trazê-lo aqui quando vinha visitar minha mãe; e da segunda vez que veio — ele tinha 9 anos e eu tinha 6 — ele me contou no jardim que tinha decidido se casar comigo quando crescesse. Eu me lembro de ter dito 'obrigada'; e, quando ele se foi, disse à minha mãe seriamente que havia tirado um peso da minha mente, porque não tinha mais medo de me tornar uma velha solteirona. Como a minha pobre mãe riu!"

"E o que deu errado?", perguntou Anne, sem fôlego.

"Nós apenas tivemos uma discussão estúpida, tola e banal. Tão banal que, se puder acreditar, não me lembro de como começou. Eu mal sei quem foi o culpado. Stephen realmente começou, mas imagino que eu o tenha provocado com alguma tolice minha. Ele tinha um ou dois rivais, sabe? Eu era vaidosa e espevitada e gostava de provocá-lo um pouco. Ele era um rapaz muito temperamental e sensível. Bem, nós nos separamos, ambos de mau humor. Mas eu pensei que ficaria tudo bem; e teria ficado se Stephen não tivesse voltado cedo demais. Anne, minha querida, sinto muito em lhe dizer", a Srta. Lavendar abaixou a voz como se estivesse prestes a confessar uma tendência a assassinar pessoas, "que eu sou uma pessoa terrivelmente birrenta. Oh, não precisa sorrir, é apenas a verdade. Eu SOU birrenta; e Stephen voltou antes de eu ter terminado de fazer birra. Eu não o escutei e não o perdoei; e então ele foi embora de vez. Ele era muito orgulhoso para voltar novamente. E, então, eu fiz birra porque ele não voltou. Eu podia tê-lo chamado, talvez, mas não consegui me humilhar para fazer isso. Eu era tão orgulhosa quanto ele... Orgulho e birra fazem uma combinação muito ruim, Anne. Mas eu jamais poderia gostar de outra pessoa e também não queria. Eu sabia que preferiria ser uma velha solteirona por mil anos a me casar com qualquer pessoa que não fosse Stephen Irving. Bem, tudo parece um sonho agora, é claro. Quão solidária você parece, Anne... Tão solidária quanto se pode ser apenas aos 17. Mas não exagere. Eu sou mesmo uma pessoinha muito feliz e contente, apesar do meu coração partido. Meu coração se partiu, se é que algum coração já tenha se partido, quando percebi que Stephen não voltaria. Mas, Anne, um coração partido na vida real não é tão terrível quanto é nos livros. É bem como uma dor de dente, embora você não ache que ESSA seja uma comparação muito romântica. Causa ataques de dor e faz perder o sono de tempos em tempos, mas entre esses tempos deixa que você aproveite a vida, os sonhos, os ecos e o doce de amendoim como se não houvesse problema nenhum. E agora você parece desapontada. Você não acha mais que sou uma pessoa tão interessante quanto era há cinco minutos, quando acreditava que eu era vítima de uma trágica memória corajosamente escondida embaixo de sorrisos superficiais. Esse é o pior — ou o melhor — da vida real, Anne. Ela NÃO deixa você ficar miserável. Ela continua tentando deixar você confortável — e vencendo — mesmo quando você está determinada a ser infeliz e romântica. Esse doce não é delicioso? Eu comi bem mais do que devia, mas vou continuar sendo irresponsável."

Depois de um curto silêncio, a Srta. Lavendar disse abruptamente:

"Fiquei chocada em saber sobre o filho de Stephen no primeiro dia em que você esteve aqui, Anne. Eu nunca fui capaz de mencioná-lo a você desde então, mas gostaria de saber tudo sobre ele. Que tipo de menino ele é?".

"Ele é a criança mais querida e doce que já conheci, Srta. Lavendar... E ele imagina coisas também, exatamente como eu e você fazemos."

"Eu gostaria de vê-lo", disse a Srta. Lavendar suavemente, como se falasse sozinha. "Imagino se ele se parece com o menininho sonhador que vive aqui comigo... MEU menininho sonhador."

"Se quiser ver Paul, posso trazê-lo comigo algum dia", disse Anne.

"Eu gostaria, mas não tão depressa. Quero me acostumar à ideia. Pode haver mais dor que prazer nisso... se ele se parecer muito com Stephen... ou se não se parecer o bastante com ele. Daqui a um mês você pode trazê-lo."

Desse modo, um mês depois Anne e Paul atravessaram a floresta até a casa de pedra e encontraram a Srta. Lavendar no caminho. Ela não esperava vê-los naquele momento e ficou muito pálida.

"Então, este é o menino de Stephen", ela disse em um tom baixo, pegando a mão de Paul e olhando para ele em seu pequeno casaco de peles e chapéu, bonito e juvenil. "Ele... ele se parece muito com o pai."

"Todo mundo diz que sou a cara do meu pai", disse Paul, seriamente.

Anne, que estava assistindo à pequena cena, deu um suspiro de alívio. Ela viu que a Srta. Lavendar e Paul tinham "aceitado" um ao outro, e que não haveria constrangimento nem desconforto. A Srta. Lavendar era uma pessoa muito sensata, apesar de seus sonhos e romance, e, depois daquela pequena primeira traição, ela manteve seus sentimentos longe de vista e recepcionou Paul de forma tão alegre e natural como se ele fosse o filho de uma pessoa qualquer que tivesse ido visitá-la. Eles tiveram uma tarde feliz juntos e um banquete de coisas gordurosas para o jantar que teria feito a Sra. Irving levantar as mãos para o alto com horror, acreditando que a digestão de Paul tinha sido destruída para sempre.

"Venha novamente, rapazinho", disse a Srta. Lavendar, apertando a mão dele ao se despedir.

"Pode me dar um beijo, se quiser", disse Paul seriamente.

A Srta. Lavendar inclinou-se e lhe deu um beijo.

"Como você sabia que eu queria?", ela sussurrou.

"Porque você me olhou como a minha mãezinha costumava me olhar quando queria me dar um beijo. Por via de regra, eu não gosto de ser beijado. Meninos não gostam. A senhorita sabe, Srta. Lewis. Mas acho que gosto que você tenha me beijado. E é claro que vou vir visitá-la de novo. Acho que gostaria de tê-la como minha amiga particular, se a senhorita não fizer objeção."

"Eu... eu não acho que faço objeção", disse a Srta. Lavendar. Ela se virou e entrou muito rapidamente, mas instantes depois estava acenando um adeus alegre e sorridente para eles da janela.

"Gosto da Srta. Lavendar", anunciou Paul enquanto andavam pela floresta de faias. "Gosto do jeito que ela olha para mim, gosto da casa de pedra dela e gosto de Charlotta, a Quarta. Gostaria que Vovó Irving tivesse uma Charlotta, a Quarta, em vez de Mary Joe. Tenho certeza de que Charlotta, a Quarta, não acharia que há algo de errado com a minha cabeça quando eu lhe contasse o que penso sobre as coisas. Não foi um chá esplêndido, professora? Vovó diz que um menino não deveria pensar no que ele come, mas não consigo evitar quando estou com muita fome. A senhorita sabe, professora. E não acho que a Srta. Lavendar faria um menino comer mingau no café da manhã se ele não quisesse. Ela arranjaria coisas de que ele gostasse. Mas é claro", Paul era bastante justo, "isso poderia não ser muito bom para ele. Mas é bom para variar, professora. A senhorita sabe."

CAPÍTULO XXIV

Santo de casa não faz milagre

Em um dia do mês de maio, as pessoas de Avonlea ficaram animadas sobre umas "Notas de Avonlea", assinadas por um "Observador", que apareceram no diário de Charlottetown. As fofocas atribuíram a autoria a Charlie Sloane, em parte porque Charlie havia se dedicado a aventuras literárias semelhantes no passado; em parte porque uma das notas parecia encarnar um desprezo por Gilbert Blythe. A sociedade juvenil de Avonlea continuava a considerar Gilbert Blythe e Charlie Sloane como rivais pelas graças de certa donzela de olhos cinzentos e muita imaginação.

A fofoca, como de costume, estava errada. Gilbert Blythe, auxiliado e instigado por Anne, havia escrito as notas, colocando aquela sobre ele mesmo para despistar. Apenas duas das notas são relevantes para esta história:

"Dizem por aí que vai haver um casamento em nossa vila quando as margaridas estiverem em flor. Um novo e altamente respeitado cidadão vai levar ao altar uma das nossas damas mais populares.

"Tio Abe, nosso conhecido profeta do tempo, prediz uma violenta tempestade de raios e trovões para a noite do dia vinte e três de maio, começando às sete em ponto. A área da tempestade se estenderá pela maior parte da província. As pessoas viajando nessa noite devem levar guarda-chuva e casaco."

"Tio Abe realmente previu uma tempestade para algum dia desta primavera", disse Gilbert, "mas você imagina que o Sr. Harrison esteja mesmo indo ver Isabella Andrews?"

"Não", disse Anne, rindo, "tenho certeza de que ele só vai jogar damas com o Sr. Andrews, mas a Sra. Lynde diz que sabe que Isabella Andrews deve estar prestes a se casar, pois ela está de muito bom humor nesta primavera."

O pobre e velho Tio Abe sentiu-se bastante indignado sobre as notas. Ele suspeitou que aquele "Observador" estivesse tirando sarro dele. Ele furiosamente negou ter atribuído qualquer data específica para aquela tempestade, mas ninguém acreditou nele.

A vida em Avonlea seguiu tranquila o seu rumo. A "plantação" foi realizada; os Melhoradores celebraram um Dia da Árvore. Cada Melhorador plantou, ou fez ser plantadas, cinco árvores ornamentais. Como a sociedade agora continha quarenta membros, isso significou um total de duzentas jovens árvores. As plantações de aveia tornavam verdes os campos vermelhos; pomares de maçã lançavam amplos galhos florescentes sobre as fazendas; e a Rainha Branca enfeitou-se como uma noiva para seu marido. Anne gostava de dormir com a janela aberta e deixar a fragrância de cerejas soprar sobre seu rosto à noite. Ela achava muito poético. Marilla achava que ela estava arriscando a vida.

"O Dia de Ação de Graças deveria ser celebrado na primavera", disse Anne em uma tarde para Marilla enquanto estavam sentadas nos degraus da frente e ouviam o doce refrão dos sapos. "Acho que seria muito melhor do que em novembro, quando tudo está morto ou adormecido. Nesse caso, precisamos nos lembrar de ser gratos; mas em maio simplesmente não podemos evitar de sentir gratidão — no mínimo, por estarmos vivos. Eu me sinto exatamente como Eva deve ter se sentido no jardim do Éden antes de os problemas começarem. Aquela grama no bosque é verde ou dourada? Me parece, Marilla, que uma pérola de dia como este, quando as flores já desabrocharam e os ventos não sabem onde soprar por puro prazer e loucura, deve ser quase tão bom quanto o paraíso."

Marilla parecia escandalizada e olhou apreensivamente ao seu redor para se certificar de que os gêmeos não estavam ao alcance. Eles chegaram bem naquele instante.

"Não está um cheiro gostoso hoje à noite?", perguntou Davy, fungando feliz da vida enquanto balançava uma enxada em suas mãos encardidas. Ele estava trabalhando no jardim. Naquela primavera, Marilla, tentando transformar a paixão de Davy por se revirar na lama e no barro em algo útil, deu a ele e a Dora um pequeno pedaço de terra para fazer um jardim. Ambos haviam ansiosamente colocado as mãos à obra com seus modos característicos. Dora plantou, semeou e regou carinhosa, sistemática e desapaixonadamente. Como resultado, sua parte já estava verde, com pequenas fileiras organizadas de vegetais e plantas.

Davy, entretanto, trabalhava com mais zelo que descrição; ele cavou, capinou, limpou, regou e transplantou com tanta energia que suas sementes não tiveram chance de viver.

"Como está indo seu jardim, Davyzinho?", perguntou Anne.

"Meio devagar", disse Davy com um suspiro. "Não sei por que as coisas não crescem melhor. Milty Boulter disse que eu devo ter plantado na lua nova, e esse é o problema. Ele diz que não se deve plantar sementes, matar porcos, cortar o cabelo nem fazer qualquer coisa importante na fase errada da lua. É verdade, Anne? Queria saber."

"Talvez se você não puxasse suas plantas pela raiz a cada dois dias para ver se estão chegando 'do outro lado', elas se sairiam melhor", disse Marilla sarcasticamente.

"Eu só puxei seis para cima", protestou Davy. "Eu queria ver se tinha larvas nas raízes. Milty Boulter disse que, se não fosse culpa da lua, devia ser larvas. Mas só achei uma larva. Ela era grande, enrolada e gordona. Eu coloquei ela numa pedra, peguei outra pedra e esmaguei ela todinha. Ela fez um barulho bem legal. Fiquei triste por não achar mais. O jardim da Dora foi plantado no mesmo dia que o meu e as coisas dela estão crescendo direito. Não PODE ser a lua", Davy concluiu em um tom reflexivo.

"Marilla, olhe aquela macieira", disse Anne. "Ora, ela é quase gente. Está esticando os braços para estender suas próprias saias cor-de-rosa alegremente e nos fazer admirá-la."

"Essas árvores sempre produzem bastante", disse Marilla, complacente. "Aquela árvore vai ficar carregada este ano. Fico muito feliz, suas maçãs são ótimas para tortas."

Mas nem Marilla, nem Anne, nem ninguém mais estava destinado a fazer tortas com as maçãs daquela árvore naquele ano.

O dia vinte e três de maio chegou — um dia quente e fora da estação, que ninguém percebeu mais intensamente do que Anne e sua pequena colmeia de pupilos, sufocando por causa das frações e da sintaxe na escola de Avonlea. Uma brisa quente soprou por toda a manhã, mas, depois do meio-dia, ela morreu em uma calmaria pesada. Às três e meia, Anne ouviu um ronco baixo de trovões. Ela prontamente dispensou a classe de uma vez, para que as crianças chegassem em casa antes de a tempestade começar.

Quando estavam saindo para o parquinho, Anne percebeu uma certa sombra e melancolia sobre o mundo, apesar do fato de o sol continuar brilhando intensamente. Annetta Bell pegou a mão dela, nervosamente.

"Oh professora, olhe aquela nuvem terrível!"

Anne olhou e soltou uma exclamação de desespero. À noroeste, uma nuvem densa, como ela nunca antes havia visto na vida, estava chegando rapidamente. Era escura como a morte, exceto nas bordas curvas e nos recortes, que exibiam um branco horripilante e lívido. Havia algo indescritivelmente ameaçador enquanto ela se estendia pelo claro céu azul; aqui e ali um relâmpago a atravessava, seguido por um rosnado selvagem. Ela estava tão baixa que quase parecia tocar os topos das colinas da floresta.

O Sr. Harmon Andrews veio fazendo barulho pela colina em sua charrete, insistindo para que seu time de cavalos cinzentos chegasse à sua máxima velocidade. Ele os fez parar do outro lado da escola.

"Acho que o Tio Abe acertou uma vez na vida, Anne", ele gritou. "A tempestade dele está chegando um pouquinho antes do tempo. Você já viu uma nuvem dessas? Aqui, vocês pequenos que estão indo para o mesmo caminho que eu, subam aí. E aqueles que não estão, corram para o correio; se tiverem que andar mais de um quarto de milha, fiquem lá até a chuva parar."

Anne pegou Davy e Dora pelas mãos e correu colina abaixo, pelo Caminho das Bétulas e através do Vale Violeta e do Salgueiral, tão rápido quanto as pernas gorduchas dos gêmeos podiam ir. Eles alcançaram Green Gables no momento exato e Marilla foi ao seu encontro na porta, pois ela estava se apressando para colocar os patos e as galinhas em um abrigo seguro. Enquanto eles corriam para a cozinha, a luz pareceu sumir, como se tivesse sido soprada por um fôlego poderoso; a terrível nuvem cobriu o sol e uma escuridão como a do crepúsculo caiu sobre o mundo. No mesmo instante, com o estrondo do trovão e o brilho ofuscante do relâmpago, o granizo caiu e borrou a paisagem em uma fúria branca.

Em meio ao clamor da tempestade, vieram o baque de raios arrancados atingindo a casa e o ruído afiado de vidro se partindo. Em três minutos, todas as vidraças das janelas à oeste e ao norte se quebraram e o granizo se espalhou através das aberturas; o chão ficou coberto com pedras, sendo a menor delas tão grande quanto um ovo de galinha. Por três quartos de hora, a tempestade perdurou inabalável, e ninguém que tenha passado por ela algum dia a esqueceu. Marilla, pela primeira vez na vida perdendo a compostura por completo terror, ajoelhou-se perto de sua cadeira de balanço em um canto da cozinha, arfando e soluçando entre os ensurdecedores estrondos do trovão. Anne, branca como papel, havia arrastado o sofá para longe da janela e estava sentada nele com um gêmeo de cada lado. Davy, ao primeiro estrondo, havia gritado, "Anne, Anne, é o Dia do Juízo Final? Anne, Anne, eu nunca quis ser ruim de propósito", e depois havia enterrado seu rosto no colo de Anne mantendo-o ali, com seu corpinho tremendo. Dora, um tanto pálida, mas bastante controlada, sentou-se com sua mão agarrada à de Anne, quieta e imóvel. É improvável que mesmo um terremoto tivesse perturbado Dora.

Então, quase tão de repente quanto havia começado, a tempestade cessou. O granizo parou, o trovão rolou e murmurou em direção ao leste, e o sol queimou feliz e radiante sobre um mundo tão mudado que parecia algo absurdo pensar que apenas três quartos de hora haviam causado tal transformação.

Marilla ergueu-se, fraca e trêmula, e caiu em sua cadeira de balanço. Seu rosto estava abatido e ela parecia dez anos mais velha.

"Saímos todos vivos disso?", ela perguntou solenemente.

"Pode apostar que sim", piou Davy alegremente, dono de si mesmo mais uma vez. "Eu não fiquei nem um pouco assustado... Só no começo. Veio tão de repente! Eu decidi na mesma hora que não brigaria com Teddy Sloane na segunda-feira, como tinha prometido; mas agora talvez eu brigue. Diga, Dora, ficou com medo?"

"Sim, fiquei com um pouco de medo", disse Dora, bem-comportada, "mas segurei bem forte a mão de Anne e fiz minhas orações sem parar."

"Bem, eu teria feito minhas orações também se tivesse pensando nisso", disse Davy; "mas", ele adicionou triunfalmente, "você pode ver que saí disso tão seguro quanto você, mesmo sem fazer."

Anne pegou para Marilla um copo de seu potente vinho de groselha —QUÃO potente ele era, Anne, em seus dias passados, tinha tido razões até demais para acreditar — e depois elas foram até a porta para olhar a estranha cena.

Por todos os lados, havia um largo e profundo tapete de pedras de granizo; muitos deles estavam empilhados embaixo dos beirais e nos degraus. Quando, três ou quatro dias mais tarde, aquelas pedras de granizo derreteram, o estrago que elas haviam provocado podia ser facilmente visto, pois tudo o que era verde no campo ou no jardim tinha sido cortado. Não só todas as flores foram removidas das macieiras como também grandes ramos e galhos foram arrancados. E, das duzentas árvores plantadas pelos Melhoradores, um grande número foi extraído ou destruído em pedaços.

"É possível ser o mesmo mundo de uma hora atrás?", perguntou Anne, atordoada. "DEVE ter levado mais tempo que isso para causar tanto estrago."

"Algo assim nunca aconteceu na Ilha de Prince Edward", disse Marilla, "nunca. Eu lembro que aconteceu uma tempestade feia quando eu era criança, mas nada comparado a isso. Nós vamos ficar sabendo de destruições terríveis, pode ter certeza."

"Eu espero que nenhuma das crianças tenha sido pega pela tempestade", murmurou Anne ansiosamente. Como foi descoberto mais tarde, nenhuma das crianças tinha sofrido, já que todos aqueles que moravam mais longe tinham seguido o excelente conselho do Sr. Andrews e buscado refúgio no correio.

"Lá vem John Henry Carter", disse Marilla.

John Henry veio patinando pelas pedras de granizo com uma cara bastante assustada.

"Oh, isso não é terrível, Sra. Cuthbert? O Sr. Harrison me mandou ver se vocês estavam todos bem."

"Nenhum de nós morreu", disse Marilla severamente, "e nenhuma das construções foi atingida. Espero que vocês também estejam bem."

"Sim, senhora. Não tão bem, senhora. Fomos atingidos. Um relâmpago derrubou a chaminé da cozinha, ela desmoronou, derrubou a gaiola de Ginger, fez um buraco no chão e nós fomos para o porão. Sim, senhora."

"Ginger se machucou?", questionou Anne.

"Sim, senhora. Ele se machucou feio. Ele morreu." Mais tarde, Anne foi até lá confortar o Sr. Harrison. Ela o encontrou sentado à mesa acariciando o corpo morto de Ginger com as mãos trêmulas.

"O pobre Ginger não vai mais xingar você, Anne", ele disse tristemente.

Anne nunca poderia ter se imaginado chorando por causa de Ginger, mas as lágrimas vieram aos seus olhos.

"Ele era toda a companhia que eu tinha, Anne, e agora ele está morto. Bem, bem, sou um velho tolo por me importar tanto. Vou demonstrar que não me importo. Sei que você vai dizer algo solidário assim que eu parar de falar, mas não faça isso. Se fizer, vou chorar como um bebê. Não foi uma tempestade terrível? Imagino que o pessoal não vai mais rir das previsões do Tio Abe. Parece que todas as tempestades que ele profetizou na vida e nunca aconteceram vieram de uma só vez. Sabe-se lá como ele acertou o dia exato, não é? Olha a bagunça que ficou aqui. Eu preciso correr e pegar umas tábuas para cobrir aquele buraco no chão."

As pessoas de Avonlea não fizeram nada no dia seguinte além de visitar uns aos outros e comparar os danos. As estradas ficaram intransitáveis para as charretes por causa das pedras de granizo, então elas andaram ou foram a cavalo. A correspondência chegou atrasada, com más notícias de toda a província. Casas tinham sido atingidas, pessoas tinham sido mortas e feridas; todo o sistema de telefonia e telégrafo havia sido desorganizado, e um número considerável do gado exposto nos campos havia perecido.

Tio Abe foi até a forja do ferreiro logo cedo e passou o dia inteiro lá. Era o momento de triunfo de Tio Abe e ele o aproveitou ao máximo. Seria fazer a Tio Abe uma injustiça dizer que ele ficou feliz pelo fato de a tempestade ter acontecido. Mas, já que acontecera, ele ficou feliz por tê-la profetizado — e ainda por cima no dia exato. Tio Abe esqueceu-se de ter negado estabelecer o dia. E, quanto à discrepância insignificante da hora, aquilo não era nada.

Gilbert chegou a Green Gables à tarde e encontrou Anne e Marilla muito ocupadas em pregar tiras de oleado sobre as janelas quebradas.

"Deus sabe quando vamos conseguir o vidro para elas", disse Marilla. "O Sr. Barry foi até Carmody hoje à tarde, mas não conseguiu encontrar uma só vidraça de jeito nenhum. Lawson e Blair foram esvaziados pelo pessoal de Carmody antes das dez. A tempestade foi feia em White Sands, Gilbert?"

"Eu diria que sim. Fiquei preso na escola com todas as crianças e pensei que algumas delas morreriam de medo. Três desmaiaram e duas meninas ficaram histéricas. E Tommy Blewett não fez nada além de gritar o tempo inteiro."

"Eu só gritei uma vez", disse Davy, orgulhoso. "Meu jardim ficou todo esmagado", ele continuou tristemente, "mas o de Dora também ficou", ele acrescentou em um tom que indicava que ainda havia justiça no mundo.

Anne veio correndo do frontão oeste.

"Oh Gilbert, você soube? A velha casa do Sr. Levi Boulter foi atingida, pegou fogo e foi reduzida a cinzas. Parece terrivelmente maldoso de minha parte ficar feliz por ISSO, quando tanto dano foi causado. O Sr. Boulter disse que acredita que a SMVA usou magia para causar aquela tempestade de propósito."

"Bem, uma coisa é certa", disse Gilbert, rindo, "o 'Observador' fez a fama de Tio Abe como profeta do tempo. 'A tempestade de Tio Abe' vai ficar na história local. É a coincidência mais extraordinária que ela tenha vindo exatamente no mesmo dia que escolhemos. Na verdade, me sinto até culpado, como se realmente tivesse usado 'magia'. Podemos comemorar a remoção da velha casa, pois não há muito para comemorar no que diz respeito a nossas jovens árvores. Nem mesmo dez delas escaparam."

"Ah, bem, vamos ter que plantá-las novamente na próxima primavera", disse Anne filosoficamente. "Esta é uma coisa boa neste mundo: sempre há a certeza de uma próxima primavera."

CAPÍTULO XXV
Um escândalo em Avonlea

Em uma alegre manhã de junho, duas semanas depois da tempestade de Tio Abe, Anne veio lentamente do jardim até o quintal de Green Gables carregando nas mãos duas hastes arruinadas de narcisos brancos.

"Veja, Marilla", ela disse tristemente, segurando as flores diante dos olhos de uma dama séria, com seu cabelo penteado e usando um avental verde e xadrez, que estava andando pela casa com um frango depenado, "estes são os únicos botões que a tempestade poupou, e até eles estão imperfeitos. Sinto tanto... Queria alguns para o túmulo de Matthew. Ele sempre gostou tanto de lírios."

"Até eu sinto falta deles", admitiu Marilla, "embora não pareça certo lamentar por eles uma vez que tantas coisas piores aconteceram... Todas as plantações destruídas e as frutas também."

"Mas as pessoas já semearam a aveia de novo", disse Anne, reconfortante, "e o Sr. Harrison pensa que, se nós tivermos um bom verão, ela vai crescer boa, apesar de tardia. E minhas plantas estão surgindo de novo. Mas, ah, nada pode substituir os lírios. A pobre Hester Gray também vai ficar sem nenhum. Eu fui até o jardim dela na noite passada, mas não havia nem um sequer. Tenho certeza de que ela vai sentir falta deles."

"Não acho certo você dizer essas coisas, Anne, não acho mesmo", disse Marilla severamente. "Hester Gray está morta há trinta anos e o espírito dela está no paraíso... eu espero."

"Sim, mas acredito que ela ainda ama seu jardim aqui e que se lembra dele", disse Anne. "Tenho certeza de que, não importa quanto tempo eu viva no paraíso, gostaria de olhar para baixo e ver alguém colocando flores no meu túmulo. Se eu tivesse um jardim aqui, como o de Hester Gray, levaria mais de trinta anos, mesmo no paraíso, para me esquecer de sentir saudade dele de vez em quando."

"Bem, não deixe que os gêmeos ouçam você falando desse jeito", foi o protesto débil de Marilla enquanto levava o frango de volta para casa.

Anne prendeu seu narciso no cabelo e foi até o portão da estrada, onde ficou por um tempo tomando o brilhante sol de junho antes de cumprir seus deveres de sábado de manhã. O mundo estava crescendo lindamente de novo; a velha Mãe Natureza estava fazendo seu melhor para remover os traços da tempestade e, embora ainda não fosse ter um sucesso completo por muitas primaveras, ela estava realizando maravilhas.

"Queria poder ficar à toa o dia inteiro hoje", Anne disse a um pássaro azul que estava cantando e balançando em um ramo de salgueiro, "mas uma professora, que também está ajudando a criar gêmeos, não pode se entregar à preguiça, passarinho. Como é doce o seu canto, passarinho.

Você está colocando os sentimentos do meu coração em uma música muito melhor do que eu mesma poderia fazer. Ora, quem está vindo?"

Uma carruagem expressa estava vindo pela estrada, com duas pessoas sentadas na frente e um grande bagageiro atrás. Quando ela se aproximou, Anne reconheceu o condutor como o filho do agente da estação em Bright River; mas sua companhia era uma estranha, uma mulher pequena que saltou com agilidade para o portão quase antes de o cavalo parar. Ela era uma pessoinha muito bonita, evidentemente mais perto dos 50 que dos 40, mas com bochechas rosadas, olhos negros brilhantes e um cabelo preto sedoso, coberto por um chapéu maravilhoso, cheio de flores e plumas. Apesar de ter viajado oito milhas por uma estrada poeirenta, ela estava tão arrumada quanto se tivesse acabado de sair de dentro de uma caixa.

"É aqui que mora o Sr. James A. Harrison?", ela questionou, apressada.

"Não, o Sr. Harrison mora ali", disse Anne, um tanto perdida pela surpresa.

"Bem, eu achei MESMO que este lugar parecia muito arrumado... Arrumado DEMAIS para James A. estar morando aqui, a menos que ele tenha mudado muito desde que o conheci", murmurou a pequena dama. "É verdade que James A. vai se casar com alguma mulher que mora por aqui?"

"Não, ah, não", exclamou Anne, corando de um jeito tão culpado que a estranha olhou curiosamente para ela, como se suspeitasse de seus desejos matrimoniais em relação ao Sr. Harrison.

"Mas eu vi em um jornal da ilha", insistiu a bela desconhecida. "Um amigo me enviou uma cópia marcada. Amigos estão sempre prontos para fazer coisas assim. O nome de James A. estava escrito como 'novo cidadão'."

"Oh, aquela nota era apenas uma brincadeira", ofegou Anne. "O Sr. Harrison não tem nenhuma intenção de se casar com NINGUÉM. Garanto que não tem."

"Fico muito feliz por saber", disse a rosada dama, voltando rapidamente para seu assento na carruagem, "porque acontece que ele já está casado. EU sou a esposa dele. Oh, você pode parecer surpresa. Imagino que ele esteja se passando por solteiro e partindo corações a torto e a direito. Bem, bem, James. A.", ela disse, acenando vigorosamente para os campos ao redor da casa branca, "sua diversão acabou. Eu estou aqui, embora não tivesse me dado ao trabalho de vir se não pensasse que você está tramando alguma. Imagino", disse, virando-se para Anne, "que aquele papagaio dele continua tão profano como antes, não?"

"O papagaio... está morto... EU ACHO", ofegou a pobre Anne, que não podia ter certeza de seu próprio nome naquele exato momento.

"Morto! Vai ficar tudo bem, então", exclamou a rosada dama jubilosamente. "Posso lidar com James A. se aquele pássaro estiver fora do caminho."

Com aquela declaração enigmática, ela seguiu seu caminho alegremente, e Anne correu para a porta da cozinha para encontrar Marilla.

"Anne, quem era aquela mulher?"

"Marilla", disse Anne solenemente, mas com os olhos risonhos, "eu estou com cara de quem enlouqueceu?"

"Não mais do que o normal", disse Marilla, sem intenção de ser sarcástica.

"Bem, então, a senhora acha que estou acordada?"

"Anne, que bobagem é essa? Quem era aquela mulher? Estou perguntando..."

"Marilla, se eu não estiver louca nem dormindo, ela não pode ser um sonho. Deve ser real. De qualquer forma, tenho certeza de que não poderia ter imaginado um chapéu daqueles. Ela disse que é a esposa do Sr. Harrison, Marilla."

Marilla a encarou de volta.

"Esposa dele! Anne Shirley! Então, por que ele esteve se passando por homem solteiro?"

"Não acho que ele tenha feito isso, na verdade", disse Anne, tentando ser justa. "Ele nunca disse que não era casado. As pessoas simplesmente chegaram a essa conclusão sozinhas. Ah Marilla, o que a Sra. Lynde vai dizer disso?"

Elas descobriram o que a Sra. Lynde tinha a dizer sobre aquilo quando ela veio naquela tarde. A Sra. Lynde não estava surpresa! A Sra. Lynde sempre havia esperado algo do tipo! A Sra. Lynde sempre soube que havia ALGUMA COISA errada com o Sr. Harrison!

"E pensar que ele abandonou a esposa!", ela disse, indignada. "É como algo que se acharia para ler nos Estados Unidos, mas quem esperaria algo assim acontecer bem aqui em Avonlea?"

"Mas não sabemos se ele a abandonou", protestou Anne, determinada a acreditar na inocência de seu amigo até que se provasse que ele era culpado. "Não sabemos a história direito."

"Bem, logo saberemos. Vou direto até lá", disse a Sra. Lynde, que nunca aprendera que havia no dicionário uma palavra tal como "delicadeza". "Ninguém espera que eu saiba alguma coisa sobre a chegada dela, e o Sr. Harrison ficou de trazer um remédio para Thomas de Carmody hoje, então essa vai ser uma boa desculpa. Vou descobrir a história toda e voltar para contá-la a vocês."

A Sra. Lynde se apressou para infiltrar-se onde Anne teve medo de se intrometer. Nada teria induzido Anne a ir até a casa do Sr. Harrison; mas ela tinha sua própria e natural parcela de curiosidade e se sentia secretamente feliz pelo fato de a Sra. Lynde ir solucionar o mistério. Ela e Marilla esperaram ansiosamente pelo retorno da boa senhora, mas esperaram em vão. A Sra. Lynde não tornou a visitar Green Gables naquela noite. Davy, chegando em casa às nove da casa dos Boulter, explicou o motivo.

"Encontrei a Sra. Lynde e uma mulher estranha no Vale", ele disse, "e, caramba, como elas estavam falando, as duas de uma vez! A Sra. Lynde me mandou dizer que ela sentia muito por ser tarde demais para passar aqui hoje. Anne, estou morrendo de fome. Nós tomamos o chá na casa do Milty às quatro e acho que a Sra. Boulter é muito malvada. Ela não nos deu nenhuma geleia nem bolo. E até o pão foi pouco."

"Davy, quando for visitar alguém, nunca deve criticar nada do que lhe dão para comer", disse Anne solenemente. "É muita falta de educação."

"Tudo bem. Só vou pensar em criticar", disse Davy alegremente. "Agora, me dê alguma coisa para jantar, Anne."

Anne olhou para Marilla, que a seguiu até a despensa e fechou a porta cuidadosamente.

"Você pode colocar um pouco de geleia no pão dele, sei que tipo de chá eles tomam na casa de Levi Boulter."

Davy pegou sua fatia de pão com geleia com um suspiro.

"O mundo é meio decepcionante no fim das contas", ele observou. "Milty tem uma gata que dá chiliques. Ela deu chilique todos os dias por três semanas. Milty disse que era muito legal ficar vendo. Eu fui até lá só para ver, mas aquela coisa velha não teve chilique nenhum e só ficou lá, calminha, apesar de Milty e eu termos passado a tarde inteira esperando. Mas deixe para lá", Davy se animou assim que o conforto traiçoeiro da geleia de ameixa tocou sua alma, "talvez eu veja algum dia. Não parece provável que ela pare de ter chiliques de uma vez, depois de fazer isso todos os dias, não é? Essa geleia é muito gostosa."

Davy não tinha dores que a geleia de ameixa não pudesse curar.

O domingo se provou tão chuvoso que não houve agitações de fora; mas na segunda-feira todos tinham ouvido alguma versão da história do Sr. Harrison. A escola zumbia sobre isso e Davy voltou para casa cheio de informações.

"Marilla, o Sr. Harrison tem uma nova esposa. Bem, não exatamente nova, mas eles pararam de ficar casados por um tempo, Milty disse. Eu sempre imaginei que as pessoas tinham que continuar casadas depois de dizerem 'sim', mas Milty diz que não, que dá para terminar, se a pessoa quiser. Milty diz que um jeito é só sair e abandonar a esposa, que foi o que o Sr. Harrison fez. Milty disse que o Sr. Harrison abandonou a esposa porque ela jogava coisas nele — coisas PESADAS. E Arty Sloane disse que foi porque ela não deixava ele fumar. E Ned Clay disse que foi porque ela não parava de brigar com ele. Eu não deixaria a MINHA esposa por nenhuma dessas coisas. Eu só bateria o pé e diria: 'Sra. Davy, a senhora tem que fazer o que ME agrada, porque eu sou um HOMEM'. ISSO resolveria as coisas rapidinho, eu acho. Mas Annetta Clay disse que ELA abandonou ELE porque ele não limpava as botas antes de entrar, e que não podia culpá-la por isso. Vou até o Sr. Harrison agora mesmo ver como ela é."

Davy voltou logo, um tanto abatido.

"A Sra. Harrison não estava, ela foi até Carmody com a Sra. Rachel Lynde buscar papel de parede para o salão. E o Sr. Harrison pediu a Anne para ir até lá fazer uma visita, porque ele quer falar com ela. E, imaginem, o chão foi esfregado e o Sr. Harrison está barbeado, apesar de não ter tido missa ontem."

A cozinha do Sr. Harrison parecia pouco familiar para Anne. O chão tinha mesmo sido esfregado até atingir uma maravilhosa pureza, e o mesmo podia ser dito sobre cada um dos móveis; o fogão estava polido a ponto de ela poder ver seu rosto nele; as paredes foram caiadas e as vidraças brilhavam sob o sol. O Sr. Harrison estava sentado à mesa com suas roupas de trabalho, que na sexta-feira haviam sido compostas de diversos retalhos e trapos, mas que agora estavam quase consertadas e escovadas. Ele estava devidamente barbeado e o pouco de cabelo que tinha estava cuidadosamente aparado.

"Sente-se, Anne, sente-se", disse o Sr. Harrison dois tons abaixo do que as pessoas de Avonlea costumavam usar em velórios. "Emily foi até Carmody com Rachel Lynde... Ela já engatou uma amizade para toda a vida com Rachel Lynde. Sei lá como as mulheres são do contra. Bem, Anne, minha vida fácil acabou... acabou. Agora é ordem e limpeza para mim até o resto da vida, imagino."

O Sr. Harrison fez o seu melhor para falar tristemente, mas um brilho irrepreensível em seus olhos o traiu.

"Sr. Harrison, o senhor está feliz por sua esposa ter voltado", exclamou Anne, balançando o dedo para ele. "Não precisa fingir que não está, porque posso ver claramente."

O Sr. Harrison relaxou em um sorriso acanhado.

"Bem... bem... Estou me acostumando a isso", ele admitiu. "Não posso dizer que fiquei arrependido por ver Emily. Um homem realmente precisa de alguma proteção em uma comunidade como esta, onde não se pode nem jogar damas com um vizinho sem ser acusado de querer se casar com a irmã dele, e ainda isso ser posto no jornal."

"Ninguém imaginaria que o senhor estava indo ver Isabella Andrews se não tivesse fingido ser solteiro", disse Anne severamente.

"Eu não fingi que era. Se alguém tivesse me perguntado se eu era casado, teria dito que era. Mas todos tiraram suas próprias conclusões. Eu não estava ansioso para tocar no assunto. Estava me sentindo muito chateado. A Sra. Rachel Lynde acharia uma loucura se soubesse que a minha esposa tinha me abandonado, não acharia?"

"Mas algumas pessoas dizem que você a abandonou."

"Ela começou, Anne, ela começou. Vou lhe contar a história toda, pois não quero que você pense menos de mim do que eu mereço, nem de Emily também. Mas vamos até a varanda. Tudo está tão assustadoramente arrumado aqui que me faz sentir até saudade. Imagino que vou me acostumar depois de um tempo, mas me acalma olhar para o quintal. Emily ainda não teve tempo de chegar até ele."

Assim que estavam confortavelmente sentados na varanda, o Sr. Harrison começou sua história trágica.

"Eu morava em Scottsford, New Brunswick, antes de vir para cá, Anne. Minha irmã cuidava da casa para mim e estava tudo muito bem; ela era razoavelmente organizada, me deixava em paz e me mimava — é o que Emily diz. Mas ela morreu há três anos. Antes de morrer, ela se preocupava muito com o que seria de mim e, finalmente, me fez prometer que eu me casaria. Ela me aconselhou a me casar com Emily Scott porque Emily tinha seu próprio dinheiro e era uma boa dona de casa. Eu disse que Emily Scott nem olharia para mim. 'Fale com ela e verá', disse a minha irmã, e, apenas para acalmar a mente dela, prometi que faria isso — e fiz. E Emily disse que me aceitaria. Nunca fiquei tão surpreso na vida, Anne. Uma mulher bonita e esperta como ela e um velho camarada como eu. Eu lhe digo que no começo achei que tinha sorte. Bem, nós nos casamos, fizemos uma pequena viagem até St. John por duas semanas e voltamos para casa. Nós chegamos em casa às dez da noite, e lhe dou minha palavra, Anne, de que em meia hora aquela mulher já estava trabalhando na limpeza da casa. Oh, eu sei que você está pensando que minha casa precisava — você tem um rosto bem expressivo, Anne; seus pensamentos saem impressos nele —, mas não precisava, não tanto assim. Tinha ficado bastante bagunçada enquanto eu estava solteiro, eu admito, mas uma mulher tinha ido limpar antes de eu me casar, e tudo tinha sido pintado e consertado. Eu lhe digo que, se levasse Emily para um palácio de mármore novinho em folha, ela estaria esfregando tudo assim que pudesse colocar um vestido velho. Bem, ela limpou a casa até a uma da madrugada e, às quatro, levantou-se e começou de novo. E continuou daquele jeito — até onde eu me lembro, nunca parou. Era só esfregar, varrer e tirar o pó sem parar, exceto aos domingos, e, então, ela ficava esperando a segunda-feira para começar de novo. Mas era o jeito dela de se divertir, e eu poderia ter me adaptado a isso se ela me deixasse em paz. Mas ela não deixava. Ela tinha decidido me transformar, mas eu não era jovem o suficiente para isso. Eu não tinha permissão para entrar em casa a menos que tivesse trocado as botas pelos chinelos na porta. Eu não ousaria fumar um cachimbo na minha vida a menos que fosse para o celeiro. E minha gramática não era boa o suficiente. Emily tinha sido professora em sua juventude e nunca superou isso. Depois, ela odiava me ver comendo com a faca. Bem, lá estava eu, com a reclamação e a chateação sem fim. Mas imagino, Anne, para ser justo, que EU também era briguento. Eu não tentava melhorar como poderia ter feito. Só ficava rabugento e desagradável quando ela encontrava algum defeito. Um dia eu disse que ela não tinha reclamado da minha gramática quando a pedi em casamento. Não foi uma coisa muito sensível de se dizer. Uma mulher perdoaria um homem por bater nela antes de perdoá-lo por dar a entender que ela ficou muito satisfeita por fisgá-lo. Bem, nós brigávamos desse jeito e não era exatamente agradável, mas talvez nos acostumássemos um ao outro depois de um tempo se não fosse por Ginger. Ginger foi o divisor de águas. Emily não gostava de papagaios e não suportava os hábitos profanos da fala de Ginger. Eu me apeguei ao pássaro por causa do meu irmão marinheiro. Meu irmão marinheiro era meu companheiro quando éramos meninos, e ele tinha me mandado Ginger quando estava prestes a morrer. Eu não vi motivo para me preocupar com os xingamentos. Não há nada que eu odeie mais em um ser humano do que a profanação, mas, quando se trata de um papagaio, ele apenas repete o que ouviu, sem compreender mais do que eu próprio entenderia alguém falando chinês, é preciso levar isso em consideração. Mas Emily não conseguia ver desse modo. As mulheres não são lógicas. Ela tentou fazer Ginger parar de praguejar, mas não teve mais sucesso do que ao me fazer parar de dizer 'tô sabendo' e 'aquelas coisas lá'. Parecia que, quanto mais ela tentava, pior Ginger ficava, assim como eu.

"Bem, as coisas continuaram assim, os dois ficando cada vez mais irritados, até o CLÍMAX chegar. Emily convidou nosso pastor e a esposa dele para o chá, e outro pastor e a esposa DELE, que estavam de visita.

Eu prometi colocar Ginger longe, em algum lugar seguro, onde ninguém pudesse ouvi-lo — Emily não tocava a gaiola dele nem com uma vara de cinco metros — e eu tinha a intenção de fazer aquilo, pois não queria que os pastores ouvissem alguma coisa desagradável na minha casa. Mas acabei esquecendo — Emily estava me preocupando tanto com o colarinho limpo e a gramática que não foi nenhuma surpresa — e nem pensei naquele pobre papagaio até sentarmos para tomar chá. Assim que o ministro número um estava no meio do agradecimento, Ginger, que estava na varanda do lado de fora da sala de jantar, levantou a voz DELE. O peru tinha aparecido no quintal, e a visão de um peru sempre tinha um efeito prejudicial em Ginger. Ele se superou daquela vez. Você pode sorrir, Anne, e não posso negar ter eu mesmo rido disso desde então, mas naquela hora me senti quase tão envergonhado quanto Emily. Eu saí e levei Ginger para o celeiro. Não posso dizer que aproveitei a refeição. Eu sabia, pela cara de Emily, que devia esperar problemas para Ginger e para James A. Quando todos foram embora, saí para o pasto das vacas e pensei um pouco durante o caminho. Eu me sentia mal por Emily e meio que entendi que não tinha sido tão atencioso com ela como poderia. E, além disso, imaginava se os pastores pensariam que Ginger tinha aprendido aquele palavreado comigo. O resumo da obra foi que decidi que Ginger teria que ser misericordiosamente descartado e, depois de trazer as vacas de volta, entrei para dizer isso a Emily. Mas Emily não estava lá, e havia uma carta na mesa — bem de acordo com a regra dos livros de contos. Emily escreveu que eu teria que escolher entre ela e Ginger; ela havia voltado para sua própria casa e lá ficaria até que eu fosse lá e dissesse que tinha me livrado daquele papagaio.

"Eu fiquei furioso, Anne, e disse que ela ficaria lá até o Dia do Juízo Final se fosse esperar por isso. Eu empacotei as coisas dela e mandei para ela. Causou muita conversa — Scottsford era quase tão ruim quanto Avonlea para fofocas — e todos simpatizaram com Emily. Isso me manteve contrariado e rabugento, e vi que teria que sair de lá ou nunca teria paz. Concluí que deveria vir para a ilha. Eu estive aqui quando era menino e gostei; mas Emily sempre havia dito que não moraria num lugar onde as pessoas tinham medo de andar no escuro por medo de cair da borda do mundo. Então, apenas para contrariá-la, eu me mudei para cá. E isso é tudo. Não ouvi nenhuma palavra de ou sobre Emily até voltar do campo no sábado e encontrá-la esfregando o chão, mas com o primeiro jantar decente que tive, desde que ela me deixou, já pronto em cima da mesa. Ela me mandou comer primeiro e disse que depois nós conversaríamos, o que me fez concluir que Emily havia aprendido algumas lições sobre como lidar com um homem. Então, aqui está ela, e veio para ficar, vendo que Ginger está morto e que a ilha é maior do que ela pensava. Aqui estão a Sra. Lynde e ela agora. Não, não vá, Anne. Fique e conheça Emily. Ela ficou com uma impressão e tanto de você no sábado. Queria saber quem era aquela menina ruiva bonita da casa ao lado."

A Sra. Harrison deu boas-vindas a Anne de um jeito radiante e insistiu que ela ficasse para o chá.

"James A. me contou tudo sobre você e como você esteve fazendo bolos e tudo o mais para ele", ela disse. "Quero conhecer todos os meus novos vizinhos o mais rápido possível. A Sra. Lynde é uma mulher adorável, não é? Tão amigável!"

Quando Anne voltou para casa no doce anoitecer de junho, a Sra. Harrison foi com ela pelos campos onde os vagalumes estavam acendendo suas lâmpadas estreladas.

"Imagino", disse a Sra. Harrison de um jeito confidencial, "que James A. tenha lhe contado nossa história, não?"

"Sim."

"Então, não preciso contá-la, pois James A. é apenas um homem e ele conta a verdade. A culpa estava longe de ser toda dele. Posso ver isso agora. Não fazia uma hora que eu tinha voltado para minha própria casa quando comecei a desejar não ter sido tão precipitada, mas não podia ceder. Vejo agora que esperava demais de um homem. E foi muita tolice me importar com a péssima gramática dele. Não importa se um homem usa uma péssima gramática, contanto que ele seja um bom provedor e não vá bisbilhotar a despensa para ver quanto açúcar usamos em uma semana. Eu sinto que James A. e eu vamos ser muito felizes agora. Gostaria de saber quem é o 'Observador' para poder agradecer-lhe. Eu tenho com ele uma grande dívida de gratidão."

Anne seguiu seu próprio conselho e a Sra. Harrison nunca soube que sua gratidão havia encontrado seu caminho. Anne sentiu-se bastante surpresa em relação às consequências abrangentes daquelas tolas "notas". Elas haviam reconciliado um homem e sua esposa e feito a reputação de um profeta.

A Sra. Lynde estava na cozinha de Green Gables. Ela estava contando toda a história para Marilla.

"Bem, e você gostou da Sra. Harrison?", ela perguntou a Anne.

"Bastante. Acho que ela é uma mulher muito gentil."

"É exatamente o que ela é", disse a Sra. Rachel com ênfase, "e, como estava dizendo agora mesmo a Marilla, acho que todos nós devemos ignorar as peculiaridades do Sr. Harrison pelo bem dela e tentar fazê-la se sentir em casa aqui, isso sim. Bem, devo voltar. Thomas deve estar me esperando. Eu posso sair um pouco desde que Eliza veio e ele parece estar bem melhor esses dias, mas nunca gosto de ficar longe dele por muito tempo. Ouvi dizer que Gilbert Blythe renunciou ao cargo em White Sands. Ele vai para a faculdade no outono, eu imagino."

A Sra. Rachel olhou de um jeito afiado para Anne, mas Anne estava inclinada sobre Davy, que havia adormecido no sofá, e nada podia ser lido no rosto dela. Ela carregou Davy para longe, sua bochecha redonda de menina pressionada contra a cabeça amarela e encaracolada dele. Enquanto subiam as escadas, Davy jogou um braço cansado em volta do pescoço de Anne e deu um abraço caloroso e um beijo melado nela.

"Você é muito legal, Anne. Hoje, Milty Boulter escreveu na lousa dele e mostrou para Jennie Sloane,

'Rosas são vermelhas e violetas são azuis,
Açúcar é doce e você também é'.

E isso expressa exatamente os meus sentimentos por você, Anne."

CAPÍTULO XXVI
Depois da curva

Thomas Lynde saiu da vida tão silenciosa e discretamente quanto a havia vivido. A esposa dele tinha sido uma enfermeira carinhosa, paciente e incansável. Algumas vezes, Rachel tinha sido um pouco dura com seu Thomas na saúde, quando sua lentidão ou docilidade a haviam provocado; mas, quando ele ficou doente, nenhuma voz podia ser mais baixa, nenhuma mão mais gentilmente habilidosa, nenhuma vigília mais resignada.

"Você foi uma boa esposa para mim, Rachel", ele disse simplesmente uma vez, quando ela estava sentada ao seu lado ao anoitecer, segurando a mão endurecida pelo trabalho dela em sua mão magra e pálida. "Uma boa esposa. Sinto muito por não ter deixado você em melhor estado; mas nossos filhos vão cuidar de você. Eles são todos inteligentes e capazes, assim como a mãe. Uma boa mãe... uma boa mulher..."

Ele havia adormecido depois, e, na manhã seguinte, enquanto a aurora branca estava surgindo sobre as pontas dos abetos no vale, Marilla foi suavemente até o frontão leste e acordou Anne.

"Anne, Thomas Lynde se foi, o menino dele acabou de vir avisar. Vou até lá agora mesmo."

Um dia depois do funeral de Thomas Lynde, Marilla andou por Green Gables com um ar estranhamente preocupado. Ocasionalmente, ela olhava para Anne, parecia a ponto de dizer alguma coisa, e depois balançava a cabeça e fechava a boca. Depois do chá, ela desceu para ver a Sra. Rachel; e, quando retornou, foi até o frontão leste, onde Anne estava corrigindo exercícios escolares.

"Como está a Sra. Lynde hoje à noite?", perguntou Anne.

"Ela está se sentindo mais calma e composta", respondeu Marilla, sentando-se na cama de Anne — um procedimento que indicava uma empolgação mental incomum, pois, no código de ética doméstico de Marilla, sentar na cama depois de ela ter sido arrumada era uma ofensa imperdoável. "Mas ela está muito solitária. Eliza teve que voltar para casa hoje. O filho dela não está bem e ela sentiu que não podia ficar por mais tempo."

"Quando eu terminar esses exercícios, vou até lá conversar um pouco com a Sra. Lynde", disse Anne. "Eu pretendia estudar um pouco de latim hoje, mas isso pode esperar."

"Imagino que Gilbert Blythe vá para a faculdade no outono", disse Marilla de repente. "Você gostaria de ir também, Anne?"

Anne olhou para ela surpresa.

"Claro que gostaria, Marilla. Mas isso não é possível."

"Acho que pode se tornar possível. Sempre senti que você deveria ir. Nunca me senti bem por pensar que você estava desistindo de tudo por minha causa."

"Mas, Marilla, nunca me arrependi de nenhum momento em que fiquei em casa. Eu sou tão feliz... Oh, estes últimos dois anos foram maravilhosos."

"Oh, sim, sei que você esteve bastante contente. Mas essa não é exatamente a questão. Você deve continuar a sua educação. Você já economizou o suficiente para pagar por um ano na Redmond, e o dinheiro que o gado trouxe vai pagar mais um ano. E sempre há bolsas de estudo e outras coisas que você pode ganhar."

"Sim, mas não posso ir, Marilla. Seus olhos estão melhores, é claro; mas não posso deixá-la sozinha com os gêmeos. Eles precisam de muitos cuidados."

"Eu não vou ficar sozinha com eles. Era isso que queria discutir com você. Tive uma longa conversa com Rachel hoje à noite. Anne, ela está se sentindo terrivelmente mal por causa de diversas coisas. Ela não foi deixada em um estado muito bom. Parece que eles hipotecaram a fazenda há oito anos para dar ao menino mais novo uma ajuda quando ele foi para oeste; e eles não conseguiram pagar muito mais que os juros desde então. E, depois, claro que a doença de Thomas gerou muitos custos, de um jeito ou de outro. A fazenda terá que ser vendida e Rachel não acha que vai sobrar muito depois que as contas forem acertadas. Ela disse que vai ter que ir morar com Eliza e está partindo seu coração pensar em deixar Avonlea. Uma mulher da idade dela não faz novos amigos nem tem interesses facilmente. E, Anne, enquanto ela falava sobre isso, me veio a ideia de pedir a ela para vir morar comigo, mas pensei que devia falar com você primeiro, antes de dizer qualquer coisa a ela. Se Rachel morasse comigo, você poderia ir para a faculdade. O que você acha disso?"

"Sinto... como se... alguém... tivesse me dado... a lua... e eu não soubesse... exatamente... o que fazer... com ela", disse Anne, atordoada. "Mas quanto a pedir à Sra. Lynde para vir para cá, isso é a senhora quem decide, Marilla. Acha... tem certeza de que gostaria disso? A Sra.

Lynde é uma boa mulher e uma vizinha gentil, mas... mas..."

"Mas ela tem seus defeitos, é o que você quer dizer? Bem, ela tem, é claro; mas acho que preferiria tolerar defeitos bem piores a ver Rachel indo embora de Avonlea. Eu sentiria muito a falta dela. Ela é a única amiga íntima que tenho aqui, e ficaria perdida sem ela. Nós somos vizinhas há quarenta e cinco anos e nunca tivemos uma briga — embora tenhamos chegado perto disso quando você voou nela por chamá-la de ruiva e sem graça. Você se lembra, Anne?"

"Pode ter certeza de que me lembro", disse Anne, pesarosa. "As pessoas não esquecem coisas assim. Como eu odiei a pobre Sra. Rachel naquele momento!"

"E depois aquelas 'desculpas' que você pediu a ela. Bem, você deu trabalho, com certeza, Anne. Eu me senti tão confusa e desnorteada sobre como lidar com você. Matthew entendia você melhor."

"Matthew entendia tudo", disse Anne suavemente, como sempre falava dele.

"Bem, acho que podemos dar um jeito de Rachel e eu não entrarmos em conflito. Sempre me pareceu que a razão para duas mulheres não se darem bem na mesma casa é que elas tentam compartilhar a mesma cozinha e ficam no caminho uma da outra. Agora, se Rachel viesse para cá, ela poderia ficar com o frontão norte para o quarto dela e usar o quarto de hóspedes como cozinha, por que não? Não precisamos mesmo de um quarto de hóspedes. Ela podia colocar o fogão dela ali e a mobília que quisesse manter, e ficar bem confortável e independente. Ela vai ter o suficiente para viver, é claro — os filhos dela vão garantir isso. Então tudo o que eu estaria dando a ela seria espaço na casa. Sim, Anne, no que me diz respeito, gostaria disso."

"Então, fale com ela", disse Anne prontamente. "Eu mesma ficaria triste de ver a Sra. Rachel indo embora."

"E, se ela vier", continuou Marilla, "você pode muito bem ir para a faculdade. Ela vai me fazer companhia e vai fazer pelos gêmeos o que eu mesma não posso, então não há nenhuma razão no mundo para você não ir."

Anne fez uma longa meditação em sua janela naquela noite. Alegria e arrependimento lutavam em seu coração. Ela havia finalmente chegado

— de repente e inesperadamente — à curva da estrada; e a faculdade estava depois dela, com centenas de esperanças e visões de arco-íris; mas Anne percebeu também que, quando virasse a curva, deveria deixar muitas coisas doces para trás — todas as pequenas tarefas e interesses que haviam se tornado tão queridos para ela nos últimos dois anos e que ela havia glorificado em beleza e encanto pelo entusiasmo que havia colocado neles. Ela deveria desistir de sua escola — e ela amava cada um de seus pupilos, até mesmo os que tinham mais dificuldade e os mais levados. A mera lembrança de Paul Irving a fez pensar se Redmond era um nome tão importante a considerar, afinal.

"Eu criei muitas raízes nestes dois anos", Anne contou à lua, "e, quando eu puxá-las, vai doer bastante. Mas é melhor ir, eu acho, e, como diz Marilla, não há nenhuma boa razão para não ir. Devo pegar todas as minhas ambições e tirar o pó delas."

Anne renunciou ao cargo no dia seguinte; e a Sra. Rachel, depois de uma conversa de coração para coração com Marilla, aceitou com gratidão a oferta de um lar em Green Gables. Ela decidiu permanecer na própria casa durante o verão, entretanto; a fazenda não seria vendida até o outono e havia muitos arranjos a fazer.

"Certamente nunca pensei em morar tão longe da estrada como em Green Gables", suspirou a Sra. Rachel para si mesma. "Mas, realmente, Green Gables não parece tão longe do mundo quanto costumava ser — Anne tem muita companhia e os gêmeos deixam a casa bem agitada. E, de qualquer forma, preferiria viver no fundo de um poço a deixar Avonlea."

A extensa divulgação dessas duas notícias rapidamente tomou o lugar da chegada da Sra. Harrison nas fofocas populares. Cabeças sábias foram balançadas por causa da atitude precipitada de Marilla Cuthbert em convidar a Sra. Rachel para morar com ela. As pessoas opinaram que elas não se dariam bem juntas. As duas "estavam muito satisfeitas consigo mesmas", e muitas previsões sombrias foram feitas, nenhuma das quais perturbou as partes em questão de jeito nenhum. Elas haviam chegado a um entendimento claro e distinto sobre os respectivos deveres e direitos de sua nova situação e pretendiam acatá-los.

"Não vou me meter com você e nem você comigo", a Sra. Rachel disse decididamente, "e, quanto aos gêmeos, ficarei feliz por fazer tudo o que puder por eles; mas não vou me dar ao trabalho de responder às perguntas de Davy, isso sim. Não sou uma enciclopédia, nem um advogado da Filadélfia. Você vai sentir falta de Anne para isso."

"Às vezes as respostas de Anne eram tão esquisitas quanto as perguntas de Davy", disse Marilla, seca. "Os gêmeos vão sentir falta dela, sem dúvida; mas o futuro dela não pode ser sacrificado pela sede de Davy por informação. Quando ele faz perguntas que eu não sei responder, eu apenas lhe digo que as crianças devem ser vistas e não ouvidas. Foi assim que eu fui criada, e não sei, mas acho que deve ser um jeito tão bom quanto essas noções novas e ridículas para educar crianças."

"Bem, os métodos de Anne parecem ter funcionado bastante bem com Davy", disse a Sra. Lynde sorrindo. "Ele mudou de caráter, isso sim."

"Ele não tem uma alma ruim", admitiu Marilla. "Nunca imaginei ficar tão apegada àquelas crianças quanto fiquei. Davy tem um jeito de chegar na gente... E Dora é uma criança adorável, embora ela seja... meio... bem, meio..."

"Monótona? Exatamente", cedeu a Sra. Rachel. "Como um livro em que todas as páginas são iguais, isso sim. Dora será uma mulher boa e confiável, mas ela nunca vai fazer algo surpreendente. Bem, é confortável ter esse tipo de pessoa por perto, mesmo que não seja do tipo mais interessante."

Gilbert Blythe era provavelmente a única pessoa para quem a notícia da renúncia de Anne havia trazido uma mistura de sensações. Seus pupilos consideraram aquilo uma verdadeira catástrofe. Annetta Bell ficou histérica ao voltar para casa. Anthony Pye lutou em duas brigas brutais e não provocadas com outros meninos para aliviar seus sentimentos. Barbara Shaw chorou a noite toda. Paul Irving disse à avó desafiadoramente que não devia esperar que ele comesse mingau nenhum por uma semana.

"Não consigo, vovó", ele disse. "Não acho que consigo comer NADA. Sinto como se tivesse um caroço horrível na minha garganta.

Eu teria chorado ao voltar da escola para casa se Jake Donnel não estivesse me olhando. Acho que vou chorar depois de ir para a cama. Não daria para notar nos meus olhos amanhã, daria? E seria um alívio e tanto. Mas, de qualquer forma, não consigo comer mingau. Vou precisar de toda a força da minha mente para superar isso, vovó, e não vai sobrar nenhuma para lutar com o mingau. Oh vovó, não sei o que vou fazer quando minha linda professora for embora. Milty Boulter disse que aposta que Jane Andrews vai ficar com a escola. Imagino que a Srta. Andrews seja muito boa. Mas sei que ela não vai entender as coisas como a Srta. Shirley."

Diana também via a situação de um jeito muito pessimista.

"Vai ser terrivelmente solitário aqui no próximo inverno", ela lamentou em um anoitecer quando a lua estava despejando um "ar prateado" através dos ramos de cerejeira e enchendo o frontão leste com um brilho suave e radiante sob o qual as duas meninas se sentaram e conversaram, Anne em sua cadeira de balanço à janela, Diana sentada com as pernas cruzadas em cima da cama. "Você e Gilbert não vão estar aqui, e os Allan também não. Vão chamar o Sr. Allan para Charlottetown e é claro que ele vai aceitar. É muita maldade. Vamos ficar abandonados durante todo o inverno, eu imagino, e teremos que ouvir uma longa série de candidatos — metade deles não será boa o suficiente."

"Espero que eles não chamem o Sr. Baxter de East Grafton para cá, de qualquer forma", disse Anne, decidida. "Ele quer ser chamado, mas faz uns sermões tão melancólicos. O Sr. Bell diz que ele é um pastor da velha-guarda, mas a Sra. Lynde diz que não tem nada de errado com ele além de indigestão. Parece que a esposa dele não é uma cozinheira muito boa, e a Sra. Lynde diz que, quando um homem tem que comer pão durante duas semanas em cada três, é inevitável que a teologia dele perca o rumo. A Sra. Allan se sente muito mal por partir. Ela diz que todos foram tão gentis com ela desde que veio para cá, ao se casar, que sente como se estivesse deixando amigos de uma vida toda. E, além disso, tem o túmulo do bebê, sabe? Ela diz que não imagina como pode ir embora e deixá-lo. Era uma coisinha tão pequena e tinha só três meses; e ela diz que tem medo de ele sentir falta da mãe, embora saiba que não deve dizer isso ao Sr. Allan de jeito nenhum. Ela disse que fugiu pelo bosque de bétulas atrás do presbitério quase todas as noites para ir ao cemitério e cantar uma cantiga de ninar para o bebê. Ela me contou sobre isso na noite passada, quando eu estava lá colocando algumas rosas silvestres no túmulo de Matthew. Eu prometi a ela que, enquanto estivesse em Avonlea, colocaria flores no túmulo do bebê e, quando eu estivesse longe, eu tinha certeza de que..."

"De que eu faria isso", concedeu Diana de coração. "Claro que farei. Vou colocar flores no túmulo de Matthew por você também, Anne."

"Oh, obrigada. Eu queria perguntar se você faria isso. E no de Hester Gray também? Por favor, não esqueça o dela. Sabe, eu pensei e sonhei tanto com Hester Gray que ela se tornou estranhamente real para mim. Eu penso nela, lá naquele seu jardinzinho, naquele canto fresco, calmo e verde; e imagino que, se eu pudesse voltar lá em uma noite de primavera, na hora mágica entre a luz e a escuridão, e subir na ponta dos pés suavemente a colina de bétulas para os meus passos não a assustarem, eu encontraria o jardim exatamente como costumava ser, repleto de doces lírios e rosas, com a casinha mais adiante coberta de videiras. E a pequena Hester Gray estaria ali, com seus olhos suaves e o vento soprando pelo seu cabelo escuro, passeando por lá, colocando os dedos sobre os lírios e sussurrando segredos para as rosas. E eu seguiria em frente, ah, tão suavemente, para estender minhas mãos a ela e dizer: 'Hester Gray, deixaria que eu brincasse com você? Eu também amo as rosas!'. E ela se sentaria naquele banco velho, falaria um pouco e sonharia um pouco, ou ficaria lindamente silenciosa por completo. E, então, a lua se ergueria e eu olharia ao meu redor — e não haveria nenhuma Hester Gray, nenhuma casa coberta por videiras e nenhuma rosa, apenas um jardim velho e descuidado com lírios no meio da grama e o vento soprando, oh, tão triste nas cerejeiras. E eu não saberia se tinha sido real ou se tinha apenas imaginado tudo." Diana ergueu-se e apoiou as costas na cabeceira da cama. Quando sua companhia da hora do crepúsculo diz coisas tão assustadoras, é melhor não se permitir ficar imaginando que há alguma coisa atrás de você.

"Temo que a Sociedade de Melhoria vá se desfazer quando você e

Gilbert forem embora", ela lembrou dolorosamente.

"Não precisa temer nada", disse Anne vigorosamente, voltando da terra dos sonhos para os assuntos da vida prática. "Está estabelecida muito firmemente para se desfazer, especialmente agora que as pessoas mais velhas ficaram tão entusiasmadas com a ideia. Veja o que estão fazendo com a grama e as estradas para o verão. Além disso, vou procurar sugestões em Redmond, escrever um relatório sobre isso para o próximo inverno e mandar para cá. Não veja as coisas de um jeito tão melancólico, Diana. E não fique ressentida pelo meu pequeno momento de felicidade e júbilo agora. Mais tarde, quando eu tiver que ir embora, não vou sentir nada além de felicidade."

"Tudo bem você estar feliz. Você vai para a faculdade, vai se divertir muito e fazer um monte de belos novos amigos."

"Espero fazer novos amigos", disse Anne, pensativa. "A possibilidade de fazer novos amigos ajuda a tornar a vida muito fascinante. Mas, não importa quantos novos amigos eu faça, eles nunca serão tão queridos para mim quanto os antigos... Especialmente uma certa garota de olhos escuros e covinhas. Consegue imaginar quem é, Diana?"

"Mas vai ter tantas meninas inteligentes na Redmond", suspirou Diana, "e eu sou apenas uma menininha estúpida do interior que diz 'tô sabendo' às vezes, embora eu realmente saiba mais do que isso quando paro para pensar. Bem, é claro que estes últimos dois anos foram bons demais para durar. Eu sei de ALGUÉM que está feliz por você estar indo para Redmond, seja como for. Anne, vou lhe fazer uma pergunta... uma pergunta séria. Não fique com raiva e seja sincera. Você não gosta nem um pouco de Gilbert?"

"Gosto tanto quanto de qualquer outro amigo e nem um pouco do jeito que você pensa", disse Anne calma e decididamente. Ela também pensava que estava sendo sincera.

Diana suspirou. Ela desejava, de alguma forma, que Anne tivesse respondido de um jeito diferente.

"Você NUNCA vai querer se casar, Anne?"

"Talvez... algum dia... quando eu conhecer a pessoa certa", disse Anne, sorrindo sonhadoramente para o luar.

"Mas como você pode ter certeza de que conheceu a pessoa certa?", insistiu Diana.

"Ah, eu vou saber quem é. ALGO vai me dizer. Você sabe qual é o meu ideal, Diana."

"Mas os ideais das pessoas mudam às vezes."

"Os meus não. E eu não PODERIA gostar de qualquer homem que não estivesse à altura."

"E se você nunca conhecê-lo?"

"Então, vou morrer como uma velha solteirona", foi a alegre resposta. "Ouso dizer que não é a pior morte, de jeito nenhum."

"Ah, imagino que a parte de morrer seja bem fácil; é a parte de viver como uma velha solteirona que me preocupa", disse Diana, sem nenhuma intenção de ser engraçada. "Embora eu não me importasse de ser uma velha solteirona TANTO assim se pudesse ser como a Srta. Lavendar. Mas nunca poderia ser. Quando tiver 45 anos, estarei terrivelmente gorda. E, ainda que possa haver algum romance em uma velha solteirona magra, não seria possível para uma que fosse gorda. Ah, fique sabendo, Nelson Atkins pediu Ruby Gillis em casamento há três semanas. Ruby me contou tudo. Ela disse que nunca teve intenção de aceitar, porque qualquer uma que se casasse com ele teria que ir morar com os pais dele; mas Ruby disse que ele fez uma proposta simplesmente tão linda e romântica que lhe tirou o chão. Mas ela não quis fazer nada precipitado, então pediu uma semana para pensar. Dois dias depois, ela estava em uma reunião do grupo de costura na casa da mãe dele e viu um livro chamado 'O Guia Completo da Etiqueta' em cima da mesa do salão. Ruby disse que simplesmente não poderia descrever seus sentimentos quando encontrou exatamente o pedido que Nelson fez em uma seção intitulada 'A conduta da corte e do casamento', palavra por palavra. Ela foi para casa e escreveu para ele uma recusa simplesmente mordaz. E ela disse que o pai e a mãe estiveram se revezando para ficar de olho nele por medo de ele se afogar no rio; mas Ruby disse que eles não precisavam ter medo, pois 'A conduta da corte e do casamento' diz como um amante rejeitado deve se comportar, e não tem nada sobre se afogar LÁ. E ela disse que Wilbur Blair está literalmente suspirando por ela, mas que não pode fazer nada a respeito disso."

Anne fez um movimento impaciente.

"Odeio dizer isso, parece tão desleal... mas, bem, não gosto mais de Ruby Gillis. Gostava dela quando fomos para a escola e para a Queen's juntas, embora não tanto quanto de você e de Jane, é claro. Mas neste último ano, em Carmody, ela parece tão diferente, tão... tão..."

"Eu sei", assentiu Diana. "É o sangue Gillis dela, ela não pode evitar. A Sra. Lynde diz que, se uma menina Gillis alguma vez pensou em alguma outra coisa além de meninos, nunca deu a entender pelo jeito que anda ou conversa. Ela não fala de mais nada além de garotos e dos elogios que fazem a ela, e de como todos estão malucos por ela em Carmody. E o mais estranho é que ESTÃO mesmo", Diana admitiu, com certo ressentimento. "Quando eu a vi na loja do Sr. Blair na noite passada, ela sussurrou para mim que tinha acabado de conquistar um novo 'pretendente'. Não perguntei a ela quem era, porque sabia que ela estava morrendo para que eu perguntasse. Bem, é o que Ruby sempre quis, eu imagino. Você lembra que quando ela era pequena sempre quis ter dúzias de namorados quando crescesse e se divertir ao máximo antes de sossegar. Ela é tão diferente de Jane, não é? Jane é uma garota tão gentil, sensível e refinada."

"A querida Jane é uma joia", concordou Anne, "mas", ela acrescentou, inclinando-se para dar uma batidinha carinhosa na mão gordinha em cima do travesseiro dela, "não há ninguém como a minha Diana. Você se lembra da tarde em que nos conhecemos, Diana, e 'juramos' amizade eterna no seu jardim? Eu mantive aquela promessa, eu acho. Nós nunca tivemos uma briga, nem mesmo uma fase de gelo. Nunca vou me esquecer da emoção que senti no dia em que você me contou que me amava. Eu tive um coração tão solitário e faminto durante toda a minha infância. Só agora estou começando a perceber quão solitária e faminta eu realmente era. Ninguém se importava comigo ou queria se dar ao trabalho comigo. Eu teria sido miserável se não fosse pela minha estranha vidinha de faz de conta, em que eu imaginava todos os amigos e o amor que desejava. Mas, quando vim para Green Gables, tudo mudou. E depois conheci você. Você não sabe quanto a sua amizade significou para mim. Quero lhe agradecer aqui e agora, querida, o carinho verdadeiro e caloroso que você sempre me deu."

"E sempre, sempre vou dar", soluçou Diana. "Eu NUNCA vou amar ninguém — nenhuma GAROTA — tanto quanto amo você. E, se eu me casar e tiver uma menininha, vou chamá-la de ANNE."

CAPÍTULO XXVII
Uma tarde na casa de pedra

"Onde você vai toda arrumada, Anne?", Davy queria saber. "Você está supimpa neste vestido."

Anne havia descido para o jantar com um vestido novo de musselina verde-clara — a primeira cor que ela tinha usado desde a morte de Matthew. Caía muito bem nela, destacando todas as cores delicadas e florais de seu rosto e o brilho e fulgor de seu cabelo.

"Davy, quantas vezes já lhe pedi para não usar essa palavra?", ela repreendeu. "Estou indo à Cabana do Eco."

"Me leve com você", suplicou Davy.

"Eu levaria se fosse de charrete. Mas vou andando, e é muito longe para as suas pernas de 8 anos. Além disso, Paul vai comigo e receio que você não goste muito da companhia dele."

"Ah, eu gosto de Paul bem mais do que gostava antes", disse Davy, começando a fazer assustadores avanços em seu pudim. "Desde que eu mesmo fiquei muito bom, não me importo tanto de ele ser 'mais bom'. Se eu continuar, vou alcançar ele algum dia, tanto nas pernas quanto na bondade. Além disso, Paul é muito legal com os meninos do segundo ano na escola. Ele não deixa os meninos maiores se meterem com a gente e nos ensina um monte de jogos."

"Como Paul foi cair no riacho durante a hora do almoço ontem?", perguntou Anne. "Eu o encontrei no parquinho, pingando, e o mandei prontamente para casa para trocar de roupa, sem esperar para descobrir o que tinha acontecido."

"Bem, em parte foi um acidente", explicou Davy. "Ele colocou a cabeça de propósito, mas o resto dele caiu por acidente. Nós estávamos todos lá no riacho e Prillie Rogerson ficou brava com Paul por causa de alguma coisa. Ela é muito malvada e horrível, mesmo SENDO bonita, e disse que a avó dele enrolava o cabelo dele toda noite. Paul não teria se importado com o que ela disse, eu acho, mas Gracie Andrews riu, e Paul ficou muito vermelho, porque Gracie é a namorada dele, sabe? Ele está CAÍDO por ela, traz flores para ela e carrega os livros dela até a estrada litorânea. Ele ficou vermelho feito uma beterraba e disse que a avó não fazia nada desse tipo, e que o cabelo dele tinha nascido enrolado. E, depois, ele deitou na margem e colocou a cabeça bem dentro da fonte para mostrar a elas. Ah, não foi da fonte que nós usamos para beber...", disse, vendo o olhar horrorizado no rosto de Marilla, "...foi a pequenininha, mais embaixo. Mas a margem é muito escorregadia e Paul caiu lá dentro. Vou lhe contar que ele deu um mergulho supimpa. Oh Anne, Anne, não quis dizer isso, saiu sem eu pensar. Ele deu um mergulho ESPLÊNDIDO. Mas ele estava tão engraçado quando engatinhou para fora, todo molhado e cheio de lama. As meninas riram mais do que nunca, mas Gracie não riu. Ela parecia arrependida. Gracie é uma menina legal, mas ela tem o nariz empinado. Quando eu tiver crescido o bastante para ter uma namorada, não vou querer uma de nariz empinado, vou escolher uma com um nariz bonito como o seu, Anne."

"Um menino que faz uma bagunça dessas com calda pelo rosto todo quando está comendo pudim nunca vai conseguir fazer uma menina olhar para ele", disse Marilla severamente.

"Mas vou lavar o rosto antes de cortejar alguém", protestou Davy, tentando melhorar a questão esfregando a sujeira com o dorso da mão. "E vou lavar atrás das orelhas também, sem que ninguém mande. Eu lembrei de fazer isso hoje de manhã, Marilla. Não esqueço com tanta frequência quanto esquecia antes. Mas...", e Davy suspirou, "...a gente tem tantos cantinhos que é difícil demais lembrar de todos eles. Bem, se não posso ir à Srta. Lavendar, vou ver o Sr. Harrison. A Sra. Harrison é uma mulher muito legal, falando sério. Ela guarda um pote de biscoitos na despensa especialmente para menininhos e sempre me deixa raspar a tigela que usa para misturar o bolo de ameixa. Um monte de ameixas gruda dos lados, sabe? O Sr. Harrison sempre foi um homem legal, mas ele está duas vezes mais legal desde que se casou de novo. Acho que casar deixa as pessoas mais legais. Por que VOCÊ não se casa, Marilla? Queria saber."

O estado abençoado de solteirice de Marilla nunca tinha sido um assunto delicado para ela, então ela respondeu amigavelmente, com uma troca de olhares significante com Anne, que imaginava que era porque ninguém queria ficar com ela.

"Mas talvez você nunca tenha perguntado se alguém queria ficar com você", protestou Davy.

"Oh Davy", disse Dora educadamente, chocada por estar falando sem ter sido chamada, "são os HOMENS que precisam perguntar."

"Não sei por que eles têm que fazer isso SEMPRE", resmungou Davy. "Parece que tudo é trabalho dos homens nesse mundo. Posso comer mais pudim, Marilla?"

"Você já comeu demais", disse Marilla; mas deu a ele uma moderada segunda porção.

"Gostaria que as pessoas pudessem viver de pudim. Por que não podem, Marilla? Queria saber."

"Porque elas logo se cansariam de pudim."

"Eu gostaria de tentar por mim mesmo", disse Davy, cético. "Mas imagino que seja melhor comer pudim em dia de peixe e dia de visita do que não comer nunca. Eles não comem nunca na casa de Milty Boulter. Milty disse que, quando eles têm visita, a mãe dá queijo a eles e ela mesmo corta — um pedacinho para cada e mais um pelas boas maneiras."

"Se Milty Boulter fala desse jeito sobre a mãe dele, você no mínimo não deveria repetir", disse Marilla severamente.

"Misericórdia", Davy havia aprendido essa expressão com o Sr. Harrison e a usava com grande prazer. "Milty disse como se fosse um elogio. Ele tem muito orgulho da mãe dele, porque as pessoas dizem que ela consegue tirar leite de pedra."

"Eu... eu acho que aquelas galinhas terríveis estão no meu canteiro de flores de novo", disse Marilla, levantando e saindo apressada.

As galinhas caluniadas não estavam nem perto do canteiro de flores e Marilla nem olhou para ele. Em vez disso, ela se sentou no alçapão do porão e riu até sentir vergonha de si mesma.

Quando Anne e Paul chegaram à casa de pedra naquela tarde, encontraram a Srta. Lavendar e Charlotta, a Quarta, no jardim, capinando, rastelando, cortando e aparando com vontade. A própria Srta. Lavendar, toda feliz e contente usando os laços e babados que amava, largou suas tesouras e correu alegremente para encontrar seus convidados, enquanto Charlotta, a Quarta, dava seu sorriso largo.

"Bem-vinda, Anne. Imaginei que você viesse hoje. Você pertence à tarde, então ela trouxe você. As coisas que pertencem uma à outra sempre acabam vindo juntas. Quanto trabalho as pessoas poupariam se soubessem disso. Mas elas não sabem, então desperdiçam uma bela energia movendo céu e terra para aproximar coisas que NÃO pertencem. E você, Paul... Ora, você cresceu! Você está meia cabeça mais alto do que quando veio aqui antes."

"Sim, a Sra. Lynde diz que estou crescendo igual a capim", disse Paul, com verdadeiro prazer pelo fato. "Vovó diz que é o mingau fazendo efeito, finalmente. Talvez seja. Deus sabe...", Paul suspirou profundamente, "... que eu comi mingau o suficiente para me fazer crescer. Espero mesmo que, agora que comecei, eu continue até ser tão alto quanto meu pai. Ele tem um metro e oitenta, sabe, Srta. Lavendar?"

Sim, a Srta. Lavendar sabia; o rubor nas bochechas dela ficou um pouco mais forte; ela pegou a mão de Paul de um lado e a de Anne do outro e andou até a casa em silêncio.

"É um bom dia para os ecos, Srta. Lavendar?", questionou Paul ansiosamente. O dia de sua visita tinha sido ventoso demais para ecos, e Paul tinha ficado muito desapontado.

"Sim, é o melhor dia possível", respondeu a Srta. Lavendar, despertando de seu devaneio. "Mas, primeiro, vamos comer alguma coisa. Sei que vocês não andaram até aqui por aquela floresta de faias sem ficar com fome, e Charlotta, a Quarta, e eu podemos comer a qualquer hora do dia. Temos apetite muito farto. Então, nós faremos um ataque à despensa. Felizmente, ela está boa e cheia. Eu tive um pressentimento de que teria companhia hoje, e Charlotta, a Quarta, e eu nos preparamos."

"Acho que a senhorita é uma das pessoas que sempre têm coisas gostosas na despensa", declarou Paul. "Vovó também é assim. Mas ela não aprova lanches entre as refeições. Eu me pergunto", ele acrescentou pensativamente, "se eu DEVO comer lanches longe de casa quando sei que ela não aprova."

"Oh, não acho que ela desaprovaria um lanche depois de você ter feito uma longa caminhada. Isso faz diferença", disse a Srta. Lavendar, trocando olhares divertidos com Anne acima dos cachos castanhos de Paul. "Imagino que lanches SEJAM extremamente prejudiciais. É por isso que nós fazemos tantos aqui na Cabana do Eco. Nós — Charlotta, a Quarta, e eu — vivemos para desafiar toda regra de dieta conhecida. Nós comemos todos os tipos de coisa indigesta sempre que calhamos de pensar nisso, seja dia, seja noite; e florescemos como a flor do campo. Nós estamos sempre com a intenção de mudar. Quando lemos algum artigo no jornal alertando contra algo de que gostamos, cortamos e penduramos na parede da cozinha para nos lembrarmos. Mas, de alguma forma, nunca conseguimos — até depois de já termos comido aquela mesma coisa. Nada nos matou ainda; mas Charlotta, a Quarta, é conhecida por ter pesadelos depois de comer rosquinhas, torta e bolo de frutas antes de ir para a cama."

"Vovó me deixa tomar um copo de leite e comer uma fatia de pão com manteiga antes de ir para a cama. E, nos domingos à noite, ela coloca geleia no pão", disse Paul. "Então, sempre fico feliz no domingo à noite, por mais de uma razão. Domingo é um dia muito longo na estrada litorânea. Vovó diz que é muito curto para ela, e que meu pai nunca achou os domingos cansativos quando era menino. Não pareceria tão longo se eu pudesse falar com as minhas pessoas de pedra, mas nunca falo porque vovó não aprova isso aos domingos. Mas a professora aqui disse uma vez que todo pensamento bonito de verdade é religioso, independentemente de qual seja, ou do dia em que o pensamos. Mas tenho certeza de que vovó pensa que sermões e lições da escola dominical são as únicas coisas por meio das quais podemos ter pensamentos religiosos. E, quando se trata de uma diferença de opinião entre a vovó e a professora, não sei o que fazer. Em meu coração...", Paul colocou a mão no peito e levantou seus olhos azuis muito sérios para o rosto imediatamente solidário da Srta. Lavendar, "...concordo com a professora. Mas, veja, vovó criou meu pai do jeito DELA e teve um sucesso brilhante com ele; e a professora ainda não criou ninguém, embora esteja ajudando com Davy e Dora. Mas não podemos saber como eles vão se sair até terem crescido. Então, às vezes sinto que pode ser mais seguro ir de acordo com as opiniões da vovó."

"Acho que seria", concordou Anne solenemente. "De qualquer forma, ouso dizer que, se sua avó e eu chegássemos ao que realmente queremos dizer, através de nosso jeito diferente de expressar, nós descobriríamos que queremos expressar a mesma coisa. É melhor você ir pelo jeito dela de se expressar, já que é resultado da experiência. Teremos que esperar para ver como os gêmeos vão se sair antes de podermos ter certeza de que o meu jeito é tão bom quanto o dela." Depois do lanche, eles voltaram para o jardim, onde Paul ficou conhecendo os ecos, para sua surpresa e encanto, enquanto Anne e a Srta. Lavendar se sentaram no banco de pedra, embaixo do choupo, e conversaram.

"Então, você vai embora no outono?", disse a Srta. Lavendar melancolicamente. "Eu deveria estar feliz por você, Anne, mas estou terrivelmente triste, de um jeito bem egoísta. Vou sentir muito a sua falta. Oh, às vezes acho que não adianta fazer amigos. Eles apenas saem da nossa vida depois de um tempo e deixam uma ferida pior que o vazio de antes de eles chegarem."

"Isso parece algo que a Srta. Eliza Andrews diria, mas nunca a Srta. Lavendar", disse Anne. "NADA é pior que o vazio. E não vou sair da sua vida. Existem coisas como cartas e férias. Minha querida, temo que você esteja um pouco pálida e cansada."

"Oh... hoo... hoo... hooo", continuou Paul no muro de pedra, onde ele estava fazendo barulhos com afinco. Nem todos muito melodiosos, mas todos voltando transformados nos sons dourados e prateados das fadas alquimistas do outro lado do rio. A Srta. Lavendar fez um movimento impaciente com suas mãos bonitas.

"Só estou cansada de tudo... até dos ecos. Não há nada na minha vida além de ecos — ecos de esperanças, sonhos e alegrias perdidos. Eles são lindos e zombeteiros. Oh Anne, é terrível falar desse jeito quando tenho companhia. É só que estou ficando velha e isso não combina comigo. Sei que serei assustadoramente rabugenta quando tiver 60 anos. Mas talvez tudo de que eu precise sejam algumas pílulas azuis." Naquele momento, Charlotta, a Quarta, que tinha desaparecido depois do lanche, retornou, anunciou que o canto noroeste do pasto do Sr. John

Kimball estava vermelho por causa dos morangos e perguntou se a Srta. Shirley gostaria de ir colher alguns.

"Morangos frescos para o chá!", exclamou a Srta. Lavendar. "Oh, não estou tão velha quanto pensava, e não preciso de uma única pílula azul sequer! Meninas, quando voltarem com seus morangos, vamos tomar o chá aqui embaixo do choupo prateado. Eu vou deixar tudo pronto para vocês com chantilly fresco."

Sendo assim, Anne e Charlotta, a Quarta, foram até o pasto do Sr. Kimball, um lugar verde e remoto onde o ar era suave como o veludo, perfumado como uma cama de violetas e dourado como o âmbar.

"Oh, não é doce e fresco aqui?", suspirou Anne. "Sinto como se estivéssemos bebendo a luz do sol."

"Sim, madame, eu também. É exatamente como me sinto também, madame", concordou Charlotta, a Quarta, que teria dito precisamente o mesmo se Anne tivesse dito que se sentia como um pelicano na natureza selvagem. Depois de Anne ter visitado a Cabana do Eco, Charlotta, a Quarta, sempre marchava até seu quartinho, em cima da cozinha, e tentava falar, parecer e se mexer como Anne em frente ao espelho. Charlotta nunca podia elogiar a si mesma dizendo que havia tido sucesso; mas a prática leva à perfeição, como Charlotta havia aprendido na escola, e ela desejava de coração que com o tempo aprendesse o truque de levantar o queixo delicadamente, de fazer com que os olhos faiscassem daquele jeito rápido e estrelado, de andar como se fosse um ramo balançando ao vento. Parecia tão fácil quando olhava para Anne. Charlotta, a Quarta, admirava Anne de todo o coração. Não era por achar que ela era tão linda assim. A beleza de bochechas rosadas e cachos pretos de Diana Barry era muito mais próxima do gosto de Charlotta, a Quarta, do que o charme luminoso de luar dos olhos cinzentos e do rosto pálido de Anne.

"Mas eu preferiria ser parecida com você a ser linda", ela disse a Anne, sinceramente.

Anne riu, bebeu do mel do elogio e atirou longe o ferrão. Ela estava acostumada a receber elogios mistos. A opinião pública nunca concordava sobre a aparência de Anne. As pessoas que tinham ouvido alguém chamá-la de bonita ficavam desapontadas quando a conheciam.

As pessoas que tinham ouvido alguém chamá-la de sem graça ficavam se perguntando onde estavam os olhos daquelas outras pessoas quando a viam. A própria Anne nunca acreditaria que tinha algum direito à beleza. Quando ela olhava no espelho, tudo o que via era um rostinho pálido com sete sardas no nariz. Seu espelho nunca relevou para ela a mistura de sentimentos elusiva e mutável que aparecia e atravessava suas feições como uma chama luminosa e rosada, ou o charme dos sonhos e das risadas se alternando em seus grandes olhos.

Ainda que Anne não fosse linda no sentido estrito da palavra, ela possuía um certo charme evasivo e uma aparência distinta que deixavam quem a contemplasse com a sensação agradável de satisfação por aquela mocidade suave dela, com todas as suas potencialidades fortemente sentidas. Aqueles que conheciam Anne sentiam claramente, sem perceber que o faziam, que sua maior atração era a aura de possibilidades ao seu redor — o poder do desenvolvimento futuro que havia nela. Ela parecia andar em uma atmosfera de coisas prestes a acontecer.

Enquanto colhiam, Charlotta, a Quarta, confidenciou a Anne seus medos em relação à Srta. Lavendar. A pequena empregada de coração bondoso estava honestamente preocupada com a condição de sua adorada senhora.

"A Srta. Lavendar não está bem, Srta. Shirley, madame. Tenho certeza de que não está, apesar de ela nunca reclamar. Ela não parece ela mesma há muito tempo, madame, desde aquele dia em que você e Paul vieram aqui juntos. Tenho certeza de que ela pegou uma gripe naquela noite, madame. Depois que você e Paul se foram, ela saiu e andou pelo jardim até depois de anoitecer, sem nada além de um xalezinho com ela. Tinha muita neve no caminho, e tenho certeza de que ela se resfriou, madame. Desde então, percebi que ela parece cansada e solitária. Ela não parece se interessar por nada, madame. Ela nunca finge que temos visitas chegando, nem se arruma nem nada, madame. Só quando você vem é que ela parece se animar um pouco. E o pior sinal de todos, Srta. Shirley, madame...", Charlotta, a Quarta, abaixou a voz como se estivesse prestes a contar algum sintoma extremamente estranho e terrível, "...é que agora ela nunca fica irritada quando eu quebro as coisas. Ora,

Srta. Shirley, madame, ontem eu quebrei o vaso verde e amarelo que ficava na estante. A avó dela o comprou na Inglaterra e a Srta. Lavendar gostava muito dele. Eu estava tirando o pó dele com cuidado, Srta. Shirley, madame, e ele escorregou, bem assim, antes que eu pudesse pegar, e quebrou em um milhão de pedacinhos. Fiquei muito arrependida e com medo. Pensei que a Srta. Lavendar brigaria demais comigo, madame. E teria preferido que tivesse brigado em vez de reagir daquele jeito. Ela só veio, mal olhou para o vaso e disse: 'Não tem problema, Charlotta. Pegue os cacos e jogue fora'. Bem assim, Srta. Shirley, madame — 'pegue os cacos e jogue fora' —, como se não fosse o vaso da Inglaterra da avó dela. Oh, ela não está bem, e me sinto muito mal por isso. Ela não tem ninguém para cuidar dela além de mim."

Os olhos de Charlotta, a Quarta, se encheram de lágrimas. Anne deu uma batidinha solidária na pequena mão bronzeada que segurava um copo cor-de-rosa rachado.

"Acho que a Srta. Lavendar precisa de uma mudança, Charlotta. Ela fica muito sozinha aqui. Não podemos convencê-la a sair para viajar um pouco?"

Charlotta balançou a cabeça, com seus laços exuberantes, desolada.

"Acho que não, Srta. Shirley, madame. A Srta. Lavendar odeia fazer visitas. Ela só tem três parentes a quem visita e diz que só vai vê-los por um dever familiar. Da última vez que voltou para casa, ela disse que não iria mais fazer visitas por dever familiar. 'Voltei para casa apaixonada pela solidão, Charlotta', ela me disse, 'e nunca mais quero abandonar minha videira nem minha figueira. Meus parentes tentam tanto me tornar uma velha que isso teve um efeito negativo em mim'. Bem assim, Srta. Shirley, madame. 'Teve um efeito negativo em mim.' Então, não acho que vai fazer bem convencê-la a ir visitar ninguém."

"Devemos ver o que pode ser feito", disse Anne, decidida, enquanto colocava a última frutinha possível em seu copo. "Assim que eu tiver férias, vou vir até aqui e passar uma semana inteira com vocês. Vamos fazer piqueniques todos os dias, imaginar todo tipo de coisas interessantes e ver se não conseguimos animar a Srta. Lavendar."

"É isso mesmo, Srta. Shirley, madame", exclamou Charlotta, a Quarta, em êxtase. Ela estava feliz pelo bem da Srta. Lavendar e pelo seu próprio. Com uma semana inteira para estudar Anne constantemente, ela com certeza seria capaz de aprender a se mover e a se comportar como ela.

Quando as meninas voltaram à Cabana do Eco, descobriram que a Srta. Lavendar e Paul tinham carregado a pequena mesa quadrada para fora da cozinha até o jardim, e que já estava tudo pronto para o chá. Nada tinha um gosto tão bom quanto morangos com chantilly, comidos embaixo de um belo céu azul cheio de fofas nuvenzinhas brancas e sob as longas sombras da floresta com seus ruídos e sussurros. Depois do chá, Anne ajudou Charlotta a lavar a louça na cozinha, enquanto a Srta. Lavendar se sentava no banco de pedra com Paul e ouvia tudo sobre suas pessoas de pedra. Ela era uma boa ouvinte, aquela doce Srta. Lavendar, mas, naquele instante, Paul percebeu que ela havia perdido o interesse pelos Marinheiros Gêmeos de repente.

"Srta. Lavendar, por que está me olhando desse jeito?", ele perguntou seriamente.

"Olhando como, Paul?"

"Como se estivesse olhando através de mim para alguém de quem eu a fiz lembrar", disse Paul, que tinha momentos ocasionais de percepção tão fora do comum que faziam com que não fosse seguro ter segredos perto dele.

"Você me faz lembrar de alguém que conheci há muito tempo", disse a Srta. Lavendar sonhadoramente.

"Quando era jovem?"

"Sim, quando eu era jovem. Pareço muito velha para você, Paul?"

"Sabe, não consigo me decidir sobre isso", disse Paul em tom de confidência. "Seu cabelo parece velho — nunca conheci uma pessoa jovem com cabelo branco. Mas seus olhos são tão jovens quanto os da minha linda professora quando ri. Vou lhe dizer, Srta. Lavendar...", a voz e o rosto de Paul estavam solenes como os de um juiz, "...acho que a senhorita seria uma mãe esplêndida. A senhorita tem o jeito certo de olhar — o jeito que a minha mãezinha tinha. É uma pena que a senhorita não tenha nenhum filho."

"Eu tenho um menininho imaginário, Paul."

"Oh, tem mesmo? Quantos anos ele tem?"

"Mais ou menos a sua idade, eu acho. Ele deveria ser mais velho, porque sonhei com ele muito antes de você nascer. Mas nunca o deixei ficar mais velho que 11 ou 12 anos; porque, se deixasse, algum dia ele poderia crescer de vez e eu o perderia."

"Eu sei", assentiu Paul. "Esta é a beleza das pessoas imaginárias: elas ficam da idade que você quiser. Você, minha linda professora e eu mesmo somos as únicas pessoas que eu conheço no mundo que têm pessoas imaginárias. Não é bom e engraçado nós nos conhecermos? Mas imagino que esse tipo de pessoa sempre acabe se encontrando. Vovó nunca teve imaginação, e Mary pensa que não sou bom da cabeça porque eu tenho. Mas acho esplêndido ter. A senhorita sabe, Srta. Lavendar. Me conte sobre o seu menininho imaginário."

"Ele tem olhos azuis e cabelo cacheado. Ele entra e me acorda com um beijo todas as manhãs. Depois, ele brinca aqui no jardim o dia inteiro, e eu brinco com ele. Temos cada brincadeira! Nós corremos e falamos com os ecos; eu conto histórias para ele. E depois vem o crepúsculo..."

"Eu sei", interrompeu Paul ansiosamente. "Ele vem e senta ao seu lado. DEPOIS — porque é claro que ele é muito grande para sentar no seu colo —ele coloca a cabeça dele no seu ombro. DEPOIS você coloca seus braços em volta dele e o abraça apertado, apertado, e descansa sua bochecha na cabeça dele... Sim, é desse jeito mesmo. Oh, a senhorita sabe, Srta. Lavendar."

Anne encontrou os dois ali quando saiu da casa de pedra, e algo no rosto da Srta. Lavendar a fez odiar por perturbá-los.

"Sinto muito, mas precisamos ir, Paul, se quisermos chegar em casa antes de escurecer. Srta. Lavendar, vou me convidar para ficar na Cabana do Eco por uma semana inteira muito em breve."

"Se vier para ficar uma semana, vou segurar você aqui por duas", ameaçou a Srta. Lavendar.

CAPÍTULO XXVIII
O príncipe volta ao castelo encantado

O último dia de aula veio e foi embora. Um "exame semestral" triunfal foi realizado e os pupilos de Anne se saíram esplendidamente. No final, eles lhe deram uma placa e uma escrivaninha. Todas as meninas e damas presentes choraram, e alguns dos meninos ouviram boatos mais tarde de que eles mesmos também tinham chorado, embora sempre o negassem.

A Sra. Harmon Andrews, a Sra. Peter Sloane e a Sra. William Bell foram andando para casa juntas e conversaram sobre o assunto.

"Acho que é mesmo uma pena Anne estar indo agora que as crianças estão tão apegadas a ela", suspirou a Sra. Peter Sloane, que tinha o hábito de suspirar por tudo e até terminava suas piadas daquele jeito. "Verdade seja dita", ela acrescentou rapidamente, "todos sabemos que vamos ter uma boa professora no ano que vem também."

"Jane vai cumprir seu dever, sem dúvida", disse a Sra. Andrews, bastante rígida. "Não acho que ela vá contar tantos contos de fadas para as crianças ou passar tanto tempo passeando pelo bosque com elas. Mas ela tem seu nome no quadro de honra do inspetor e as pessoas de Newbridge estão desoladas pela partida dela."

"Fico muito feliz por Anne ir para a faculdade", disse a Sra. Bell. "Ela sempre quis isso e será algo esplêndido para ela."

"Bem, eu não sei." A Sra. Andrews estava determinada a não concordar plenamente com ninguém naquele dia. "Não vejo por que Anne precisa de mais educação. Ela provavelmente vai se casar com Gilbert Blythe, se a obsessão dele por ela durar até ele terminar a faculdade, e que utilidade latim e grego vão ter para ela? Se eles ensinassem na faculdade como lidar com um homem, poderia fazer algum sentido ela estar indo."

A Sra. Harmon Andrews, as fofocas de Avonlea sussurravam, nunca havia aprendido a lidar com o "homem" dela, e, como resultado, a casa dos Andrews não era exatamente um modelo de felicidade doméstica.

"Vejo que o pedido de Charlottetown pelo Sr. Allan está diante do presbitério", disse a Sra. Bell. "Isso significa que vamos perdê-lo em breve, imagino."

"Eles só vão em setembro", disse a Sra. Sloane. "Vai ser uma grande perda para a comunidade, embora eu sempre tenha achado que a Sra. Allan se veste bem demais para a esposa de um pastor. Mas nenhum de nós é perfeito. Vocês perceberam como o Sr. Harrison parecia arrumado e bem-educado hoje? Nunca vi um homem tão mudado. Ele vai à igreja todo domingo e está contribuindo com o salário."

"Como aquele Paul Irving cresceu, não é?", disse a Sra. Andrews. "Ele era tão pequeno para a idade dele quando veio para cá. Eu mal o reconheci hoje. Ele está ficando muito parecido com o pai."

"Ele é um menino esperto", disse a Sra. Bell.

"Ele é bastante esperto, mas...", a Sra. Andrews abaixou a voz, "... acredito que ele conte histórias esquisitas. Gracie voltou da escola um dia da semana passada com a maior lenga-lenga que ele tinha lhe contado sobre pessoas que moravam lá na praia... Histórias que não tinham um pingo de verdade, sabe? Eu mandei Gracie não acreditar nelas, e ela disse que Paul não queria que ela acreditasse. Mas, se não queria, por que foi contar a ela?"

"Anne diz que Paul é um gênio", disse a Sra. Sloane.

"Ele pode ser. Nunca sabemos o que esperar dos americanos", disse a Sra. Andrews. O único conhecimento da Sra. Andrews sobre a palavra "gênio" derivava do costume coloquial de chamar um indivíduo excêntrico de "um gênio esquisito". Ela provavelmente pensava, como Mary Joe, que significava que a pessoa não era boa da cabeça.

De volta à escola, Anne estava sentada sozinha à sua mesa, como tinha se sentado no primeiro dia, dois anos atrás; seu rosto descansava em sua mão, seus olhos de orvalho olhavam melancolicamente lá fora para o Lago das Águas Brilhantes. Seu coração estava tão apertado por se separar de seus pupilos que por um momento a faculdade havia perdido todo o seu charme. Ela ainda sentia o aperto dos braços de Annetta Bell em volta do seu pescoço e ouvia o lamento infantil: "Eu NUNCA vou amar nenhuma professora tanto quanto amo a senhorita, Srta. Shirley, nunca, nunca."

Por dois anos, ela tinha trabalhado dedicada e fielmente, cometendo erros e aprendendo com eles. E tinha recebido sua recompensa. Ela havia ensinado algo a seus alunos, mas sentia que eles haviam lhe ensinado muito mais: lições de carinho, autocontrole, sabedoria ingênua, a tradição dos corações infantis. Talvez ela não tenha tido sucesso em "inspirar" nenhuma ambição maravilhosa em seus pupilos, mas lhes havia ensinado, mais pela própria personalidade doce do que por todos os seus cuidadosos princípios, que seria bom e necessário viver nos anos à frente uma vida primorosa e graciosa, agarrando-se à verdade, à gentileza e à bondade, mantendo-se distante de tudo o que aparentava falsidade, maldade e vulgaridade. Eles estavam, talvez, inconscientes de ter aprendido tais lições; mas se lembrariam delas e as praticariam muito depois de terem esquecido a capital do Afeganistão e as datas da Guerra das Rosas.

"Outro capítulo da minha vida se encerrou", disse Anne em voz alta enquanto trancava sua mesa. Ela realmente se sentia muito triste por aquilo; mas o romantismo da ideia de "capítulo encerrado" a confortou um pouco.

Anne passou duas semanas na Cabana do Eco no começo de suas férias e todos os envolvidos se divertiram muito.

Ela levou a Srta. Lavendar a uma expedição de compras na cidade e a persuadiu a comprar um vestido novo de organdi. Depois veio a empolgação de cortá-lo e costurá-lo, enquanto a feliz Charlotta, a Quarta, alinhavava e varria os retalhos. A Srta. Lavendar havia se queixado de que não conseguia sentir muito interesse por nada, mas o brilho voltou aos seus olhos por causa do belo vestido.

"Que pessoa mais tola e fútil eu devo ser", ela suspirou. "Estou completamente envergonhada por pensar que um vestido novo — mesmo um com miosótis de organdi — pôde me deixar empolgada desse jeito, quando uma consciência limpa e uma contribuição adicional para as Missões Estrangeiras não conseguiram fazer isso."

Durante sua visita, Anne voltou para Green Gables por um dia para remendar as meias dos gêmeos e solucionar o estoque de perguntas acumuladas de Davy. À noite, ela foi até a estrada litorânea para ver Paul Irving. Enquanto passava pela janela baixa e quadrada da sala de estar dos Irving, ela teve um vislumbre de Paul no colo de alguém; mas no momento seguinte ele veio voando pelo corredor.

"Oh Srta. Shirley", ele exclamou excitado, "não vai imaginar o que aconteceu! Algo tão esplêndido. Meu pai está aqui, imagine só! Meu pai está aqui! Entre. Pai, esta é a minha linda professora. O senhor sabe, pai."

Stephen Irving deu um passo à frente para cumprimentar Anne com um sorriso. Ele era um homem alto e bonito de meia-idade, com cabelo cinzento, olhos azul-escuros e profundos, e um rosto forte e triste, esplendidamente modelado no queixo e na testa. A própria face de um herói de romances, Anne pensou com uma emoção intensa de satisfação. Era tão decepcionante encontrar alguém que deveria ser um herói e descobrir que era careca ou corcunda, ou de alguma outra forma, deixando a desejar em beleza masculina. Anne teria achado terrível se o objeto do romance da Srta. Lavendar não estivesse de acordo com o papel.

"Então, esta é a 'linda professora' do meu filho, de quem eu tanto ouvi falar", disse o Sr. Irving com um aperto de mão caloroso. "As cartas de Paul estavam tão cheias da senhorita, Srta. Shirley, que sinto como se já a conhecesse muito bem. Quero agradecer-lhe pelo que fez por Paul. Acho que sua influência foi exatamente do que ele precisava. Mamãe é uma das melhores e mais queridas mulheres; mas seu senso comum escocês robusto e direto ao ponto nem sempre consegue entender um temperamento como o do meu rapazinho. O que estava faltando nela você forneceu. Com você, acho que o treinamento de Paul nestes últimos dois anos foi quase tão ideal quanto o de um menino sem mãe poderia ser."

Todos gostam de ser apreciados. Depois do elogio do Sr. Irving, o rosto de Anne "ardeu como uma flor em um desabrochar rosado", e aquele homem do mundo, atarefado e cansado, ao olhar para ela, pensou nunca ter visto uma mocidade tão bela e doce quanto a daquela professora do leste com seu cabelo ruivo e olhos maravilhosos.

Paul sentou-se entre eles abençoadamente feliz.

"Nunca sonhei que meu pai estivesse vindo", ele disse radiante. "Nem vovó sabia. Foi uma grande surpresa. De um modo geral...", Paul balançou seus cachos castanhos seriamente, "...eu não gosto de ser surpreendido. A gente perde toda a diversão de esperar pelas coisas quando é surpreendido. Mas nesse caso não tem problema. Meu pai veio ontem à noite depois de eu ter ido para a cama. E, depois que vovó e Mary Joe acabaram de se surpreender, ele e vovó subiram para olhar para mim, sem querer me acordar antes de amanhecer. Mas eu acordei na mesma hora e vi meu pai. Eu só pulei em cima dele."

"Com um abraço de urso", disse o Sr. Irving, colocando seus braços ao redor do ombro de Paul com um sorriso. "Eu mal reconheci meu menino, ele cresceu tanto, está tão grande e forte."

"Não sei quem ficou mais feliz por ver meu pai, vovó ou eu", continuou Paul. "Vovó ficou o dia inteiro na cozinha preparando as coisas que meu pai gosta de comer. Ela disse que não confiaria em Mary Joe para isso. Esse é o jeito DELA de demonstrar felicidade. EU gosto mais de sentar e conversar com meu pai. Mas vou deixar vocês por um instante, se me derem licença. Preciso buscar as vacas para Mary Joe. Essa é uma das minhas tarefas diárias."

Depois que Paul tinha saído correndo para cumprir sua "tarefa diária", o Sr. Irving falou com Anne sobre vários assuntos. Mas Anne sentiu que ele estava pensando em outra coisa lá no fundo o tempo inteiro. Naquele momento, veio à tona.

"Na carta de Paul, ele me contou sobre ter ido com você visitar uma velha... amiga minha, Srta. Lewis, na casa de pedra de Grafton. Você a conhece bem?"

"Sim, sem dúvida, ela é uma amiga muito querida", foi a resposta acanhada de Anne, que não deu pistas da repentina emoção que vibrou dentro dela dos pés à cabeça por causa da pergunta do Sr. Irving. Anne "sentiu instintivamente" que o romance estava espreitando na próxima esquina.

O Sr. Irving se levantou e foi até a janela, olhando para fora em direção ao grande, dourado e ondulante mar de onde um vento rebelde estava soprando. Por alguns minutos, houve silêncio no pequeno cômodo de paredes escuras. Depois, ele se virou e olhou para o rosto solidário de Anne com um sorriso, meio divertido, meio carinhoso.

"Eu me pergunto quanto você sabe", ele disse.

"Sei tudo o que aconteceu", respondeu Anne prontamente. "Sabe", ela explicou apressadamente, "a Srta. Lavendar e eu somos muito íntimas. Ela não contaria coisas de uma natureza tão sagrada para ninguém. Nós somos almas amigas."

"Sim, acredito que sejam. Bem, vou lhe pedir um favor. Gostaria de ver a Srta. Lavendar, se ela me permitir. Pode perguntar a ela se posso ir?"

Se ela poderia? Oh, é claro que poderia! Sim, isso era romance, a coisa verdadeira, real, com todo o charme da rima, da história e do sonho. Era um pouco tardio, talvez, como uma rosa desabrochando em outubro, quando deveria ter desabrochado em junho; mas ainda assim uma rosa, com toda a doçura e perfume, com o brilho do ouro em seu coração. Nunca antes os pés de Anne a levaram para cumprir uma tarefa de um jeito tão disposto quanto naquela caminhada pela floresta de faias até Grafton na manhã seguinte. Ela encontrou a Srta. Lavendar no jardim. Anne estava assustadoramente empolgada. Suas mãos estavam geladas e sua voz tremeu.

"Srta. Lavendar, tenho algo para lhe dizer, algo muito importante. Pode adivinhar o que é?"

Anne nunca imaginou que a Srta. Lavendar poderia IMAGINAR; mas o rosto da Srta. Lavendar ficou muito pálido e ela disse em uma voz baixa e calma. Toda a cor e todo o brilho que a voz da Srta. Lavendar normalmente sugeriam tinham desaparecido.

"Stephen Irving está em casa?"

"Como sabia? Quem lhe contou?", exclamou Anne, desapontada, irritada por sua grande revelação ter sido descoberta.

"Ninguém. Eu sabia que deveria ser isso por causa do jeito que você falou."

"Ele quer vir vê-la", disse Anne. "Posso avisá-lo de que pode vir?"

"Sim, é claro", estremeceu a Srta. Lavendar. "Não há nenhuma razão para ele não vir. Ele está apenas vindo como qualquer outro velho amigo faria."

Anne tinha sua própria opinião sobre aquilo enquanto corria para dentro da casa para escrever um bilhete na escrivaninha da Srta. Lavendar.

"Oh, é encantador estar vivendo em um livro de contos", ela pensou alegremente. "Vai ficar tudo bem no final — tem que ficar — e Paul vai ter uma mãe com um coração igual ao dele e todos serão felizes. Mas o Sr. Irving vai levar a Srta. Lavendar para longe, e Deus sabe o que vai acontecer com a pequena casa de pedra... Então, existem dois lados nisso, como parece acontecer com tudo neste mundo." O importante bilhete foi escrito e a própria Anne o levou até o correio de Grafton, onde ela interceptou o carteiro e pediu a ele que deixasse o bilhete no correio de Avonlea.

"É muito importante", Anne afirmou ansiosamente. O carteiro era um personagem velho e rabugento que não parecia nem um pouco um mensageiro do cupido; e Anne não tinha muita certeza de que poderia confiar na memória dele. Mas ele disse que faria o seu melhor para se lembrar e ela tinha que se contentar com aquilo.

Charlotta, a Quarta, sentiu que algum mistério rodeava a casa de pedra naquela tarde — um mistério do qual ela tinha sido excluída. A Srta. Lavendar vagava pelo jardim de um jeito distraído. Anne parecia possuída por um espírito de desassossego e também andava de um lado para o outro, para cima e para baixo. Charlotta, a Quarta, suportou até que a paciência deixou de ser uma virtude; e então confrontou Anne durante a terceira peregrinação sem rumo daquela jovem romântica pela cozinha.

"Por favor, Srta. Shirley, madame", disse Charlotta, a Quarta, jogando os laços azuis para trás de um jeito indignado, "é óbvio que a senhorita e a Srta. Lavendar têm um segredo, e eu acho, pedindo perdão por ser tão direta, Srta. Shirley, madame, que é muita maldade não me contar, uma vez que somos tão amigas."

"Oh Charlotta, querida, eu teria lhe contado tudo se o segredo fosse meu, mas é da Srta. Lavendar, sabe? Entretanto, vou lhe contar o seguinte — e, se nada acontecer, você nunca deve contar uma só palavra a uma alma sequer. Sabe, o Príncipe Encantando está vindo hoje à noite. Ele veio há muito tempo atrás, mas, por uma tolice, foi embora, vagou por muito longe e esqueceu o segredo do caminho mágico até o castelo encantado, onde a princesa estava com seu coração leal em prantos por ele. Mas, enfim, ele lembrou e a princesa ainda está esperando por ele — porque ninguém além do seu querido príncipe poderia tirá-la dali."

"Oh, Srta. Shirley, madame, que história é essa?", ofegou Charlotta, intrigada.

Anne riu.

"Em prosa, um velho amigo da Srta. Lavendar está vindo vê-la hoje à noite."

"Quer dizer um dos antigos namorados dela?", exigiu a literal Charlotta.

"Isso é provavelmente o que eu quero dizer, em prosa", respondeu Anne seriamente. "É o pai de Paul, Stephen Irving. E Deus sabe o que vai sair disso, mas vamos torcer pelo melhor, Charlotta."

"Espero que ele se case com a Srta. Lavendar", foi a resposta inequívoca de Charlotta. "Algumas mulheres estão destinadas desde o começo a ser velhas solteironas, e sinto que sou uma delas, Srta. Shirley, porque tenho muito pouca paciência com os homens. Mas a Srta. Lavendar nunca foi. E eu estive terrivelmente preocupada, pensando no que é que ela faria quando eu ficasse tão crescida que TERIA que ir para Boston. Não temos mais meninas na nossa família, e Deus sabe o que ela faria se ficasse com alguma estranha que risse das fantasias dela, deixasse as coisas fora de lugar e não estivesse disposta a ser chamada de Charlotta, a Quinta. Ela poderia ficar com alguém que não fosse tão azarada quanto eu para quebrar pratos, mas nunca encontraria ninguém que a amasse mais."

E a fiel empregada correu para a porta do forno com uma fungada.

Elas tomaram o chá como de costume naquela noite na Cabana do Eco, mas ninguém comeu nada. Depois do chá, a Srta. Lavendar foi para o seu quarto e colocou seu novo vestido de miosótis de organdi enquanto Anne arrumava seu cabelo. Ambas estavam terrivelmente empolgadas; mas a Srta. Lavendar fingia estar muito calma e indiferente.

"Eu realmente preciso consertar aquele rasgo na cortina amanhã", ela disse ansiosamente, inspecionando a cortina como se fosse a única coisa importante naquele momento. "Essas cortinas não duraram tanto quanto deveriam, considerando o preço que paguei. Deus do céu, Charlotta esqueceu de tirar o pó do corrimão da escada DE NOVO. Eu realmente PRECISO falar com ela sobre isso."

Anne estava sentada nos degraus do alpendre quando Stephen Irving veio descendo o caminho e atravessando o jardim.

"Este é o único lugar onde o tempo não passa", ele disse, olhando ao seu redor com olhos satisfeitos. "Não mudou nada na casa nem no jardim desde que estive aqui, há vinte e cinco anos. Isso me faz sentir jovem de novo."

"O senhor sabe que o tempo nunca passa em um palácio encantado", disse Anne seriamente. "Só quando o príncipe chega é que as coisas começam a acontecer."

O Sr. Irving sorriu um pouco triste para o rosto erguido dela, todo aceso com sua juventude e promessa.

"Às vezes o príncipe chega tarde demais", ele disse. Ele não pediu a Anne para explicar a história. Como todas as almas amigas, ele "entendia".

"Oh, não, não se ele for um príncipe de verdade vindo para a princesa verdadeira", disse Anne, balançando a cabeça decididamente enquanto abria a porta do salão. Assim que ele entrou, ela a fechou bem atrás dele e virou-se para confrontar Charlotta, a Quarta, que estava no corredor, acenando e dando sorrisos largos.

"Oh, Srta. Shirley, madame", ela ofegou, "eu espiei da janela da cozinha... e ele é tão bonito... e da idade certa para a Srta. Lavendar. E, oh Srta. Shirley, madame, a senhorita acha que seria muito errado ouvir pela porta?"

"Seria terrível, Charlotta", disse Anne firmemente, "então você venha comigo para ficar fora do alcance da tentação."

"Não posso fazer nada, e é terrível ficar só esperando", suspirou Charlotta. "E se ele não a pedir em casamento no final, Srta. Shirley, madame? Nunca podemos saber com os homens. Minha irmã mais velha, Charlotta, a Primeira, pensou que estava noiva de um, uma vez. Mas acabou que ELE tinha outra opinião, e ela diz que nunca vai confiar em um deles de novo. E ouvi outro caso em que um homem pensou que queria muito uma menina, quando na verdade era a irmã dela que ele queria o tempo inteiro. Quando um homem não sabe o que passa na própria cabeça, Srta. Shirley, madame, como uma pobre mulher vai saber?"

"Vamos para a cozinha limpar as colheres de prata", disse Anne. "Essa é uma tarefa para a qual, felizmente, não vamos precisar pensar muito, pois eu NÃO PODERIA pensar hoje à noite. E vai fazer o tempo passar."

Uma hora se passou. Então, assim que Anne guardou a última e brilhante colher, elas ouviram a porta da frente se fechar. Ambas buscaram conforto assustadoramente nos olhos uma da outra.

"Oh Srta. Shirley, madame", ofegou Charlotta, "se ele está indo embora cedo assim, não aconteceu nada e nem vai acontecer." Elas correram até a janela. O Sr. Irving não tinha nenhuma intenção de ir embora. Ele e a Srta. Lavendar estavam passeando lentamente pelo caminho até o banco de pedra.

"Oh Srta. Shirley, madame, ele está com o braço em volta da cintura dela", sussurrou Charlotta, a Quarta, encantada. "Ele deve tê-la pedido em casamento, ou ela nunca permitiria."

Anne pegou Charlotta, a Quarta, pela cintura rechonchuda e dançou com ela pela cozinha até estarem as duas sem fôlego.

"Oh Charlotta", ela exclamou alegremente, "não sou uma profetiza nem filha de uma profetiza, mas vou fazer uma previsão. Haverá um casamento nesta velha casa de pedra antes de as folhas de bordo ficarem vermelhas. Você quer que eu explique essa história em prosa, Charlotta?"

"Não, eu consigo entender isso", disse Charlotta. "Um casamento não é poesia. Ora, Srta. Shirley, madame, está chorando! Por quê?"

"Oh, porque é tão lindo... e parece ter saído de um livro... e é tão romântico... e triste", disse Anne, piscando as lágrimas para fora dos olhos. "É simplesmente adorável, mas há um pouco de tristeza misturada também, seja como for."

"Oh, claro, é sempre um risco casar com alguém", admitiu Charlotta, a Quarta, "mas no fim das contas, Srta. Shirley, madame, há coisas muito piores do que um marido."

CAPÍTULO XXIX
Poesia e prosa

Durante o mês seguinte, Anne viveu no que, para Avonlea, poderia ser chamado de um turbilhão de emoções. A preparação de seus modestos trajes para Redmond era de importância secundária. A Srta. Lavendar estava se preparando para se casar, e a casa de pedra era cenário de infinitas consultas, planejamentos e discussões, com Charlotta, a Quarta, rondando pelos arredores em uma agitação de encanto e maravilha. Depois a costureira veio, e houve o êxtase e a confusão de escolher estilos e fazer as provas. Anne e Diana passaram metade de seu tempo na Cabana do Eco, e havia noites em que Anne não conseguia dormir por ficar imaginando se tinha feito a coisa certa ao aconselhar a Srta. Lavendar a escolher marrom em vez de azul-marinho para o vestido da viagem, e mandar fazer sua seda cinzenta no estilo princesa.

Todos os envolvidos na história da Srta. Lavendar estavam muito felizes. Paul Irving correu até Green Gables para conversar sobre as notícias com Anne assim que seu pai lhe contou tudo.

"Sabia que podia confiar no meu pai para escolher uma boa segunda esposa", ele disse, orgulhoso. "É muito bom ter um pai com quem podemos contar, professora. Eu simplesmente amo a Srta. Lavendar. Vovó também está satisfeita. Ela disse que está muito feliz por meu pai não ter escolhido uma americana como segunda esposa, porque, embora tenha dado certo da primeira vez, uma coisa dessas provavelmente não aconteceria uma segunda vez. A Sra. Lynde diz que aprova totalmente a união e acha que é provável que a Srta. Lavendar desista de suas noções esquisitas e seja como as outras pessoas, agora que vai se casar. Mas espero que ela não desista das noções esquisitas, professora, porque gosto delas. E não quero que ela seja como as outras pessoas. Já temos muitas pessoas desse tipo ao nosso redor. A senhorita sabe, professora."

Charlotta, a Quarta, era outra pessoa radiante.

"Oh Srta. Shirley, madame, acabou tudo de um jeito tão lindo. Quando o Sr. Irving e a Srta. Lavendar voltarem de viagem, vou para Boston morar com eles, e eu só tenho 15 anos. As outras meninas não foram até ter 16. O Sr. Irving não é esplêndido? Ele simplesmente idolatra o chão que ela pisa, e ver o jeito que ele olha para ela me faz sentir tão esquisita às vezes. É impossível descrever, Srta. Shirley, madame. Fico muito grata por eles gostarem tanto um do outro. É o melhor jeito, no fim das contas, embora algumas pessoas consigam viver sem isso. Eu tenho uma tia que já se casou três vezes e disse que da primeira vez se casou por amor e das últimas duas, apenas por negócios. E que foi feliz todas as três vezes, exceto nos enterros. Mas acho que ela se arriscou, Srta. Shirley, madame."

"Oh, é tudo tão romântico", suspirou Anne para Marilla naquela noite. "Se eu não tivesse pegado o caminho errado naquele dia em que fomos até o Sr. Kimball, eu nunca teria conhecido a Srta. Lavendar. E, se não a tivesse conhecido, Paul nunca teria ido para lá, e nunca teria escrito para o pai dele sobre visitar a Srta. Lavendar bem quando o Sr. Irving estava indo para São Francisco. O Sr. Irving disse que, desde que recebeu aquela carta, decidiu enviar seu sócio para São Francisco e vir para cá em vez disso. Ele não tinha ouvido notícias da Srta. Lavendar nos últimos quinze anos. Alguém havia lhe dito naquela época que ela estava prestes a se casar, ele pensou que ela tinha se casado e nunca mais perguntou a ninguém sobre ela. E agora deu tudo certo. E eu tive uma parte nisso tudo. Talvez, como a Sra. Lynde diz, tudo seja predestinado e esteja fadado a acontecer de qualquer jeito. Mas, ainda assim, é bom pensar que fui um instrumento usado pela predestinação. Sim, com certeza, é muito romântico."

"Não consigo achar que seja tão terrivelmente romântico assim", disse Marilla bastante seca. Marilla achava que Anne estava animada demais por causa daquilo e tinha muito que fazer para se preparar para a faculdade sem "perambular" pela Cabana do Eco dois em cada três dias para ajudar a Srta. Lavendar. "Primeiro, dois jovens tolos brigam e ficam de birra; depois, Stephen Irving vai para os Estados Unidos e, cinco minutos depois, se casa por lá e fica muito feliz, segundo dizem. Então, a esposa dele morre e, depois de um intervalo decente, ele pensa em voltar para casa e ver se a primeira namorada quer ficar com ele. Enquanto isso, ela esteve vivendo solteira, provavelmente porque ninguém bom o suficiente apareceu para ficar com ela, e aí eles se encontram e concordam em se casar no fim das contas. Agora, onde está o romance nisso tudo?"

"Oh, não há nenhum, quando a senhora fala desse jeito", ofegou Anne, como se alguém tivesse atirado água nela. "Imagino que seja assim que parece em prosa. Mas é muito diferente se olharmos através da poesia — e EU penso que é melhor...", Anne se recuperou, seus olhos brilharam e suas bochechas ficaram coradas, "...olhar através da poesia."

Marilla olhou para o rosto radiante dela e se absteve de fazer mais comentários sarcásticos. Talvez tenha tido alguma percepção, afinal, de que era melhor ter, como Anne, "a visão e a capacidade divinas", aquele presente que o mundo não pode dar nem tirar, de olhar para a vida através de um meio transformador — ou revelador? —, em que tudo parece enfeitado pela luz divina, vestido de glória e frescor, invisíveis para aqueles que, como ela mesma e Charlotta, a Quarta, olhavam para as coisas apenas através da prosa.

"Quando vai ser o casamento?", ela perguntou depois de uma pausa.

"Na última quarta-feira de agosto. Eles vão se casar no jardim, embaixo da treliça de madressilvas — o mesmo lugar em que o Sr. Irving a pediu em casamento vinte e cinco anos atrás. Marilla, isso É romântico, mesmo em prosa. Não vai haver ninguém além da Sra. Irving e Paul; Gilbert, Diana e eu; e as primas da Srta. Lavendar. E eles vão partir no trem das seis da tarde para uma viagem pela costa do Pacífico. Quando voltarem, no outono, Paul e Charlotta, a Quarta, vão para Boston morar com eles. Mas a Cabana do Eco deve ser deixada exatamente como está — só que, é claro, eles vão vender as galinhas e a vaca, e colocar tábuas nas janelas — e todo verão vão vir morar ali. Fico tão feliz. Ficaria terrivelmente magoada no próximo inverno em Redmond ao pensar naquela querida casa de pedra toda desmontada e deserta, com os quartos vazios — ou, ainda pior, com outras pessoas morando nela. Mas posso pensar nela agora, como sempre a vi, esperando alegremente o verão trazer a vida e as risadas de volta."

Havia mais romance no mundo do que aquele que recaíra sobre os amantes de meia-idade da casa de pedra. Anne tropeçou de repente nele em uma tarde, quando foi ao Pomar Slope pelo atalho do bosque e saiu no jardim dos Barry. Diana Barry e Fred Wright estavam em pé juntos embaixo do grande salgueiro. Diana estava encostada no tronco cinzento, seus cílios pousados sobre bochechas muito vermelhas. Uma de suas mãos era segurada por Fred, que estava com o rosto inclinado em direção ao dela, balbuciando algo em um tom ansioso e baixo. Não havia mais ninguém no mundo além dos dois naquele momento mágico; então, nenhum deles viu Anne, que, depois de um olhar atordoado de compreensão, se virou e correu silenciosamente de volta pelo bosque de espruces, sem parar até chegar ao seu próprio quarto, onde se sentou, sem fôlego, à janela e tentou recompor seu juízo, em frangalhos.

"Diana e Fred estão apaixonados", ela ofegou. "Oh, parece tão... tão... tão... IRREMEDIAVELMENTE adulto."

Anne, ultimamente, tinha tido suas suspeitas de que Diana estava sendo infiel ao herói melancólico e byroniano de seus jovens sonhos. Mas, como "o que os olhos não veem, o coração não sente", ou suspeita, a percepção de que era assim mesmo só veio a ela com um quase choque de surpresa completa. Aquilo foi acompanhado por um sentimento esquisito e solitário, como se, de alguma forma, Diana tivesse seguido em direção a um novo mundo, fechando o portão atrás de si e deixando Anne do lado de fora.

"As coisas estão mudando tão depressa que quase me assustam", Anne pensou, um pouco triste. "E tenho medo de que isso acabe fazendo diferença entre mim e Diana. Tenho certeza de que não posso contar todos os meus segredos para ela depois disso — ela pode contar para Fred. E o que ela CONSEGUE ver em Fred? Ele é muito gentil e alegre, mas é apenas Fred Wright."

É sempre uma questão muito intrigante: o que alguém pode ver em outra pessoa? Mas, no fim das contas, que sorte ser assim, pois, se todos vissem do mesmo jeito, bem, nesse caso, como o velho índio diria: "todos iriam querer a minha índia". Era claro que Diana via MESMO algo em Fred Wright, entretanto, os olhos de Anne não conseguiam ver. Diana veio a Green Gables na tarde seguinte, uma jovem dama pensativa e tímida, e contou a Anne toda a história na reclusão escura do frontão leste. As duas meninas choraram, beijaram-se e riram.

"Estou tão feliz", disse Diana, "mas parece mesmo ridículo pensar que estou noiva."

"Como é mesmo estar noiva?", perguntou Anne curiosamente.

"Bem, tudo depende de pessoa de quem você está noiva", respondeu Diana, com aquele ar irritante de inteligência superior sempre assumido por aqueles que estão noivos diante daqueles que não estão. "É perfeitamente adorável estar noiva de Fred, mas acho que seria simplesmente horrível estar noiva de qualquer outra pessoa."

"Não há muito conforto nisso para o resto de nós, sendo que existe apenas um Fred", riu Anne.

"Oh Anne, você não entende", disse Diana, irritada. "Não quis dizer ISSO, é tão difícil explicar. Deixe para lá, você vai entender algum dia, quando chegar sua vez."

"Deus a abençoe, querida Diana, entendo agora. Para que serve uma imaginação se não para permitir que a gente espie a vida através dos olhos dos outros?"

"Você precisa ser minha madrinha, você sabe, Anne. Me prometa isso, aonde quer que esteja quando eu me casar."

"Virei dos confins da terra se for necessário", prometeu Anne de forma solene."

"Claro que ainda vai demorar muito", disse Diana, corando. "Três anos no mínimo, pois tenho apenas 18 anos e mamãe diz que nenhuma filha dela vai se casar antes de fazer 21. Além disso, o pai de Fred vai comprar a fazenda de Abraham Fletcher para ele e disse que precisa ter dois terços pagos antes de passá-la para seu próprio nome. Mas três anos não é muito tempo para me preparar para cuidar da casa, pois não tenho nada do enxoval pronto. No entanto, vou começar a fazer toalhinhas de crochê amanhã. Myra Gillis tinha trinta e sete toalhinhas quando se casou, e estou determinada a ter tantas quanto ela."

"Imagino que seria simplesmente impossível cuidar da casa com apenas trinta e seis toalhinhas", admitiu Anne, com uma expressão solene, mas olhos risonhos.

Diana pareceu magoada.

"Não esperava que você zombasse de mim, Anne", ela disse de forma reprovadora.

"Querida, não estava zombando de você", exclamou Anne, arrependida. "Estava apenas provocando um pouco. Acho que você será a melhor dona de casa do mundo. E acho simplesmente adorável você já estar planejando sua casa dos sonhos."

Anne mal tinha pronunciado a frase "casa dos sonhos" quando ela cativou sua imaginação, e imediatamente começou a construir sua própria. Era, claro, habitada por um mestre ideal, moreno, orgulhoso e melancólico; mas, por estranho que fosse, Gilbert Blythe insistia em aparecer por ali, ajudando a pendurar os quadros, a limpar o jardim e a realizar diversas outras tarefas com um heroísmo orgulhoso e melancólico evidentemente escondido embaixo de sua dignidade. Anne tentou banir a imagem de Gilbert de seu castelo na Espanha, mas, de alguma forma, ele continuou ali; então, Anne, estando com pressa, desistiu da tentativa e prosseguiu sua arquitetura etérea com tal sucesso que sua "casa dos sonhos" estava construída e mobiliada antes de Diana voltar a falar.

"Imagino, Anne, que você ache engraçado eu gostar tanto de Fred quando ele é tão diferente do tipo de homem com quem eu sempre disse que me casaria — o tipo alto e esguio. Mas, de alguma forma, eu não gostaria que Fred fosse alto e esguio, porque, sabe, nesse caso, ele não seria Fred. É claro", acrescentou Diana dolorosamente, "que nós seremos um casal terrivelmente gorducho. Mas, no fim das contas, isso é melhor do que um de nós ser baixo e gordo e o outro alto e magro, como Morgan Sloane e a esposa dele. A Sra. Lynde diz que sempre pensa nos altos e baixos da vida quando os vê juntos."

"Bem", disse Anne para si mesma naquela noite enquanto escovava o cabelo diante de seu espelho de moldura dourada, "fico feliz por Diana estar tão feliz e satisfeita. Mas, quando chegar minha vez — se chegar —, espero que haja alguma coisa mais emocionante. Mas Diana também pensou assim um dia. Eu a ouvi dizer várias vezes que nunca ficaria noiva de um jeito comum e insignificante — o pretendente TERIA que fazer algo esplêndido para ficar com ela. Mas ela mudou. Talvez eu também mude. Mas não vou, estou determinada a não mudar. Oh, acho que esses noivados são coisas terrivelmente desconcertantes quando acontecem com nossos amigos íntimos."

CAPÍTULO XXX
Um casamento na casa de pedra

A última semana de agosto chegou. A Srta. Lavendar se casaria. Duas semanas depois, Anne e Gilbert partiriam para a Redmond College. Em uma semana, a Sra. Rachel Lynde se mudaria para Green Gables e arrumaria seus pertences no antigo quarto de hóspedes, que já estava preparado para sua chegada. Ela havia vendido todos os seus itens domésticos supérfluos em um leilão e, naquele momento, estava deleitando-se na ocupação agradável de ajudar os Allan a fazer as malas. O Sr. Allan faria seu sermão de despedida no domingo seguinte. A antiga ordem estava mudando rapidamente para dar lugar à nova, e Anne sentia uma pequena tristeza enroscando-se em sua empolgação e felicidade.

"Mudanças não são totalmente agradáveis, mas são coisas excelentes", disse o Sr. Harrison filosoficamente. "Dois anos são suficientes para as coisas continuarem exatamente iguais. Se continuassem por mais tempo, acabariam criando mofo."

O Sr. Harrison estava fumando em sua varanda. Sua esposa havia feito o sacrifício de dizer a ele que poderia fumar na casa se tomasse o cuidado de sentar-se perto de uma janela aberta. O Sr. Harrison recompensou aquela concessão saindo para fora de uma vez para fumar quando o tempo estava bom; então, uma boa vontade mútua reinava.

Anne tinha ido pedir à Sra. Harrison algumas de suas dálias amarelas. Ela e Diana estavam indo à Cabana do Eco naquela tarde para ajudar a Srta. Lavendar e Charlotta, a Quarta, com os preparativos finais para o casamento do dia seguinte. A Srta. Lavendar nunca tinha tido dálias; ela não gostava delas e elas não teriam sido adequadas para o calmo retiro de seu jardim antiquado. Mas flores de qualquer tipo estavam escassas em Avonlea e nos distritos vizinhos naquele verão, graças à tempestade de Tio Abe. E Anne e Diana pensaram que um certo vaso de pedra cor de creme, normalmente mantido sagradamente para rosquinhas, enfeitado com dálias amarelas, seria perfeito para colocar em um ângulo sombreado da escada da casa de pedra, contra o fundo escuro do papel de parede vermelho do corredor.

"Imagino que você esteja indo para a faculdade em duas semanas, não é?", continuou o Sr. Harrison. "Bem, vamos sentir muito a sua falta, Emily e eu. É claro que a Sra. Lynde vai estar aqui no seu lugar. Não seria possível encontrar uma substituta melhor."

A ironia no tom do Sr. Harrison era praticamente impossível de ser transferida para o papel. Apesar da intimidade de sua esposa com a Sra. Lynde, o melhor que se poderia dizer do relacionamento dela com o Sr. Harrison, mesmo sob o novo regime, era que eles preservavam uma neutralidade armada.

"Sim, estou indo", disse Anne. "Fico muito feliz em minha mente e muito triste em meu coração."

"Imagino que você vá pegar todos os prêmios que estiverem dando sopa lá em Redmond."

"Posso tentar conseguir um ou dois deles", confessou Anne, "mas não me importo tanto com coisas assim como me importava dois anos atrás. O que eu quero obter do meu curso na faculdade é um pouco de conhecimento sobre o melhor jeito de viver a vida e fazer o máximo e o melhor com ela. Quero aprender a entender e a ajudar as outras pessoas e a mim mesma."

O Sr. Harrison assentiu.

"É isso mesmo. É para isso que a faculdade deve servir, em vez de formar um monte de doutores, tão cheios de conhecimento tirado de livros e de vaidade que não sobra mais espaço para nada. Você é uma boa menina. A faculdade não vai conseguir lhe fazer nenhum mal, eu acho."

Diana e Anne foram para a Cabana do Eco depois do chá levando consigo todo o espólio de flores que diversas expedições predatórias em seus próprios jardins e nos jardins dos vizinhos tinham concedido. Elas encontraram a casa de pedra repleta de empolgação. Charlotta, a Quarta, estava correndo com tanta energia e vigor que seus laços azuis pareciam realmente possuir o poder de estar em todos os lugares de uma vez. Como o capacete de Navarre, os laços azuis de Charlotta esvoaçavam no coração da luta.

"Graças a Deus vocês chegaram", ela disse devotamente, "pois há um monte de coisas para fazer... e o glacê do bolo NÃO endurece... e ainda preciso polir toda a prataria... e colocar as roupas no baú... e os galos para a salada de frango ainda estão correndo lá fora no galinheiro, cacarejando, Srta. Shirley, madame. E não se pode confiar na Srta. Lavendar para fazer nada. Eu fiquei grata quando o Sr. Irving veio, alguns minutos atrás, e a levou para caminhar no bosque. O amor é muito bom no seu lugar, Srta. Shirley, madame, mas, se a gente o mistura com a cozinha e com a limpeza, estraga tudo. Essa é a MINHA opinião, Srta. Shirley, madame."

Anne e Diana trabalharam com tanta vontade que, às dez em ponto, até Charlotta, a Quarta, estava satisfeita. Ela trançou seu cabelo em inúmeras trancinhas e levou seus exaustos ossinhos para a cama.

"Mas tenho certeza de que não vou conseguir pregar o olho, Srta. Shirley, madame, por medo de algo dar errado no último minuto — o chantilly não dar ponto ou o Sr. Irving ter um derrame e não poder vir."

"Ele não costuma ter derrames, não é?", perguntou Diana, contraindo os cantos de sua boca com covinhas. Para Diana, Charlotta, a Quarta, era, se não exatamente uma beldade, certamente uma eterna alegria.

"Não são coisas que acontecem por costume", disse Charlotta, a Quarta, com dignidade. "Elas apenas ACONTECEM — e aí está. QUALQUER UM pode ter um derrame. Não precisa aprender como. O Sr. Irving se parece muito com um tio meu que teve um derrame um dia quando estava se sentando para almoçar. Mas talvez tudo dê certo. Neste mundo, podemos apenas esperar o melhor, nos preparar para o pior e aceitar o que Deus mandar."

"A única coisa que me preocupa é que o tempo não esteja bom amanhã", disse Diana. "Tio Abe previu chuva para o meio da semana, e, desde aquela grande tempestade, não consigo deixar de acreditar que há um fundo de verdade no que Tio Abe diz."

Anne, que sabia melhor que Diana quanto Tio Abe tinha a ver com a tempestade, não estava muito perturbada com aquilo. Ela dormiu o sono dos justos e exaustos e foi despertada em uma hora sobrenatural por Charlotta, a Quarta.

"Oh Srta. Shirley, madame, é terrível chamá-la tão cedo", veio o lamento pelo buraco da fechadura, "mas ainda há tanto a fazer... e, oh Srta. Shirley, madame, estou com medo de que vá chover e queria que a senhorita levantasse e me dissesse que não vai." Anne correu para a janela, esperando contra todas as expectativas que Charlotta, a Quarta, estivesse dizendo aquilo apenas para despertá-la de vez. Mas, infelizmente, a manhã realmente parecia desfavorável. Embaixo da janela, o jardim da Srta. Lavendar, que deveria estar banhado por um glorioso nascer do sol, estava sombrio e sem vento; e o céu acima dos abetos estava escuro e com nuvens mal-humoradas.

"Que maldade!", disse Diana.

"Devemos esperar pelo melhor", disse Anne, determinada. "Se não chegar a chover, um dia fresco e perolado como este seria realmente melhor que o calor."

"Mas vai chover", lamentou Charlotta, entrando no quarto — uma figura engraçada, com tantas tranças em volta da cabeça, as pontas amarradas com barbante branco saindo de todas as direções. "Vai segurar até o último minuto e depois chover canivetes. E todos vão ficar ensopados... e levar lama para dentro da casa... e eles não vão poder se casar embaixo da madressilva... e é muita má sorte não fazer sol em um casamento, não importa o que digam, Srta. Shirley, madame. Eu sabia que as coisas estavam indo bem demais para durar."

Charlotta, a Quarta, parecia certamente ter pegado uma página emprestada do livro da Srta. Eliza Andrews.

Não choveu, embora parecesse que choveria. Ao meio-dia, os quartos estavam decorados, a mesa lindamente posta; e lá em cima estava aguardando a noiva, "enfeitada para seu marido".

"Está tão linda", disse Anne, entusiasmada.

"Encantadora", ecoou Diana.

"Está tudo pronto, Srta. Shirley, madame, e nada terrível aconteceu AINDA", foi a declaração alegre de Charlotta enquanto se dirigia ao seu quartinho para se vestir. As tranças se foram; o exuberante resultado frisado foi separado em dois rabos e amarrado, não com apenas dois laços, mas com quatro, usando uma fita nova de um azul brilhante. Os dois laços de cima davam a impressão de asas crescendo do pescoço de Charlotta, de certa forma parecendo os querubins de Rafael. Mas Charlotta, a Quarta, os achava muito lindos, e, depois de ter se enfiado dentro de um vestido branco, tão duro de goma que poderia ficar em pé sozinho, ela se analisou em seu espelho com grande satisfação — uma satisfação que durou até ela sair no corredor e ter um vislumbre, pela fresta da porta do quarto de hóspedes, de uma menina alta em um traje justo, com flores brancas parecendo estrelas presas às ondas sedosas de seu cabelo avermelhado.

"Oh, eu NUNCA vou me parecer com a Srta. Shirley", pensou a pobre Charlotta, desesperada. "É preciso ter nascido desse jeito, eu imagino. Não parece que nenhuma prática poderia dar esse AR."

À uma, os convidados haviam chegado, incluindo o Sr. e a Sra. Allan, pois o Sr. Allan realizaria a cerimônia na ausência do pastor de Grafton devido às suas férias. Não houve formalidades no casamento. A Srta. Lavendar desceu a escada para encontrar seu noivo ao pé dela, e, enquanto ele pegava sua mão, ela levantou seus grandes olhos castanhos para os dele de um modo que fez Charlotta, a Quarta, depois de interceptá-lo, sentir-se mais estranha que nunca. Eles saíram para o pergolado de madressilvas, onde o Sr. Allan os aguardava. Os convidados se agruparam como quiseram. Anne e Diana ficaram no velho banco de pedra, com Charlotta, a Quarta, entre elas, apertando desesperadamente as mãos delas em suas mãozinhas geladas e trêmulas.

O Sr. Allan abriu seu livro azul e a cerimônia prosseguiu. Assim que a Srta. Lavendar e Stephen Irving foram proclamados marido e mulher, uma coisa muito linda e simbólica aconteceu. O sol brilhou de repente através do céu cinzento e derramou um raio de luz sobre a feliz noiva. Instantaneamente, o jardim ficou vivo com sombras dançantes e luzes piscando.

“Que belo presságio”, pensou Anne enquanto corria para beijar a noiva. Então, as três meninas deixaram o restante dos convidados rindo em volta do par de noivos e correram para dentro da casa para ver se estava tudo pronto para o banquete.

“Graças a Deus, acabou, Srta. Shirley, madame”, suspirou Charlotta, a Quarta, “e eles estão casados, sãos e salvos, não importa o que aconteça agora. Os pacotes de arroz estão na despensa, madame, os sapatos velhos estão atrás da porta, e o chantilly para bater está no porão.”

Às duas e meia, o Sr. e a Sra. Irving partiram, e todos foram até Bright River para se despedir deles no trem da tarde. Quando a Srta. Lavendar — peço perdão, a Sra. Irving — pisou para fora de sua velha casa, Gilbert e as meninas jogaram arroz, e Charlotta, a Quarta, arremessou um sapato velho com uma mira tão excelente que acertou o Sr. Allan bem na testa. Mas a despedida mais bonita estava reservada para Paul. Ele saiu da varanda tocando furiosamente um enorme sino de latão que tinha enfeitado a lareira da sala de jantar. A única intenção de Paul era fazer um barulho alegre; mas, enquanto o som morria, de todos os pontos e colinas do outro lado do rio, veio a melodia dos “sinos de casamento das fadas”, tocando clara, doce e suavemente, e mais suavemente, como se os amados ecos da Srta. Lavendar a estivessem cumprimentando e dizendo adeus. E assim, em meio àquela bênção de doces sons, a Srta. Lavendar abandonou sua velha vida de sonhos e fantasias em direção a uma vida plena de realidades no agitado mundo à sua frente.

Duas horas mais tarde, Anne e Charlotta, a Quarta, desceram o caminho novamente. Gilbert tinha ido a West Grafton cumprir uma tarefa e Diana tinha que cuidar de um noivado em casa. Anne e Charlotta voltaram para colocar as coisas em ordem e trancar a pequena casa de pedra. O jardim era uma piscina de luz do sol dourada e tardia, com borboletas sobrevoando e abelhas passeando; mas a pequena casa já tinha um indefinível ar de desolação que sempre acompanha uma festividade.

“Oh, céus, não parece solitário?”, fungou Charlotta, a Quarta, que chorou por todo o caminho de volta da estação. “Um casamento não é muito mais alegre que um funeral, afinal, quando tudo acaba, Srta. Shirley, madame.”

Uma noite atarefada se seguiu. As decorações tinham que ser removidas, os pratos lavados, as guloseimas não consumidas guardadas em uma cesta para o deleite dos jovens irmãos de Charlotta, a Quarta, em casa. Anne não descansou até estar tudo em perfeita ordem; depois de Charlotta ter ido para casa com suas recompensas, Anne andou pelos quartos vazios, sentindo-se como alguém que ronda sozinho por um salão de banquetes deserto, e fechou as cortinas. Depois, ela trancou a porta e sentou-se embaixo do choupo prateado para esperar por Gilbert, naquele momento muito cansada, mas ainda assim pensando incansavelmente.

"Em que está pensando, Anne?", perguntou Gilbert, descendo pelo caminho. Ele havia deixado sua charrete e seu cavalo na estrada.

"Na Srta. Lavendar e no Sr. Irving", respondeu Anne, sonhadoramente. "Não é lindo pensar em como tudo terminou, como eles se reuniram novamente depois de todos aqueles anos de separação e mal-entendidos?"

"Sim, é lindo", disse Gilbert, olhando firmemente para o rosto erguido de Anne, "mas não teria sido ainda mais lindo, Anne, se NÃO tivesse acontecido nenhuma separação ou mal-entendido? Se eles tivessem andando pela vida de mãos dados, sem memórias atrás deles além daquelas em que já pertenciam um ao outro?"

Por um momento, o coração de Anne palpitou estranhamente e, pela primeira vez, seus olhos vacilaram sob o olhar de Gilbert. Um rubor manchou a palidez de seu rosto. Foi como se um véu que estivesse pendurado diante de sua consciência interna tivesse sido levantado, dando a ela a visão da revelação de sentimentos e realidades de que ela não suspeitava. Talvez, afinal, o romance não viesse à vida das pessoas com pompa e estrondo, como um belo cavaleiro cavalgando; talvez ele se esgueirasse ao seu lado como um velho amigo de um jeito calmo; talvez ele se revelasse em uma prosa aparente, até que algum repentino raio de luz atirado em direção às suas páginas traísse o ritmo e a música; talvez... talvez... o amor se desdobrasse naturalmente de uma bela amizade, como uma rosa de coração dourado deslizando de sua capa verde.

Então, o véu desceu novamente; mas a Anne que subiu a estrada escura não era exatamente a mesma Anne que havia passado por ela alegremente na tarde anterior. A página da vida de menina havia sido virada, como por um dedo invisível, e a página da vida de mulher estava diante dela com todo seu charme e mistério, suas dores e alegrias.

Gilbert, sabiamente, não disse mais nada; mas em seu silêncio ele leu a história dos próximos quatro anos sob a luz da lembrança do rubor de Anne. Quatro anos de trabalho honesto e feliz — e depois a recompensa de um conhecimento útil obtido e de um doce coração conquistado.

Atrás deles, no jardim, a pequena casa de pedra pairava entre as sombras. Ela estava sozinha, mas não abandonada. Ela ainda não tinha terminado seus sonhos, risadas e alegria de viver; haveria verões futuros para a pequena casa de pedra; enquanto isso, ela podia esperar. E sobre o rio púrpura os ecos aguardavam sua hora.